JEAN-LUC BANNALEC

Jean-Luc Bannalec est le pseudonyme d'un écrivain allemand qui a trouvé sa seconde patrie dans le Finistère sud. Après *Un été à Pont-Aven* (2014), il écrit la suite des aventures du commissaire Dupin dans *Étrange printemps aux Glénan* (2015), *Les Marais sanglants de Guérande* (2016) puis *L'Inconnu de Port Bélon* (2017), *Péril en mer d'Iroise* (2018) et *Les Disparus de Trégastel*. Plus récemment a paru *Les Secrets de Brocéliande* (2020). Tous ses romans ont été publiés aux Presses de la Cité et repris chez Pocket.

DU MÊME AUTEUR
CHEZ POCKET

LES ENQUÊTES DU COMMISSAIRE DUPIN

UN ÉTÉ À PONT-AVEN

ÉTRANGE PRINTEMPS AUX GLÉNAN

LES MARAIS SANGLANTS DE GUÉRANDE

L'INCONNU DE PORT BÉLON

PÉRIL EN MER D'IROISE

LES DISPARUS DE TRÉGASTEL

LES DISPARUS DE TRÉGASTEL

JEAN-LUC BANNALEC

LES DISPARUS DE TRÉGASTEL

Une enquête du commissaire Dupin

Traduit de l'allemand par Nadine Fontaine

Titre original :
BRETONISCHES LEUCHTEN
KOMMISSAR DUPINS SECHSTER FALL

Pocket, une marque d'Univers Poche,
est un éditeur qui s'engage pour la préservation
de l'environnement et qui utilise du papier fabriqué
à partir de bois provenant de forêts gérées
de manière responsable.

ISBN 978-2-266-30598-3
Dépôt légal : mars 2020

Dimanche

La sorcière, la tortue, la palette du peintre, le chaos, la tête de mort. Point besoin d'être un Breton à l'imagination fertile pour les reconnaître. Il en était de même de ceux qu'ils avaient vus la veille : *la forteresse du diable, la gueule du requin, la bouteille, la botte retournée, le chapeau de Napoléon, le champignon, le pied, le lièvre*.

Du moins, la veille, les avaient-ils découverts lors d'une promenade.

En revanche, aujourd'hui, ils étaient allongés sur la plage. Le commissaire Georges Dupin et Claire Chauffin, son amie, chef de service en cardiologie. Depuis leur serviette de bain, ils admiraient les fantastiques formations de granit rose. En fin d'après-midi et surtout à l'heure du crépuscule, les rochers commenceraient à rougeoyer puis à s'embraser d'une façon surnaturelle, comme s'ils n'étaient pas de ce monde. Un chaos d'énormes rochers aux formes insolites, d'immenses blocs de granit, isolés ou amoncelés pêle-mêle, parfois empilés. Il y en avait partout : dans la mer, émergeant de l'eau, sur les îlots juste devant eux, mais aussi derrière, sur la presqu'île Renote, où se trouvait la belle plage sur laquelle ils se prélassaient.

On pouvait admirer tous ces rochers le long de la côte, entre Trébeurden et Paimpol. Cette partie des Côtes-d'Armor devait au granit rose son nom poétique et sa renommée.

Il avait servi à bâtir de prestigieux monuments tels que l'Hôtel de Ville de Paris, le mémorial Charles de Gaulle, à Colombey-les-deux-Eglises, la célèbre croix de Lorraine. On trouvait même à Los Angeles, à Budapest et à Séville des édifices construits avec ce légendaire granit rose. Dès l'âge de la pierre polie, d'imposants ouvrages avaient été réalisés dans ce granit, qui n'apparaissait aujourd'hui qu'en de rares endroits du globe en si belles quantités : dans l'Ontario canadien, en Corse, en Egypte et en Chine.

On avait l'impression que ces étranges rochers étaient littéralement tombés du ciel, dispersés au petit bonheur la chance. Comme si une pluie de météorites d'une autre nature s'était abattue. Des prodiges roses, des signes, des témoins mystérieux. Bien qu'énormes, ils semblaient en état d'apesanteur. Comme si, d'un moment à l'autre, un coup de vent pouvait les emporter. C'était un décor féerique – on comprenait sur-le-champ pourquoi de grands écrivains et peintres, dont de nombreux amis de Gauguin, avaient été amoureux de ce bout de terre.

Depuis toujours, la Côte de Granit rose avait été un enjeu extravagant : à qui appartenaient ces roches extraordinaires, avec les formes spectaculaires et leur camaïeu de rose ?

La plage, où ils étaient allongés, était, elle aussi, sensationnelle. La grève de Toul Drez était la plus septentrionale des douze plages de Trégastel : une plage sauvage en forme de croissant de lune, bornée par des langues de terre rocheuses et des rochers aux formes insolites, avec à l'ouest une avancée appelée *tête de mort*, et où on pouvait admirer la plus drôle des formations granitiques de la région : *le tas de crêpes*, qui adoucissait un peu la frayeur causée par *la tête de mort*. Au large, l'île du Grand Gouffre et l'île de Dé protégeaient la plage contre les assauts des vagues et formaient, à marée basse, une lagune ravissante, une sorte de grande piscine naturelle. Ici, même le sable aux grains très fins était rose. La plage avançait en pente douce vers la mer d'une absolue transparence, passant d'un tendre vert émeraude au bleu turquoise éclatant que le rose du fond renforçait de manière singulière. C'est seulement au large que la mer prenait une teinte bleu marine, là où se dressaient les plus importantes des légendaires Sept-Iles, à quatre milles marins de la côte.

Depuis leur arrivée, deux jours auparavant, Claire et Dupin jouissaient d'un temps exceptionnel : le thermomètre ne descendait pas au-dessous de trente degrés durant la journée, le ciel était uniformément bleu, sans un nuage, sans un voile de brume. Grâce à la légère brise de mer, l'air était aussi transparent que du cristal. Les couleurs dominantes formaient une alliance exquise : le bleu lumineux du ciel, les différents tons de turquoise de la mer et le rose du sable et des rochers.

Une beauté à couper le souffle. Une beauté irréelle.

La douceur de vivre, c'est ainsi qu'on appelle cette atmosphère légère et insouciante des belles journées d'été. Autrement dit, en breton, « la vie en roz ».

Pour Dupin, c'était l'enfer.

Ils étaient en vacances.

Des vacances au bord de la mer.

Rien ne pouvait être pire.

Ne rien faire d'autre que se prélasser à la plage, voilà ce que Claire avait imaginé. Aucune contrainte, aucun rendez-vous, aucun travail. Elle avait exigé un contrat sans conditions, une promesse mutuelle : pendant ces quelques jours et sous aucun prétexte ils ne se mêleraient de quoi que ce soit en lien avec le commissariat de Concarneau ou la clinique de Quimper. Quoi qu'il arrive.

« Rien que le divin repos et le doux farniente », avait-elle soupiré d'un air béat.

En réalité, il ne s'agissait pas de « quelques jours », mais de deux semaines entières. De quinze jours, pas un de moins.

Le plus long congé que Dupin avait jamais pris de toute sa carrière. C'était devenu un sujet de conversation dans tout Concarneau. La nouvelle avait même fait l'objet d'une brève dans l'édition locale d'*Ouest-France* : « Georges Dupin à Trégastel : le commissaire prend des vacances ! »

Claire avait jeté son dévolu sur une station balnéaire « à taille humaine, idyllique et pittoresque », où on n'avait pas besoin de voiture, où tout était accessible à pied. Sur un « petit hôtel de charme ».

Le plus important était cependant de vivre selon un « vrai rythme de vacances », c'est-à-dire : faire des grasses matinées – alors que Dupin était un incorrigible lève-tôt –, prendre un petit déjeuner tardif et prolongé sur la terrasse – Dupin détestait les petits déjeuners qui s'éternisaient –, aller à la plage légèrement vêtus – Dupin abhorrait porter des shorts –, acheter en chemin des sandwichs et des boissons – là-dessus il n'avait rien à redire, au contraire du dernier point : s'installer confortablement sur d'immenses draps de plage bien moelleux et ne les quitter qu'en toute fin d'après-midi, excepté pour faire quelques petites brasses dans la mer.

L'enfer.

Rien n'était plus insupportable à Dupin que l'oisiveté. Rien ne le rendait plus nerveux que le repos forcé. Le commissaire avait besoin de bouger, de s'occuper. Il était dans son élément en travaillant sans cesse. Tout le reste n'était que torture. Bien entendu, Claire en était consciente ; elle le connaissait depuis assez longtemps. Elle le prenait en considération. Oh combien ! Avec son idée malencontreuse, elle n'avait pas pensé à elle, bien au contraire, faisait-elle remarquer : elle avait justement surtout pensé à lui. Car Claire défendait une théorie fatale, selon Dupin : son hyperactivité compulsive était due au fait qu'il était en permanence sur le pont ; la cause en était le surmenage tant intérieur qu'extérieur dont il avait été victime ces dernières années, ou en d'autres termes, qui avaient sa préférence : « toutes ces horribles enquêtes criminelles ». Au point que son état était devenu « critique », nécessitant un « vrai repos ». Une « cure radicale – qu'il prenne enfin le large ! ». Par malchance, le docteur Pelliet, le médecin de Dupin, était du même avis. Lui aussi avait diagnostiqué chez le commissaire les « symptômes prototypiques d'un épuisement pathologique » : ulcère à l'estomac, troubles du sommeil, addiction à la caféine… Pour Dupin, tout cela n'était qu'élucubrations. Mais lorsque Nolwenn, son indispensable assistante, s'en était mêlée, déclarant qu'il avait « besoin de toute urgence de se reposer » seulement parce qu'il lui était arrivé de réagir « de façon bourrue », il avait compris que la bataille était perdue. Tous les trois ne voulaient « que son bien ». Il avait capitulé.

Ensuite, tout était allé très vite. Nolwenn et son mari avaient passé leurs dernières vacances d'été à Trégastel-Plage, ils étaient descendus dans un « très joli hôtel » et s'étaient même liés d'amitié avec les propriétaires. Avant même que Dupin ne se retourne, la chambre était réservée. Une « double de luxe ». Avec balcon et vue sur la mer.

Voilà comment tout s'était enclenché et les avait amenés, ici et maintenant, sur une grande serviette de plage mauve.

Dupin ne doutait pas un instant de l'unique effet qu'allait provoquer sa cure de repos : le faire bouillir intérieurement. Mais il pensait à Claire. Depuis qu'elle dirigeait le service de cardiologie à Quimper, elle ne s'était pour ainsi dire pas arrêtée. En réalité, elle était, elle – contrairement à lui –, totalement épuisée. Ces derniers temps, elle avait plus d'un soir piqué du nez sur le canapé avant même qu'ils ne passent à table. Elle avait besoin de repos. Il n'y avait rien de mieux pour elle que des vacances à la plage, Dupin en était hélas persuadé. Depuis leur arrivée, Claire semblait se requinquer de minute en minute.

Si pour Georges Dupin se retrouver sur une serviette de plage était déjà en soi un cauchemar, d'autres détails venaient aggraver la situation.

Le soleil tapait si fort qu'on ne pouvait pas sortir sans casquette ou chapeau. Or, Dupin détestait l'une et l'autre. D'ailleurs, il ne possédait aucun couvre-chef. Qu'à cela ne tienne ! La veille, en chemin vers la plage, Claire lui avait acheté une casquette bleu marine « I love Brittany » et dont il s'était coiffé en grommelant. Il fallait aussi s'enduire de crème solaire à tout bout de champ. Dupin menait une rude bataille contre la crème solaire. Elle collait abominablement, quoi qu'en dît la réclame sur le tube. Avec pour conséquence que le sable collait aussi sur le corps. Lequel sable s'ingéniait, de façon mystérieuse, à recouvrir la serviette du côté de Dupin. Du côté de Claire, il n'y avait jamais un seul petit grain. Mais la crème solaire faisait pire encore : quel que soit le soin avec lequel il s'en enduisait, à un moment ou un autre, en général très vite, il en avait dans les yeux. Sensation de brûlure garantie. Vision floue. Si bien qu'il ne pouvait même pas lire ou observer ce qui l'entourait. Or, que pouvait-on faire d'autre que lire et regarder autour de soi quand on était assis sur une serviette de plage ?

Le dîner était bien sa seule consolation. Le restaurant de l'hôtel était excellent et servait une cuisine du terroir, notamment des spécialités des Côtes-d'Armor. A peine arrivés, ils avaient ressenti une faim de loup – Dupin aimait beaucoup que Claire puisse être à ce point affamée – et ils s'étaient installés sur la terrasse, devant le panorama époustouflant. Ils avaient dégusté des tartelettes aux coquilles Saint-Jacques de la rade de Brest, de loin les meilleures, suivies d'artichauts Cardinal servis avec une vinaigrette aux herbes, une variété régionale d'artichauts qui se caractérise par sa robe violette, son fond doux et légèrement sucré. Le vin avait été, lui aussi, excellent, un jeune pinot noir du Val de Loire, qui se boit frais, breuvage que Dupin appréciait les jours d'été. Le vin s'était allié parfaitement à l'agneau de pré-salé mariné accompagné de cocos de Paimpol, ces haricots blancs tendres dont Dupin raffolait.

Aussi fantastique le dîner avait-il été – magie confirmée le lendemain –, une journée de vacances ne consistait pas uniquement en dîners, hélas. Mais en de nombreuses, très nombreuses autres heures qui se répéteraient pendant les douze jours restants.

Dupin était allé nager six fois, déjà. Il avait arpenté la plage d'un bout à l'autre encore plus souvent. Et rebelote.

Avant d'arriver à la plage – où Claire l'avait précédé, ne voulant pas « gaspiller de son temps » –, il s'était rendu dans le centre tranquille de Trégastel et était passé chez le marchand de journaux où il avait acheté l'édition dominicale de plusieurs quotidiens. Il avait pris son temps. Depuis, il les avait quasiment tous lus de la première à la dernière ligne. *Ouest-France* avait ouvert le bal de l'épais « spécial été » en prenant pour thème : « Naît-on breton ou peut-on le devenir ? » Un des sujets préférés des Bretons. La réponse était à la fois simple, sympathique et pathétique (tout en rassurant Dupin) : « Pour être Breton, pas besoin de papiers d'identité et d'attestations, il suffit de vouloir l'être ! » En d'autres termes, plaidait le journal, c'était une question d'attitude, de conception personnelle de la vie, du monde, de l'humanité et, très important, de soi-même. Pendant les quatre semaines suivantes, le journal proposerait à ses lecteurs de décliner la phrase « Tu sais que tu es breton quand… » complétée par des signes intangibles et des preuves irréfutables tels que : « pour toi, l'heure de l'apéritif sonne à onze heures du matin et que tout est permis après / pour te suicider, tu te mets à clamer que tu viens de Paris dans un bar plein à craquer au fin fond du Finistère / tu supportes les sons d'une cornemuse mieux que personne / la date 1532 te dit quelque chose, mais rien de bon (l'année où la Bretagne fut "annexée" par la France) ».

Claire avait étalé la serviette à la même place que la veille. Le message était limpide : ici se passeraient toutes les vacances.

— Je dois me rincer les yeux, annonça Dupin en grimaçant. Il faut que j'aille à l'hôtel pour trouver de l'eau claire.

Il était déjà debout.

Il n'avait rien trouvé de mieux pour quitter la serviette de plage pendant quelques instants. D'ailleurs, ça correspondait peu ou prou à la réalité.

— Bon, eh bien achète-nous un pan-bagnat chacun.

— D'accord.

A quelques pas de l'hôtel, Dupin avait découvert un petit magasin ; Rachid, le propriétaire, originaire de Nice, préparait cette spécialité de sa ville : un petit pain rond au levain fourré avec du thon, des tomates, des olives et de la mayonnaise. Il vendait également du rosé de Provence qu'on pouvait emporter sur la plage dans une glacière portative.

Il était quinze heures trente.

Claire somnolait allongée sur le ventre. Elle portait un bikini noir tout simple qui lui allait à ravir. Ainsi qu'un immense chapeau de paille hérité de sa grand-mère et que Dupin n'aimait pas beaucoup.

— Tu as besoin d'autre chose ? Je vais le chercher avec plaisir.

— Non, merci, mon chéri.

Dupin enfila son polo bleu délavé, son jean, ses mocassins en piteux état, remplis de sable. Encore une de ses spécialités : il réussissait le tour de force de transporter partout d'énormes quantités de sable. Jusque dans sa voiture, sa chambre d'hôtel et même dans son lit, malgré la douche.

Une famille qui séjournait dans le même hôtel avait construit son petit îlot de plage une vingtaine de mètres plus loin. Trois jeunes enfants. Un garçon, deux filles. Très joyeux. Très souriants. Dotés hélas de parents exécrables, qui n'arrêtaient pas de brailler : « Restez assis tranquillement », « Ne mets pas des miettes partout », « On voudrait être au calme au moins une fois par an »… La sempiternelle grogne des parents volait jusqu'à eux. C'était atroce. Le matin même, au petit déjeuner, leur volume sonore déjà très élevé avait été surpassé par un couple, lui au début de la cinquantaine, supputa Dupin, elle une blonde oxygénée d'une trentaine d'années : ils n'avaient pas cessé de se disputer à grands cris.

Le quotidien de la vie à l'hôtel.

— A tout à l'heure, Claire.

— Ne traîne pas, dit-elle en se retournant pour prendre son livre.

Dupin fit un grand détour pour éviter la famille.

L'hôtel n'était pas loin. Bordé de touffes d'herbe des dunes scintillant au soleil, un petit sentier longeait la mer, offrant un panorama sur ce paysage où s'entremêlaient le granit et l'eau.

L'hôtel, l'Ile Rose, trônait sur une colline au sommet plat, avec pignon sur mer. Il s'élevait entre de gros blocs de granit rose qui le masquaient presque de tous les côtés et d'où émergeaient ici et là de grands pins tordus par le vent. L'entrée principale se trouvait au bout de la promenade côtière au-dessus de la plage de Coz Pors. Grossièrement goudronnée, la promenade menait jusqu'à un petit parking public sur lequel s'ouvrait l'entrée de l'hôtel. Là se trouvaient aussi les quatre étroites maisonnettes de bois, peintes en blanc immaculé, où on pouvait acheter les billets pour se rendre en bateau dans l'archipel des Sept-Iles. Ce que Dupin aurait aimé faire si son aversion pour les traversées en bateau n'avait pas été aussi rédhibitoire. Sur les Sept-Iles vivait le « petit pingouin ». Certes, les petits pingouins n'étaient pas à proprement parler de vrais pingouins, ainsi que Dupin l'avait appris, mais ils appartenaient à la famille des alcidés, appelés aussi pingouins tordas. A l'instar des pingouins, auxquels ils ressemblaient, ils volaient. Dupin avait une telle affection pour les pingouins qu'il y incluait généreusement les tordas, même si ceux-ci restaient pour lui inatteignables, en dépit de la proximité des Sept-Iles.

Dupin avait pénétré dans le jardin de l'Ile Rose, pour lequel Claire avait eu le coup de foudre dès leur arrivée. Elle aimait tout particulièrement les deux splendides massifs d'hortensias aux fleurs bleu-violet. Les hôteliers avaient créé un petit paradis botanique au cœur du granit. Une pelouse entretenue avec soin mais sans excès, deux palmiers aux troncs épais ébouriffés par le vent, des eucalyptus majestueux, des camélias épanouis, des rhododendrons, des agaves, de la lavande odorante, des buissons de sauge, de thym, de romarin et de menthe. Cependant, le joyau de ce jardin était un vieil olivier tout tordu. Côté mer, les gros blocs de granit et la végétation luxuriante offraient une vue grandiose.

Badigeonnée de gris clair et percée de fenêtres aux rebords en granit comme il se doit, la bâtisse, du XIXe siècle, faisait partie de ces maisons ayant le privilège de se dresser au bord de l'eau, comme toutes celles qu'on pouvait admirer, disséminées au long de la côte. Une demeure restaurée avec raffinement dans les tons clairs, avec un goût sûr et simple. A la fois sobre et gracieux, l'ameublement des chambres était en bois, agrémenté d'étoffes colorées. Les chambres possédaient une machine à expresso : un must pour Dupin. A l'instar de la petite station balnéaire, la demeure était le témoin de l'époque qui avait inventé la notion de villégiature.

Après avoir traversé le jardin, Dupin se dirigea vers les marches de pierre qui menaient à la porte d'entrée.

— Vous êtes déjà au courant, commissaire ?

Michel Bellec, l'hôtelier – affable et grassouillet –, avait émergé de derrière un palmier. Un homme sympathique, tout compte fait, même si Dupin le trouvait un peu trop bavard. De toute évidence, Bellec aimait accueillir ses hôtes de façon personnalisée.

Dupin s'arrêta à contrecœur, ses yeux le brûlaient encore à cause de la crème solaire. Il n'avait aucune envie de se lancer dans une conversation.

— Non, répondit-il sur un ton plus rogue qu'il n'aurait voulu. Mais qu'aurais-je dû savoir ?

— Hier, on a volé la statue de sainte Anne qui se trouve dans la chapelle Sainte-Anne. Personne ne sait qui est le malfaiteur et comment le forfait a été perpétré.

Dupin se massa les tempes.

— J'imagine que la gendarmerie va s'en occuper.

— Oui, Alan et Inès, précisa monsieur Bellec dans un sourire. Ils vont s'en charger.

Dupin supposa qu'il s'agissait des gendarmes du coin.

Deux gros bourdons – le jardin bruissait d'abeilles et de bourdons – passèrent en vrombissant dangereusement près du nez de Dupin.

— La statue est très ancienne, continua monsieur Bellec qui ne s'avouait pas vaincu.

— Tout de même ! murmura Dupin qui s'en contrefichait.

Il était hors de question qu'il s'occupe d'une affaire de vieux objets qui disparaissaient, encore moins s'ils avaient un lien avec des églises. Sa dernière grande enquête était une affaire de ce type. N'ayant pas été tout à fait résolue, elle le poursuivait encore, planant au-dessus de lui comme une ombre mystérieuse.

— Et mercredi de la semaine dernière, la maison de Gustave Eiffel a été cambriolée, insistait Bellec.

Dupin haussa les épaules.

— L'architecte de la tour Eiffel a construit sa maison ici, en 1903. Dans le style écossais. Elle est en vente. Avec un hectare et demi de terrain.

Bellec donnait l'impression de vouloir vendre lui-même ce bien immobilier.

— On a la mer sur trois côtés. La maison est ouverte à tous les vents. Ce n'est pas pour rien qu'elle s'appelle Ker Avel. Pas loin du *chapeau de Napoléon*. Albert, le fils de Gustave Eiffel, a créé un labyrinthe au milieu des rochers.

— Très bien, conclut Dupin prêt à poursuivre son chemin.

— En 1906, Gustave Eiffel a installé sur sa maison plusieurs appareils de mesure météorologique, révolutionnaires pour l'époque. La météorologie lui doit beaucoup. Tiens, d'ailleurs, ajouta monsieur Bellec en haussant la voix, la maison Eiffel était verrouillée.

— Ma femme… Elle attend son pan-bagnat.

Depuis leur arrivée, monsieur et madame Bellec ne cessaient de dire « votre femme », « votre mari ». Dupin et Claire les avaient repris plusieurs fois, mais c'était peine perdue.

Bellec hocha la tête et poursuivit :

— Savez-vous que *le chapeau de Napoléon* a joué un rôle historique capital ?

Question rhétorique.

— « Le chapeau de Napoléon est-il toujours à Perros ? » a lancé la BBC le 3 avril 1943 à dix-huit heures à destination de la Résistance française, donnant le signal de l'insurrection ! Sur l'ordre du général de Gaulle en personne !

Bellec déclamait sur un ton solennel. Même si Dupin n'avait aucune envie de poursuivre cette conversation, il devait admettre que le ton était approprié, car l'affaire avait un certain poids.

— Bizarrement, il semblerait que rien n'ait été volé. La demeure est pratiquement vide, de toute façon. Il ne reste que quelques vieux meubles, sans aucune valeur. Je me demande bien qui peut entrer par effraction dans une maison pareille, n'est-ce pas, commissaire ?

Dupin monta les marches jusqu'à la porte entrouverte.

— Il ne se passe rien sinon, ici, entendit-il dans son dos.

Après un moment d'hésitation, Dupin se retourna une dernière fois.

— Sauf cette affaire il y a sept ans, qu'il vous faut connaître. On a trouvé un corps dans la carrière. Une employée de la société qui exploitait la carrière. Elle travaillait au service administratif. Elle a fait une chute de cinquante mètres et s'est écrasée sur le granit. A ce jour, on ne sait toujours pas si c'était un accident ou un meurtre. L'enquête a duré longtemps mais n'a rien donné. Un mystère. On l'appelle « la morte rose ».

Bellec avait haussé ses sourcils broussailleux de façon théâtrale, creusant de profondes rides sur son front. Il avait une tête ronde assortie à son embonpoint, des cheveux très courts et grisonnants.

— Je dois me dépêcher, monsieur Bellec, il est vraiment temps que j'y aille !

— Le dernier meurtre qui a frappé Trégastel a eu lieu il y a trente-sept ans, continua Bellec qui semblait tenir le compte des événements criminels du coin. Lui non plus n'a pas été résolu. Une femme, là aussi. Une vendeuse en boulangerie. On l'a trouvée étranglée à la sortie de l'un de nos fest-noz, le *Gouel an Hañv*. Vingt et un ans seulement. Chez nous, on l'appelle « la blafarde ».

— Je comprends.

— Au fait, cette année a lieu le quarantième anniversaire de notre plus grande fête. Organisée par l'Association de loisirs et culture de Trégastel. Samedi prochain. A ne pas manquer. Il y aura des galettes garnies de légumes bio de la région, de la bière locale et du cidre. Sans oublier le vin et plein d'autres choses. La partie musicale est assurée par TiTom, Dom Jo et Markus et les Frères Guichen. Il faut absolument que vous veniez. Cela va beaucoup plaire à votre épouse.

Dupin poussa la porte avec énergie.

— A plus tard, commissaire, conclut Bellec dans un large sourire.

Dupin murmura un dernier au revoir et disparut rapidement.

Dans la vieille bâtisse, il faisait agréablement frais. Au bout de l'étroit couloir, on trouvait l'escalier desservant les étages, à gauche le petit salon meublé de trois canapés aux gros coussins moelleux et de guéridons anciens jonchés de livres fatigués. Dans un coin trônait un secrétaire avec un ordinateur. Du salon on passait à la petite salle à manger par laquelle on accédait à la terrasse. La réception se trouvait juste après la porte d'entrée, à droite, et la cuisine y était adjacente.

Grimper les marches raides jusqu'au troisième étage équivalait à une petite escalade. Dupin pénétra dans la chambre. Spacieuse, eu égard aux standards de l'hôtellerie française. Ici aussi, les meubles de bois clair étaient sobres. Elle disposait d'une méridienne où on pouvait s'allonger de tout son long. Mais le joyau était le balcon où se trouvaient deux chaises longues, l'une vert amande et l'autre rouge paprika, disposées de part et d'autre d'un parasol jaune orangé et d'une petite table. Claire avait été charmée par la combinaison des couleurs.

Dupin se rendit dans la salle de bains pour se nettoyer les yeux. Puis il se prépara un expresso et s'assit sur le balcon.

Il but son café à petites gorgées. Son regard se perdit dans l'horizon bleu foncé.

Soudain, un bruit assourdissant éclata. Des sons aigus et perçants qui en s'atténuant devenaient graves et sourds avant de retentir de nouveau dans des tons stridents. Accompagnés par le vrombissement d'un moteur.

Dupin mit quelque temps avant de comprendre de quoi il s'agissait.

Des tracteurs. C'était les avertisseurs de tracteurs. Pas un seul klaxon, ni deux, mais des dizaines. Le bruit venait de la gauche, sans doute de la rue qui longeait la plage principale et menait au petit parking et à l'entrée de l'hôtel.

Dupin se leva. La mine préoccupée, il se pencha par-dessus la balustrade.

De là, on ne pouvait pas voir la rue. Sans doute s'agissait-il d'une manifestation d'agriculteurs, bien qu'il n'eût rien lu à ce sujet dans le journal. Ces dernières années, les Côtes-d'Armor avaient été le théâtre d'un nombre croissant de ce type de manifestations.

Dupin retourna dans la chambre et glissa sa main dans la poche de son pantalon, à la recherche de son portable. Elle aussi était remplie de sable. Bien que son portable fût robuste, Nolwenn lui avait procuré une coque. « Defender », ainsi se nommait le modèle ultra fin et néanmoins indestructible, standard militaire. « Exactement ce qu'il vous faut, pour vous et la plage », lui avait assuré Nolwenn.

Il appuya sur la touche du dernier numéro appelé.

Quatre sonneries.

— Commissaire !

Le ton était très sévère.

— Je voulais juste savoir si tout allait bien.

— C'est la cinquième fois que vous m'appelez depuis avant-hier soir, commissaire. La cinquième.

Nolwenn ne cachait pas son indignation.

— Même si quelque chose était arrivé dans ce laps de temps, ce ne serait pas votre affaire pendant les deux prochaines semaines. Sous aucun prétexte, déclara-t-elle sur un ton encore plus brutal que le sens de ses mots.

— Je voulais seulement m'en assurer.

Une réponse pitoyable.

— Soyez honnête, vous en êtes au point de souhaiter qu'il se passe quelque chose. Une jolie petite affaire bien embrouillée. Un meurtre raffiné et extravagant. Vous seriez même capable d'extirper une enquête de votre cerveau enfiévré !

Nolwenn ne se donnait pas la peine de masquer sa mauvaise humeur.

— Mais c'est tout à fait normal, poursuivit-elle sur le ton d'une thérapeute aguerrie, le docteur Pelliet nous a prévenus. Tant que vous ne pourrez pas vous adonner à votre hyperactivité pathologique, des symptômes de manque apparaîtront. Y compris physiologiques. Mais le docteur Pelliet nous a aussi recommandé de rester fermes.

Cette idée de repos forcé était d'une absurdité confondante. Bien sûr qu'il n'allait pas bien. Comment en aurait-il été autrement ? Mais cela n'avait rien à voir avec l'hypothèse ridicule que Claire, Nolwenn et le docteur Pelliet avaient imaginée. Personne ne trouvait à redire au fait qu'un pianiste professionnel soit nerveux et insupportable quand il ne pouvait pas jouer. Personne n'en était choqué, bien au contraire ! Personne ne parlait d'« addiction », tout le monde était plein d'admiration pour cette « irrépressible passion » ! Un jour, Dupin avait lu qu'un pianiste renommé faisait transporter à grands frais son piano à queue où qu'il aille. Pourquoi devrait-il en être autrement avec sa profession ? N'avait-il pas le droit de l'aimer ? N'avait-il pas le droit d'être nerveux et malheureux quand il ne pouvait pas l'exercer ?

— Et c'est justement cela que nous allons faire : rester fermes, renchérit Nolwenn pour démontrer combien elle était sérieuse. Nous voulons que vous vous reposiez ! Je vais raccrocher, maintenant.

Avec un profond soupir, Dupin remit le portable dans sa poche pleine de sable.

Il sortit ensuite de l'hôtel.

Monsieur Bellec était en train d'enlever les mauvaises herbes d'un massif de sauge. Dupin n'était pas certain qu'il l'eût remarqué.

Après un moment d'hésitation, il se dirigea vers lui.

— Cette statue qui a été volée, commença Dupin avant de s'interrompre. (Il ne devait pas poser cette question pour mille raisons, mais poursuivit néanmoins :) Avait-elle de la valeur ?

Le visage de Bellec montra une satisfaction certaine.

— Bien qu'ancienne, elle n'a aucune valeur matérielle, répondit-il en souriant. Elle n'est pas en or, ajouta-t-il, faisant clairement allusion à la dernière enquête de Dupin. Elle est simplement en bois peint. Mais elle possède une valeur intrinsèque. Ce n'est pas normal que le vol n'ait même pas fait l'objet d'un entrefilet, commenta-t-il sur le ton de la déception. Rien non plus sur le cambriolage de la maison Eiffel.

— Une valeur intrinsèque est pourtant on ne peut plus remarquable.

Dupin n'avait pas la moindre idée de ce qu'il entendait par là.

— A la réception, vous trouverez une brochure sur l'église où il y a une photo et…

— Merci, monsieur Bellec.

— Mais savez-vous ce qui est vraiment bizarre ?

Dupin resta coi.

— Comparé à l'église Sainte-Anne, qui est là-haut, la chapelle Sainte-Anne n'a pas la moindre importance. Je veux dire, d'un point de vue artistique. Les statues non plus. Par contre, l'église Sainte-Anne date du XIIe siècle. Une église romane qui a subi des transformations à l'époque gothique. Sensationnelle.

Elle renferme de nombreux chefs-d'œuvre. Mais pas la chapelle.

— Je... commença Dupin avant de s'interrompre et de prendre une longue inspiration. Je crois que je dois y aller.

— Ne soyez pas effrayé par le bruit que vont faire les tracteurs, annonça monsieur Bellec en se retournant vers le massif de sauge. Les cultivateurs se regroupent sur la promenade. Ils protestent contre les prix bas que pratiquent les hypermarchés. (Il fit une pause théâtrale avant d'ajouter :) Et ils ont bien raison. Ce midi, ils ont planté des pancartes « A vendre » devant le domicile de la députée. Le nombre d'actions de ce genre va augmenter ces prochains jours.

En règle générale, les paysans bretons – les paysans français dans leur ensemble – n'y allaient pas avec le dos de la cuillère. Pendant la Révolution, déjà, ils avaient constitué une force très puissante.

Bellec leva les yeux de son buisson de sauge :

— Ici, tout le monde parle déjà de « l'été de la crise ». Le lait, la viande. Cette hérésie des prix sacrifiés doit cesser !

Tout semblait indiquer qu'une longue tirade allait suivre.

Dupin n'était pas d'humeur – même si monsieur Bellec avait totalement raison. Et que c'était de sa faute puisqu'il avait entamé la conversation.

— Les Côtes-d'Armor vivent de l'agriculture. D'anciennes terres volcaniques, un sol riche en vase fertile, le Gulf Stream, récita Bellec avec fierté, le menton en avant. Par exemple, les célèbres cocos de Paimpol : de petites perles blanches serties dans une gousse marbrée d'un merveilleux violet. Ils ont obtenu le label AOC en 1998. Les premiers haricots français à l'avoir obtenu.

Dupin se sentait obligé de hocher la tête. Non seulement lui, mais toute la Bretagne raffolait de ces cocos. Chaque année, la première récolte était attendue avec impatience.

Bellec afficha un large sourire.

— Il faut absolument que vous goûtiez aussi aux petits violets, une des trois spécialités d'artichauts du coin. Ils sont plus petits et plus allongés que l'artichaut camus qui a un capitule arrondi et serré. N'oublions pas le chou-fleur, les variétés locales de pommes de terre et de tomates, les carottes de sable, les poireaux, les oignons roses de Roscoff… Et puis nos différentes races de porcs, surtout celle de Saint-Brieuc qu'on nourrit aux graines de lin. Les ragoûts, les saucisses, les pâtés…

— Nous goûterons à tout, monsieur Bellec. A tout.

Ils n'y manqueraient pas, c'était certain.

Dupin se retourna, prêt à partir.

— Amusez-vous bien à la plage !

Monsieur Bellec n'était en rien ironique.

Dupin passa devant le massif d'hortensias violets et quitta le jardin.

Il sortit de nouveau son portable.

Depuis quelques semaines, il avait entrepris une importante démarche personnelle, qui avait absorbé son esprit toute cette année. Certains points restaient à affiner. Puis il interrogerait Claire.

Lundi

Si le commissaire aimait les rituels choisis par lui, il détestait ceux qui lui étaient imposés. Les vacances en comprenaient tout un lot. Ils s'étaient levés tard. Après le petit déjeuner, ils s'étaient rendus à la plage « sans se presser » puis, c'était inévitable, s'étaient affalés sur la serviette de bain étalée sur le sable. Au moins, sur leur chemin, Rachid, le nouvel ami de Dupin, les avait-il approvisionnés en quantité suffisante. Des mini-pizzas faites maison bien appétissantes, garnies de chorizo et de sardines, une demi-pastèque, le tout placé dans une glacière compacte – le rosé était dans son propre rafraîchisseur de bouteille – que Rachid leur prêtait pour toute la durée de leurs vacances.

Hélas, les quotidiens manquaient à l'appel. Rien ne pouvait chagriner davantage Dupin : le matin même, à cinq heures, les agriculteurs avaient paralysé la circulation en bloquant toutes les voies d'accès, empêchant ainsi les journaux de parvenir à Trégastel. Impassible, Bellec s'était contenté de hausser les épaules, après que Dupin les eut cherchés en vain sur la table où ils se trouvaient habituellement.

Un quart d'heure était à peine passé que Dupin avait déjà quitté la serviette pour se promener sur l'île du Grand Gouffre, qui était devant eux. A marée très basse, et en particulier les jours de grandes marées, on pouvait y aller à pied. Il avait demandé à Claire si elle souhaitait l'accompagner, mais elle avait murmuré qu'ils venaient d'arriver.

Cette courte marche avait amélioré l'humeur de Dupin. Il appréciait la marée basse, qui était faite pour les promeneurs. A chaque fois, elle laissait apparaître de nouveaux paysages époustouflants. Un décor rose, féerique, comme si un artiste fantastique l'avait créé ; certains blocs de granit semblaient avoir été travaillés comme de la pâte à modeler, avoir été étirés, tournés, aplatis. Un décor somptueux. Dupin avait grimpé sur l'amoncellement le plus élevé et fait le tour de la petite île. Du côté qui regardait vers la terre ferme, une petite bande de sable blanc était nichée au creux des rochers. Il demanderait à Claire si, pour changer, elle ne voudrait pas venir s'allonger ici. C'était un endroit plus isolé, plus sauvage – il n'avait toujours pas compris pourquoi on avait baptisé ce charmant îlot « le Grand Gouffre ». A coup sûr, une histoire terrible y était rattachée.

Au cours de cette longue journée de plage, Dupin était allé se baigner encore plus souvent que la veille ; il s'était baladé sur la plage tout aussi souvent. Par deux fois, il était allé chez Rachid acheter des boissons, du Coca et de l'eau ; une fois, le matin, comme la veille, il était retourné à l'hôtel, à cause des yeux qui le brûlaient. Il avait de nouveau rencontré monsieur Bellec. Qui, entre autres, lui avait parlé de « deux autres faits criminels » s'étant déroulés à Trégastel : la veille du festival Moules-Lard-Frites, on avait dérobé un appareil photo ; et, deux semaines plus tôt, on avait volé trois sacs de farine au boulanger local. On aurait dit qu'une énergie criminelle soufflait sur ce lieu en apparence si paisible.

L'après-midi, une idée lumineuse avait par bonheur germé dans l'esprit de Dupin : la maison de la presse était une raison valable pour quitter la plage. Même s'il n'y avait pas de journaux. Dupin s'achèterait un livre. Un livre l'occuperait. Bien des semaines avant leur départ, Claire s'était demandé ce qu'elle lirait pendant les vacances. Un mélange détonant. Quelque chose du genre *Réalité cachée et univers parallèles*, deux gros tomes de Proust, un ouvrage encore plus épais sur les techniques d'intervention à l'aide de cathéter, le dernier roman d'Anna Gavalda, un livre de cuisine d'Eric Frechon. Dupin, lui, avait fait sa valise le matin de leur départ. Et n'avait pas pensé à emporter un seul livre.

Il avait passé une heure merveilleuse chez la marchande de journaux. Après avoir tenu dans ses mains une douzaine de livres, il avait acheté un petit guide : *Les incontournables – Balades à pied : Trégor – Côte de Granit rose*. Des perspectives alléchantes. Le guide proposait quatre balades dans les environs immédiats : « La couronne du roi Gradlon », une promenade qui menait jusqu'aux formations granitiques les plus étranges et aux plus belles plages ; « L'île Renote », une exploration de la presqu'île, une réserve naturelle située derrière leur plage ; « La Vallée des Traouïero », paraît-il une vallée spectaculaire ; « Le GR 34 », le sentier phare de la Côte de Granit rose entre Trégastel et Perros-Guirec. Tout semblait passionnant et chacune des excursions présentait un gros avantage : celui d'échapper aux bains de soleil.

Par réflexe, Dupin avait failli s'acheter un petit carnet rouge Clairefontaine et quelques stylos à bille, son attirail habituel qui accompagnait ses enquêtes. Il utilisait ces calepins depuis sa plus tendre enfance et non pas seulement depuis qu'il était entré dans la police parisienne, à l'instar de son père de nombreuses années plus tôt. Personne ne le savait : c'était son père qui lui avait offert son premier carnet Clairefontaine. Dupin y avait noté des enquêtes imaginaires et compliquées. Bien que fantaisistes, celles-ci avaient l'air réelles et l'avaient occupé parfois des semaines durant.

Ce matin, il avait au dernier moment choisi un carnet bleu inoffensif et non un rouge, synonyme de travail, comme Claire le savait bien.

Peut-être imaginerait-il quelque enquête comme jadis, histoire d'occuper ses heures de plage.

En tout cas, le carnet lui servirait à noter tous les prétextes qui allaient l'obliger à quitter la serviette de plage pendant les onze jours prochains. Raisons qu'il varierait avec habileté. La veille, quelques idées lui avaient déjà traversé l'esprit – comme aller de toute urgence chez le coiffeur, ce qu'il n'avait jamais le temps de faire à Concarneau. Les vacances étaient le moment idéal pour y remédier.

Alors que Dupin discutait avec la femme qui se tenait derrière la caisse de la maison de la presse, une question lui avait échappé. Au sujet de l'incident de la chapelle Sainte-Anne, de la statue volée. En fait, il n'avait pas du tout l'intention d'en parler. Ainsi qu'il apparut au cours de la conversation, la marchande de journaux avait plusieurs hypothèses. Selon elle, la coupable sans doute la plus vraisemblable était une mystérieuse collectionneuse d'art londonienne, originaire de Paimpol, qui travaillait pour une vente aux enchères. En début d'année, elle avait acheté une résidence secondaire à Trégastel. La conclusion s'était réduite à quelques vagues réflexions : « Ou bien c'était quelqu'un d'autre. Qui peut le savoir ? En tout cas, elle préfère acheter son journal ailleurs. »

La femme avait aussi pu donner son avis sur le cambriolage de la maison Eiffel : « Une bande internationale parfaitement organisée. » Affirmation qu'elle avait ensuite relativisée : « Ou bien une bêtise de jeunes idiots. » Quoi qu'il en soit, elle savait que les deux gendarmes du coin – Alan et Inès, elle parlait aussi d'eux en les appelant par leurs prénoms – étaient officiellement chargés de l'enquête.

Par chance, la chapelle Sainte-Anne se dressait en face de la boutique. Dupin avait déjà fait le tour de l'édifice, bâti en pierres de granit gris rosé au grain grossier et chapeauté d'un magnifique toit d'ardoises naturelles. Il avait inauguré son calepin bleu à cette occasion. La chapelle, sacristie comprise, possédait trois entrées. Hélas, elle était fermée au public à cause de la répétition d'une chorale.

Jusque-là, Claire n'avait rien dit lorsque Dupin levait le camp pour ses expéditions. C'était à peine si elle le remarquait, se bornant à hocher imperceptiblement la tête ou à émettre un « Ah ah » comme en passant. Dupin pensait que sa nonchalance faisait partie d'une sorte de stratégie thérapeutique : d'abord laisser à son « agitation » la bride sur le cou, puis intervenir avec doigté et fermeté.

— Ce matin, la clinique a appelé, déclara Claire à brûle-pourpoint. Pierre a la grippe.

Pierre était son adjoint au service de chirurgie cardiaque de Quimper.

— Il est en arrêt maladie pour quelques jours. Ils m'ont demandé si je ne pouvais pas les dépanner pendant deux jours. Même monsieur Lepic, le directeur en personne, ajouta-t-elle en étirant le mot, suivi d'une pause théâtrale. Bien entendu, j'ai dit non. Ils essaient de trouver quelqu'un de Rennes. Tu vois, ils peuvent se passer de moi.

Claire grimaça, Dupin soupira.

Il n'avait pas retenté sa chance auprès de Nolwenn après le savon qu'elle lui avait passé. En revanche il avait essayé plusieurs fois de contacter Le Ber. Que, bizarrement, il n'avait réussi à joindre qu'une seule fois. Le lieutenant avait eu un ton lapidaire et peu naturel. Le message était clair : Nolwenn lui avait donné des consignes. Un test l'avait prouvé. Dupin s'était renseigné auprès de son collègue au sujet de la phrase codée de la Résistance « Le chapeau de Napoléon est-il toujours... », ce qui aurait dû donner lieu à de longs développements historico-bretons. Mais pas ce jour-là. Une preuve irréfutable. « Intéressant », avait laconiquement commenté Le Ber avant de prétexter un travail administratif à finir de toute urgence. Dupin n'avait même pas essayé de joindre Labat, son autre subordonné. Mieux encore que Le Ber, celui-ci suivrait à la lettre les directives de Nolwenn. Labat était certainement occupé par le courrier électronique du préfet qui, au début de la semaine précédente, s'était fracturé la mâchoire en mangeant un sandwich au jambon (incroyable mais vrai, aussi absurde que cela fût). Guenneugues avait échappé de peu à l'opération mais avait l'interdiction totale de parler pendant trois semaines. Depuis, il écrivait des e-mails au rythme d'un par minute. Dupin ne s'était pas donné la peine d'en lire un seul. Pendant ces deux prochaines semaines, il n'aurait pas à s'énerver à leur sujet, puisque Nolwenn avait fait transférer sa messagerie sur la sienne. En soi, ne pas avoir le préfet sur le dos aurait pu le mettre en joie, si l'état de vacancier n'était pas aussi fâcheux.

Huit heures. L'heure du dîner avait sonné.

L'événement que Dupin avait attendu toute la journée.

De la terrasse en hauteur, le regard survolait le jardin pour embrasser l'horizon : les étranges formations rocheuses qui parsemaient la mer et la terre étincelaient d'un rose féerique, des paysages de rêve dans la lumière vespérale, quelques pins vert foncé ébouriffés par le vent, un ciel immense, la Manche à présent bleu nuit, les Sept-Iles qui émergeaient de la mer avec fierté. Partant de l'autre côté de la terrasse, dos à la mer, un petit escalier menait au jardin.

Dupin avait compté quatorze tables, autant que dans la salle de restaurant. Celles qui n'étaient pas occupées par les clients de l'hôtel étaient âprement disputées. Il y avait même une liste d'attente. Le chef cuisinier – barbe de trois jours poivre et sel, des yeux brillant de passion –, avec qui Claire et Dupin avaient échangé quelques mots dès le premier soir, se révélait être un véritable artiste. Nathalie, sa femme, une créature lumineuse au sourire chaleureux, était en charge du service et déployait une énergie formidable ; deux jeunes serveuses la secondaient. Le chef proposait chaque jour un menu différent, à la composition épatante. Nathalie l'annonçait le matin, entre dix et onze heures, en l'écrivant sur une grande ardoise, suspendue dans le vestibule, à côté de la porte. Ils pouvaient en prendre connaissance avant de se rendre à la plage et saliver pendant toute la journée. Pour Dupin, c'était là une motivation irrésistible.

Dès le premier soir, les Bellec leur avaient réservé une de leurs meilleures tables juste derrière la rambarde face à la mer, au premier rang. Dupin était assis de façon à tourner le dos à la façade de pierre de la maison.

La table voisine était occupée par un couple très sympathique avec leur fille prénommée Elisa, âgée de seize ans, estima Dupin. Le couple qui se disputait sans cesse avait obtenu la dernière table de la première rangée. Ils ne l'avaient pas volé : leur table jouxtait celle des parents pénibles. Derrière Claire et Dupin était installé un jeune couple élégant à l'air blasé, qui roulait dans une luxueuse décapotable rouge. Un homme se détachait parmi les autres convives : belle allure, l'air en permanence furibond, fin de la trentaine, il était assis à une table minuscule, tout au fond, dans le coin droit de la terrasse.

— N'est-ce pas comme dans un rêve ?

Claire l'avait interrompu dans ses pensées.

Elle était assise en face de lui, de l'autre côté de la grande table pour deux. Elle portait une robe bleu foncé, à la fois chic et légère. Elle avait attaché de façon décontractée ses cheveux blond foncé qu'elle portait mi-longs. Comme Dupin, elle tenait dans sa main droite un verre de sancerre frais. La chaleur s'était estompée, cédant la place à une douce soirée d'été.

Claire avait le regard fixé sur la baie.

— Parfait. L'hôtel, la chambre, le restaurant, la mer, le sable fin. Notre coin de plage. Le temps. On ne peut pas rêver de plus belles vacances, n'est-ce pas ? Tu n'es pas de mon avis ?

— Je devrais peut-être, commença Dupin d'une voix hésitante, aller chez le coiffeur. S'il continue à faire aussi chaud qu'aujourd'hui, il vaudrait mieux que je me fasse couper les cheveux, c'est plus agréable. A Concarneau, je n'ai jamais le temps.

Claire semblait ne rien avoir entendu. Nathalie était arrivée avec l'entrée.

Millefeuille de tomates aux saveurs d'antan : des tomates rouges, vertes et jaunes, des variétés anciennes, fabuleuses.

— Fraîchement cueillies de notre potager. Cette semaine, les cœurs de bœuf sont au faîte de leur maturité.

C'est avec cette fière précision que Nathalie avait posé les assiettes devant Claire et Dupin. Avant de disparaître sans attendre. Pas de temps pour le bavardage, ce soir-là.

Claire avait déjà la fourchette à la main. Tout comme Dupin.

— Demain, j'irai voir un petit salon de coiffure, déclara Dupin comme en passant.

— Délicieux.

Claire mangeait avec lenteur et concentration.

— Oui, vas-y ; le salon de coiffure est…

Mais Claire fut interrompue par une voix grave et colérique.

— J'en ai marre !

Suivi sur un ton aigu et agressif de :

— Non, c'est *moi* qui en ai marre ! Espèce de crétin !

Le couple en conflit perpétuel. L'échange aurait résonné sur toute la terrasse, alors qu'ils parlaient bas jusque-là. En tout cas, Dupin ne les avait pas encore entendus.

Claire se ressaisit vite :

— Le salon de coiffure n'est pas loin de la chapelle, non ?

Son ton n'avait-il pas sonné bizarrement ?

— Là où on a volé la statue de sainte Anne.

Cette fois-ci, la pointe de sarcasme ne lui avait pas échappé.

Comment Claire en avait-elle eu vent ? Sans doute par monsieur Bellec, elle aussi. Il avait semblé à Dupin que le ton était légèrement menaçant, mais peut-être se trompait-il.

— Une vétille, si tu veux mon avis.

— Vraiment étrange, cet incident.

Claire trempa un morceau de tomate dans l'huile d'olive fruitée et l'accompagna d'un morceau de baguette.

De nouveau, elle promena son regard sur la baie.

— Un morse, à n'en pas douter !

Dupin vit tout de suite de quelle formation granitique elle parlait.

La veille, dès leur première promenade, ils s'étaient lancés dans un jeu censé durer pendant toutes les vacances : repérer les personnages, les animaux et les formes taillés dans le granit, en plus de ceux déjà baptisés officiellement. Le jeu allait de soi, tant l'étrangeté des formes excitait l'imagination des promeneurs.

Phénomène renforcé par le fait que les perspectives avaient continuellement changé au cours de leur balade : les ombres se métamorphosaient au gré de la place du soleil dans le ciel. On découvrait toujours de nouvelles formes. Soudain, surgissaient un canard, une narine, un champignon, une poêle, un grille-pain, une carpe, le bonnet d'un lutin et même un pingouin ! (Bien entendu, c'est Dupin qui l'avait découvert.)

— Un point pour toi. Et moi aujourd'hui, j'ai trouvé la moule, l'énorme nez et le dinosaure, annonça Dupin avec le plus grand sérieux.

— Il faut d'abord que je les voie, tous, riposta Claire en riant, et après seulement tu auras tes points.

— Ça suffit ! cria une voix perçante.

La même voix de femme agressive. Suivie d'un vacarme.

Toutes les têtes, y compris celle de Dupin, s'étaient de nouveau tournées vers le couple.

La blonde oxygénée s'était levée, faisant tomber sa chaise dans un grand fracas.

Elle saisit son sac à main, resta debout un court instant avant de se ruer hors de la terrasse. Elle passa devant les convives perplexes et se dirigea vers l'escalier menant au jardin. Sans se retourner, elle dégringola les marches et disparut de leur vue. Une sortie théâtrale.

Son mari était resté assis et paraissait moins embarrassé que résigné. Il haussa les épaules de façon ostentatoire et retourna à son assiette, de manière tout aussi démonstrative. Une fois qu'ils eurent tous détourné leur regard gêné, on entendit quelqu'un grogner à mi-voix :

— Elle va revenir.

Après avoir vidé son verre de vin en une longue gorgée, Dupin remplit les deux verres. La bouteille était vide.

Lentement, les conversations reprirent. Rapidement, des voix joyeuses se firent de nouveau entendre.

Claire aussi reprit le fil de la conversation :

— Monsieur Bellec nous a parlé du programme estival qui se déroule à Trégastel cette semaine et la semaine prochaine. Et du fest-noz de samedi. Peut-être pourrions-nous aller à l'une ou l'autre de ces manifestations ?

En fait, Dupin tenait en piètre estime les festivités touristiques. Mais peut-être l'une de ces attractions avait-elle lieu pendant les heures de plage ?

— A partir de demain se tient un salon des vins au Centre des congrès. Il dure jusqu'à dimanche.

C'était déjà de bon augure.

Une des jeunes serveuses apporta le deuxième plat, de la langouste au Kari Gosse, une version bretonne du curry.

— Il m'a donné cette petite brochure, annonça Claire en la tirant de son sac. Vingt viticulteurs couronnés de prix venus de toute la France vont présenter leurs vins. Dont quelques-uns de la Loire.

C'était de mieux en mieux.

— En outre, il y aura des stands qui vendent du foie gras, du fromage, de la charcuterie et du chocolat. Un stand propose même uniquement des pâtés de la région, dans des terrines aussi imposantes que des corbeilles à linge, farcis de champignons, d'algues et de lard. D'excellents produits, m'a assuré monsieur Bellec.

On atteignait là le summum de la perfection. Ces vacances, c'était au moins garanti, seraient une fête gastronomique.

— On pourrait y aller le soir. Ou alors nous y achèterons quelques en-cas pour la plage.

— Je… Le soir, c'est si beau ici. Je ne veux rater aucun dîner.

— On doit à tout prix aller au moins dans un autre restaurant, selon Nolwenn.

Le visage de Dupin afficha la plus grande consternation.

— A Ploumanac'h, La Table de mon père, qui donne directement sur la plage. La baie est paraît-il l'une des plus belles de toute la Côte de Granit rose. Ploumanac'h a été élu plus beau village de France. Dans cette émission de télé, tu sais.

Dupin la connaissait, bien sûr : « Le Village préféré des Français ». Tous les ans, chaque région de France sélectionnait une ville ou un village pour participer au concours ; des millions de personnes votaient. Comme de bien entendu – comment cela aurait-il pu être autrement ? –, la Bretagne arrivait régulièrement en tête du classement général.

— Peut-être pourrions-nous y aller déjeuner ?

Dans ces conditions, le restaurant devenait très alléchant.

Claire rejeta la proposition d'un regard.

— Mais, tu as raison, on doit aller à Ploumanac'h.

Le moment était idéal pour mettre le sujet sur la table : Dupin, qui avait apporté le guide acheté à la maison de la presse, le posa sur la table.

— J’ai trouvé ce super topo-guide qui donne plein de conseils de balades et de randonnées dans la région. Il y a des choses spectaculaires à voir.

Claire le prit avec un scepticisme manifeste :

— Pas pendant nos heures de plage, mais sinon avec plaisir, ajouta-t-elle sur un ton conciliant. D’abord, il nous faut nous concentrer sur Trégastel, où il y a déjà beaucoup d’activités à faire.

Quel était le laps de temps dans lequel se trouvait le « sinon avec plaisir » ? Le matin, à la place du petit déjeuner ?

— Jeudi, continua Claire, tôt le matin, un ramassage des œufs de requin sur les plages est organisé. Ensuite, à l’aquarium, on saura tout sur les requins. On pourrait y aller, non ?

Nolwenn leur avait déjà chaudement recommandé de visiter l’étonnant aquarium. Il se trouvait derrière la plage de Coz Pors, creusé dans la roche de granit rose. Auparavant, l’édifice avait été une chapelle puis, pendant la Seconde Guerre mondiale, un dépôt de munitions avant de servir, après-guerre, de lieu d’habitation et, enfin, devenir un musée préhistorique. On pouvait y admirer toute la flore et la faune marines locales, le point d’orgue étant le phénomène protéiforme des marées.

— Des œufs de requin ? Des requins d’*ici* ?

Le ton sur lequel Dupin avait posé sa question était empreint d’une certaine inquiétude. Il n’avait pas la moindre idée de la faune du nord de la Bretagne. Au sud, il n’avait rencontré un requin qu’une seule fois : le requin-pèlerin géant « Kiki » qui se nourrissait uniquement de plancton, comme la science l'avait confirmé.

— Des requins peau bleue, des petites roussettes, des aiguillats tachetés, des requins-taupes. Parmi d'autres, d'après monsieur Bellec.

L'expression qui s'affichait sur le visage de Dupin obligea Claire à ajouter :

— Tous plus ou moins inoffensifs.

— Des requins de petite taille ?

Ces derniers jours, Dupin s'était baigné très souvent. Il aimait nager loin et sortir de la baie.

— Un requin peau bleue peut atteindre trois mètres cinquante.

— Pas franchement petit, donc.

— Certes, le requin peau bleue est le requin le plus répandu dans l'Atlantique, mais il est rare qu'il s'aventure jusque sur nos côtes. J'ai vérifié. On ne fait pas partie de son menu.

Claire se mit à rire.

Dupin se rappela la vieille blague : mais le requin le sait-il ?

— Pas d'attaque de requin peau bleue recensée ?

— Elles sont rarissimes. Et surviennent par erreur. Puisque la question semble t'intéresser, il faut absolument qu'on y aille jeudi.

— Quelles autres manifestations y a-t-il ? demanda Dupin pour changer de sujet.

— Le studio Breizh Tatoo offre tous les soirs de la semaine un petit tatouage gratuit.

Dupin n'eut aucune réaction.

— Les propriétaires du restaurant les Triagoz transforment leur restaurant en boutique, poursuivit Claire en lisant la brochure qu'elle avait posée par-dessus le guide de Dupin. Les grandes marques bretonnes seront là : Armor Lux, Saint James, Guy Cotten, Hoalen. On peut se restaurer et faire du shopping entre les plats.

Dupin se demandait si cette proposition était sérieuse. Par mesure de précaution, il s'abstint de tout commentaire.

— Samedi soir, il y a une course de fond. Jusqu'à Perros-Guirec et retour, le long du célèbre sentier des douaniers. Mais ce n'est sans doute pas l'idéal quand on est en vacances !

Dupin en fut soulagé.

— La municipalité a aussi organisé une série de conférences. Sur la médecine traditionnelle chinoise, par exemple. Dans la grande salle des fêtes, trois cents places, c'est pas mal, commenta-t-elle sur un ton où perçait une certaine considération. Mais la plupart concernent les attractions historiques et culturelles de la région. La géologie du granit rose. L'église Sainte-Anne ou bien ce château de fée néogothique qui se trouve sur la petite île. La maison de Gustave Eiffel, également.

— Ne devrions-nous pas plutôt visiter la maison d'Eiffel tout seuls ? Comme je te le disais, une des balades y mène. J'aimerais bien la voir. (Puis, après une pause :) Le château aussi.

— La maison d'Eiffel n'a-t-elle pas été cambriolée récemment ?

Dupin n'avait pas terminé sa phrase qu'il craignait d'avoir fait une gaffe en montrant son intérêt pour la maison. Claire était étonnamment bien informée. Mais il aurait dû le prévoir : elle était toujours au courant de tout.

Il ignora sa question.

— J'aimerais bien aussi faire de vraies excursions, tenta de nouveau Dupin. Par exemple aller voir la réplique du village gaulois à Pleumeur-Bodou.

C'est Le Ber qui lui en avait parlé récemment. Il y était allé avec son fils qui venait tout juste d'apprendre à marcher. Un peu tôt pour une visite pareille, avait pensé Dupin, mais Le Ber avait vite rejeté l'objection : « Il n'est jamais trop tôt pour connaître ses racines celtes. »

Claire lui adressa un sourire :

— J'aimerais absolument voir une des carrières dont on extrait le granit rose. Elle date de deux milliards d'années et n'est apparue à la surface de la terre qu'il y a trois cent mille ans.

Claire, la curiosité scientifique incarnée. Qui aimait aussi faire les boutiques et appréciait tout ce qui avait trait aux repas.

— Je pense que nous devrions commencer par les environs immédiats, poursuivit-elle. Que l'on peut explorer lors de petites balades entre deux autres activités. Entre le petit déjeuner et la plage. Entre la plage et le dîner. Ensuite, on verra. (Les concessions qu'elle faisait avaient tout l'air de relever de la mansuétude stratégique.) Nous ne connaissons même pas encore toutes les plages de Trégastel. Nous devons à tout prix aller sur les célèbres Grève rose et Grève blanche. Admirer toutes ces roches bizarres. Une balade qui en fait le tour est proposée. D'une certaine façon, ajouta-t-elle en souriant, quelques-unes de ces formations rocheuses me font penser à toi.

De toute évidence, c'était dit gentiment. Mais Dupin fut quand même vexé.

— Je veux dire, tu…

Mais Claire fut interrompue par des sirènes hurlantes. Une ambulance et une voiture de police. Qui s'approchaient à toute vitesse. Venant de la plage de Coz Pors.

Les sirènes s'arrêtèrent brusquement.

Les conversations autour des tables s'étaient instantanément assourdies. Des regards inquiets s'agitaient.

Les muscles de Dupin s'étaient tendus, par pur réflexe.

Bien sûr, Claire l'avait remarqué : elle lui lança un regard sévère.

Un instant plus tard, madame Bellec apparut sur la terrasse. D'une voix forte, qui contrastait avec sa petite silhouette fluette, elle expliqua :

— Quelqu'un a lancé une pierre dans la fenêtre de madame Quéméneur, la députée. Elle était assise à son bureau, juste derrière la fenêtre. Elle a été sérieusement blessée par les débris de verre. Alors que c'est une personne si merveilleuse.

Après avoir pris une longue inspiration, elle poursuivit :

— Mais il n'y a aucune raison de vous inquiéter, dit-elle en regardant à la ronde. Madame la députée habite certes dans la rue qui mène à l'hôtel, mais une centaine de mètres nous en séparent.

Remarquant les visages bouleversés des convives, elle ajouta :

— Je suis sûre que c'est en lien avec la manifestation des agriculteurs. Malgré toute la sympathie que je leur porte, c'est inacceptable !

Son regard passait d'un client à l'autre, comme si elle voulait vérifier que le malfaiteur ne se trouvait pas parmi eux.

— Vous pouvez maintenant continuer à savourer votre dîner, conclut-elle brusquement. Le plat principal va être servi.

A ces mots, Nathalie et les deux serveuses passèrent devant elle, tenant adroitement en équilibre de grandes assiettes. Rôti de porc mijoté dans du cidre.

Une vision qui égaya aussitôt l'atmosphère sur la terrasse. Quelques secondes plus tard, le fumet alléchant montait des assiettes posées devant Claire et Dupin.

— C'est terrible ! s'exclama Claire.

L'empathie semblait difficile devant un tel rôti de porc.

— Un malheureux accident ou bien était-ce intentionnel ? demanda-t-elle.

— Intentionnel ? Qu'est-ce qui te fait penser ça ?

— Les élus ont des ennemis. Tu le sais mieux que quiconque. Quoi qu'il en soit, la gendarmerie ne tardera pas à le savoir. Il se passe beaucoup de choses ici, pour une petite station balnéaire paisible.

Sur ces mots, elle se concentra sur le rôti d'une infinie tendreté. Mêlées à la viande de porc, les graines de lin, il fallait l'admettre, avaient provoqué un véritable miracle gustatif.

Dupin se demanda brièvement s'il devait ajouter un mot. Mais il y renonça pour lui aussi se concentrer sur son rôti de porc.

Entre-temps, le soleil était descendu. Le rose incandescent qui, sur certaines roches, devenait d'un violet vif, colorait aussi la mer. Les pins, le ciel. Le monde entier paraissait rose. La nature n'avait pas peur du kitsch.

Mardi

En cet après-midi torride, Dupin, sur la serviette de plage, avait déjà été obligé, par quatre fois, de boire de toute urgence une boisson glacée. Un Coca, un Breizh Cola, bien entendu. Claire n'y avait rien trouvé à redire. Pourtant, elle ne buvait jamais de Coca. L'écran électronique sophistiqué de la maison de la presse affichait la température à peine croyable de trente-deux degrés à onze heures.

Rien sur l'incident de la veille dans les journaux qui, heureusement, avaient pu être livrés, sinon Dupin en personne aurait fait leur fête aux agriculteurs. Mais monsieur et madame Bellec avaient mis ses informations à jour dès le matin, pendant qu'il prenait son premier café sur la terrasse et que Claire dormait encore. Madame la députée avait deux graves entailles, l'une au poignet, l'autre à l'épaule. Elle avait perdu beaucoup de sang, ce qui avait provoqué un choc hypovolémique. Cela aurait pu être plus grave, un gros éclat de verre ayant touché sérieusement la veine du poignet. Que les blessures aient été intentionnelles ou pas, le fait est que la pierre avait été lancée sur une députée de Bretagne, une élue qui pesait son poids dans la sphère publique.

« Un demi-meurtre, dans notre voisinage immédiat », avait déclaré madame Bellec à plusieurs reprises, le regard plein d'effroi.

Il n'était pas surprenant que personne n'ait revendiqué l'agression. Les agriculteurs, qui avaient pris le domicile de la députée pour cible de leur protestation – c'est là qu'avait été placé l'écriteau « A vendre » et deux tracteurs avaient bloqué l'entrée toute la journée et la nuit –, avaient exprimé leur indignation et pris leurs distances avec l'incident. Ils avaient immédiatement crié au complot pour discréditer leur action (les Bellec étaient bien informés). Il n'y avait aucun témoin oculaire. Dès les premières heures du jour, on avait procédé à la reconstitution afin de repérer entre autres où se tenait le lanceur de la pierre. On n'avait encore trouvé aucune trace de pas sur le gravier sec. Bien entendu, c'est le commissaire de Lannion qui s'était chargé en personne de l'affaire. « Un snobinard », avait commenté monsieur Bellec.

La pierre avait été saisie dans la nuit : environ neuf centimètres de long, quatre centimètres de large, en granit. Mais pas rose : gris. Une couleur qu'on trouvait dans la région, mais plus rarement. De la terre était incrustée dans de petits orifices de la pierre. Sur une partie lisse, la police scientifique avait trouvé une empreinte partiellement effacée. Rien d'autre. Dupin savait qu'on ne pourrait pas en tirer grand-chose. De toute façon, n'importe quel enfant pouvait avoir tenu cette pierre entre ses mains. Ils ne pourraient pas relever les empreintes de tout un village, touristes compris. La pierre avait été envoyée le matin même à Rennes, où on procéderait à des investigations plus fines.

— Amazonite.

C'était Claire qui venait de prononcer ce mot. Elle était allongée sur le ventre, dans la même position depuis des heures.

— Que veux-tu dire ?

— La couleur de la mer, là devant. La couleur de l'amazonite. Comme mon collier, le tout nouveau. Un gris-vert difficile à définir, minéral. Un collier qui, selon la vendeuse, soigne les hernies discales, les problèmes de nuque, l'ostéoporose, les contusions, les entorses et les kystes synoviaux.

Dupin s'en souvenait maintenant, ils l'avaient acheté à Concarneau.

— Efficace aussi contre les problèmes cardiaques, ajouta Claire. Aide aussi en cas de nervosité extrême, d'anxiété, de troubles du sommeil, de troubles de l'humeur et d'hyperactivité. Une pierre faite pour toi, en fait.

Quelques secondes plus tard, elle livra un supplément d'informations, énoncé sur le même ton neutre :

— L'amazonite protège l'aura et stabilise le corps éthérique.

Claire était une pure scientifique. Mais de temps en temps, elle montrait une étonnante inclination pour l'irrationnel. Que Dupin trouvait – la plupart du temps – merveilleuse.

— Que penses-tu, toi, de cette agression contre la députée ? demanda Claire en changeant brusquement de sujet.

Dupin hésitait. Il se demandait ce que Claire voulait savoir en posant cette question. Aussi opta-t-il pour une réponse prudente.

— Peut-être était-ce un simple accident. Peut-être quelqu'un a-t-il lancé sciemment une pierre dans la fenêtre mais sans savoir que la députée était assise derrière.

— Mais il aurait dû la voir, objecta Claire d'une voix étrange. (Voulait-elle le tester ?) Je viens de lire l'avis d'un des agriculteurs protestataires sur les actions des derniers jours. Très réfléchi, analytique. Il a raison sur tous les points. Le monde va à vau-l'eau ! A tous les niveaux.

Elle ne semblait pas résignée mais plutôt combative.

— On doit entrer en résistance ! conclut-elle sur le même ton que Nolwenn.

— Lancer des pierres reste un délit, objecta Dupin.

A quoi répondit un « hum » bourru.

— Au fait, ce matin, une enveloppe format A4 t'attendait à la réception, ajouta-t-il.

— Oui, merci. On me l'a remise, dit-elle d'un ton neutre. As-tu remarqué, continua-t-elle d'une voix douce, rêveuse même, que la couleur rose apparaît ici dans toutes ses nuances ? Rose tendre, rose foncé, rose corail, rose vif, rose framboise, rose tirant sur le rouge, rose orangé, magenta, rose anthracite. Selon que les rochers sont mouillés ou secs, lisses ou recouverts.

Elle laissa les mots résonner.

— Ah, ta mère vient d'appeler. Ton téléphone sonnait occupé.

Claire s'interrompit, une façon de poser une question. Sur le chemin de l'épicerie où il voulait acheter des boissons, Dupin avait appelé Nolwenn – très brièvement. Puis il avait tenté de joindre Le Ber, qui n'avait pas pris l'appel ni répondu au SMS lui demandant de le rappeler. Sur le chemin du retour, il avait passé deux appels au sujet de l'affaire qui les concernait, Claire et lui. Qui était en bonne voie. Il était intéressant de noter que Claire avait emporté son portable à la plage, chose qu'il n'avait pas remarquée jusqu'alors.

— Le propriétaire de mon appartement, répondit Dupin qui n'avait pas trouvé de meilleure idée. Tu sais que le chauffe-eau a des ratés. Je voulais qu'on le répare pendant nos vacances.

— Je ne m'en suis jamais aperçue.

— Depuis deux ou trois semaines.

— Quoi qu'il en soit, ta mère m'a chargée de te dire qu'elle était arrivée à Kingston.

Dupin soupira bruyamment. L'histoire défiait le bon sens. Inconcevable même pour qui connaissait sa mère. C'est pourquoi il faisait tout son possible pour ne pas y penser. Sa mère, cette grande bourgeoise parisienne si imbue d'elle-même, était à la Jamaïque, sur l'île des hippies et des rastas. Lors des festivités pour son soixante-quinzième anniversaire, elle avait fait la connaissance d'un monsieur de soixante-dix ans, originaire d'un village des environs de Cognac, qui, après avoir travaillé pendant de longues années dans le commerce du cognac, s'était lancé avec un grand succès dans le rhum, et avait élu domicile à la Jamaïque cinq ans plus tôt. Du rhum ! C'était un ami du meilleur ami de sa mère, lequel l'avait amené sans autre forme de procès à son anniversaire, ce qu'Anna Dupin n'avait d'abord pas du tout apprécié. Ils avaient cependant entamé une liaison en un temps record. Depuis,

Jacques venait souvent à Paris et lui avait proposé de passer avec lui « quelques mois dans son paradis des Caraïbes ». Elle avait accepté sur-le-champ. Une histoire à peine croyable, mais qui faisait le sel de la vie. En un rien de temps, l'existence d'Anna Dupin avait été bouleversée. Et elle était heureuse.

— Dois-je la rappeler ?

— Non. Simplement, ne t'inquiète pas si tu n'entends pas parler d'elle ces prochaines semaines.

Dupin se massa la nuque.

— Je suis un peu fatiguée, déclara Claire en mettant provisoirement fin à la conversation.

Dupin essaya de trouver une position confortable. Mais aussi doux le sable était-il, le confort n'était pas au rendez-vous.

Il feuilleta le journal d'un geste machinal.

Le quiz « Es-tu breton ? » d'*Ouest-France* proposait ce jour-là la question suivante : « Tu sais que tu es breton quand : tu sais que le breton n'est pas un dialecte, mais une langue vieille de mille cinq cents ans et plus pertinente que le français / tu possèdes des bottes en caoutchouc depuis que tu es né / tu as besoin d'eau seulement pour laver les pommes de terre / tu te demandes quoi servir en apéritif entre le pâté Hénaff et le foie gras ».

Dupin remarqua qu'il était lui aussi quelque peu las. Peut-être devrait-il somnoler quelques instants. Avant d'aller se baigner.

Monsieur Bellec s'avançait vers eux d'un pas rapide.

Il n'était pas seul mais entraînait deux gendarmes en uniforme dans son sillage.

Dupin se redressa d'un mouvement vif. Il venait de se réveiller d'un profond sommeil. Il enfila rapidement son polo. Juste à temps avant qu'ils ne se tiennent devant sa serviette de plage.

Claire se retourna.

— Que se passe-t-il, Georges ? Oh ! s'exclama-t-elle en sursautant.

Elle attrapa sa robe de plage.

— Monsieur le commissaire, nos deux gendarmes aimeraient vous parler, annonça monsieur Bellec, incapable de cacher son excitation.

Dupin s'était levé. Et se trouvait ridicule, ainsi debout en slip de bain.

Les deux gendarmes – un homme d'une trentaine d'années et une femme à peine plus âgée – encadraient monsieur Bellec.

— Commissaire Dupin ! le salua la gendarme qui, des deux, semblait celle qui donnait le ton. Je m'appelle Inès Mahé et voici Alan Le Besco. Gendarmerie de Trégastel. Veuillez nous excuser de vous déranger pendant vos congés, mais nous avons besoin de vous.

Dupin lança à la gendarme un regard interloqué.

— Comme témoin.

— Comme témoin ?

— Tout à fait.

— Et à quel propos ? Je veux dire, pour quelle affaire ?

— Un des résidents de l'Ile Rose, où vous logez, n'est pas apparu ce midi. Alizée Durand. L'épouse d'Hervé Durand. Un couple de Paris.

La gendarme laissa passer un silence. Dupin ne comprenait toujours pas de quoi elle parlait.

— Monsieur et madame Durand passent leurs vacances dans le même hôtel que vous. Le soir, ils dînent à deux tables de la vôtre. Hier soir, ils se sont violemment disputés, et Alizée Durand a quitté la terrasse sous l'empire de la colère. On ne l'a pas revue depuis lors, ni à Trégastel, ni à son domicile parisien.

— Elle n'est pas réapparue ?

Dupin était parti du principe que la jeune femme était rentrée pendant la nuit. Afin de reprendre la dispute. Il y a des couples qui sont en conflit permanent, une sorte de rituel.

— Non. Et c'est la première fois que cela arrive depuis leur mariage, a déclaré monsieur Durand. Il est devenu de plus en plus inquiet au fil de la nuit, et s'est rendu à la gendarmerie ce matin à onze heures. D'abord pour savoir si quelque chose s'était passé pendant la nuit. Plus tard, il a déposé officiellement une déclaration de disparition.

— Et maintenant, vous voulez savoir si en tant que voisins de table nous avons entendu quelques détails de la dispute ?

— Entre autres, oui, répondit la gendarme, imperturbable. Mais nous aimerions surtout savoir si monsieur Durand a quitté sa table juste après l'incident. Combien de temps il est resté sur la terrasse. La famille qui se trouvait entre votre table et celle des Durand est partie relativement tôt ce matin.

— Avez-vous déjà une idée ?

Dupin n'avait rien remarqué et ne se rappelait rien en particulier.

Le jeune gendarme, qui jusqu'ici n'avait pas ouvert la bouche, continuait de fixer le sable.

— Pure routine. Vous connaissez la chanson.

Dupin était incapable de deviner si elle était ironique.

Entre-temps revêtue de sa robe de plage, Claire se tenait au côté de Dupin, dans une attitude résolue et attentive. Elle s'immisça dans la conversation :

— Monsieur Durand, dont jusque-là nous ignorions le nom, n'a pas quitté sa table avant la fin du dîner. Après la dispute avec sa femme, il est resté assis et a pesté qu'elle allait de toute façon bientôt revenir. Il n'a pas bougé jusqu'aux environs de vingt-trois heures. La dispute a éclaté vers vingt heures vingt, selon mes estimations, déclara Claire en écartant ses cheveux de son visage. Après le dessert, il a même pris un café et un digestif. (On aurait dit que Claire dictait ses phrases pour un rapport.) A ce moment-là, il ne semblait aucunement inquiet, ni même concerné ou pour le moins gêné, comme tout un chacun l'aurait été. Seulement un peu las. Nous n'avons eu aucun échange avec ce couple, et nous ne savons pas non plus quel était l'objet de leur dispute. Ni moi ni mon mari.

Claire avait dit « mon mari ».

— Ou bien as-tu entendu quelque chose, Georges ?

Question rhétorique.

— Non, je n'ai rien entendu, confirma Dupin, contrarié.

— Par principe, nous n'écoutons pas les conversations, conclut Claire. Je veux dire que nous ne faisons pas partie de ces gens qui écoutent les conversations d'autrui.

— Avez-vous remarqué si madame Durand avait pris son sac à main ? Son mari l'affirme, insista la gendarme.

Claire répondit sans hésiter :

— Oui, elle l'a pris. Je l'ai vue.

— Et monsieur Durand n'a pas quitté sa table un seul instant pendant la suite du dîner ? Même pas un bref moment ?

— Non.

— En êtes-vous certaine ?

— Nous le sommes.

Dupin était impressionné par l'assurance de Claire. Il aurait été obligé de réfléchir tout en étant incapable de donner une information précise.

— Tout à fait certaine ?

— Tout à fait.

La gendarme recula d'un pas et examina Claire.

— Bien, monsieur le commissaire, dit-elle en s'adressant à Dupin et non à Claire. Ce sera tout, nous en avons terminé.

Bellec était resté étonnamment muet, peut-être en signe de respect pour le caractère officiel de l'interrogatoire – et ce en dépit du sable et du maillot de bain. Cependant, il ne put s'empêcher de faire un commentaire :

— Je te l'avais dit, Inès. Le commissaire l'aurait remarqué si quelque chose d'inhabituel s'était passé.

— Même le commissaire Dupin ne possède pas de don surnaturel, Michel.

Se tournant de nouveau vers Dupin et Claire, la gendarme prit congé d'eux :

— Merci beaucoup, commissaire.

Elle avait déjà tourné les talons.

— Au revoir, messieurs-dames.

Ce furent là les premiers mots que le jeune gendarme prononça ou plutôt murmura d'une voix enrouée. Dupin espérait qu'il était d'ordinaire plus disert.

— J'arrive dans un instant, Inès, annonça monsieur Bellec.

Il se rapprocha de Dupin et fit son possible pour parler doucement :

— Elle est parfois un peu rude. Mais ne vous y fiez pas. En réalité, Inès est une chic fille.

— Se sont-ils entretenus avec d'autres clients de l'hôtel ?

— Jusqu'ici, seulement avec ma femme, Nathalie, les deux serveuses et moi-même. Mais ils vont interroger les autres clients. Inès voulait d'abord vous voir.

Cela avait tout l'air d'être une marque de distinction.

— Est-ce la première fois que les Durand passent leurs vacances chez vous ?

— Oui, c'est la première fois.

— Quelle est l'intention de monsieur Durand ? Va-t-il rester ici ?

— Dans un premier temps, oui. Il va de soi qu'il est bouleversé. Ma femme est convaincue que madame Durand va bientôt réapparaître. Qu'elle veut seulement donner une leçon à son mari. J'en suis moi aussi persuadé. Elle a dû descendre dans un autre hôtel. Peut-être pas à Trégastel, mais quelque part dans la région. Inès et Alan vont contacter tous les hôtels et les chambres d'hôtes. Inès a déjà vérifié auprès des hôpitaux et cliniques de la région : aucun n'a accueilli de patiente répondant à son signalement.

— Ça s'est certainement passé ainsi, intervint Claire d'une voix ferme. Je suis d'accord avec madame Bellec. On peut donc maintenant retourner à nos vacances.

Elle lança à monsieur Bellec un regard pénétrant.

— Et moi, je dois y aller, annonça l'hôtelier en tournant les talons.

Claire se laissa tomber sur la serviette de plage, fouilla dans son sac de lin à rayures rouges et blanches.

— Une dernière chose, monsieur Bellec !

Dupin fit quelques pas à ses côtés et lui parla le plus bas possible :

— Savez-vous si après l'esclandre madame Durand s'est rendue dans sa chambre ? Si elle a pris quelques affaires avant de disparaître ? En passant par le jardin, elle aurait pu atteindre la porte d'entrée et de là, sans se faire remarquer…

— Georges ! appela Claire qui les regardait en fronçant les sourcils.

— Non, répondit monsieur Bellec à voix également basse. Inès et Alan ont vérifié. D'après eux, rien ne manque. Monsieur Durand avait fait de même pendant la nuit. A son avis, toutes ses affaires sont encore là. La chambre était dans le même état que lorsqu'ils l'avaient quittée avant de descendre dîner. Tous ses tubes de crème se trouvaient encore dans la salle de bains. Et elle ne va nulle part sans ses crèmes.

Bellec avait allongé le pas, Dupin le serrait de près.

— Le commissaire de Lannion s'est-il aussi chargé de cette affaire ? demanda-t-il en s'efforçant de ne pas avoir de ton méprisant.

— Oh non. Visiblement trop banale. Une dispute, l'épouse qui fiche le camp. Aucun signe qui pourrait suggérer un crime, a-t-il dit. Il a laissé l'affaire à la gendarmerie.

— Il a dit ces mots-là ? Que…

— Monsieur Dupin est en vacances ! déclara Claire qui s'était soudain matérialisée à côté de monsieur Bellec. Il n'est pas en service. Mais en vacances, rien qu'en vacances.

Elle souriait. Un sourire signifiant : « Je suis très sérieuse. »

— Bien entendu, madame.

De toute évidence, monsieur Bellec n'avait pas pris la remarque de Claire pour une réprimande.

— Madame, monsieur, je vous revois donc au plus tard ce soir. Peut-être verrai-je monsieur un peu plus tôt, quand il viendra se nettoyer les yeux, ajouta-t-il en lançant à Dupin un regard de connivence, que Claire remarqua – ce qui n'allait pas les aider.

Puis il s'en alla d'un pas rapide.

Claire et Dupin retournèrent à leur place.

— Ce n'est rien d'autre qu'une dispute conjugale, Georges, commença-t-elle avant de poursuivre fermement : Tu connais la règle des vacances et notre accord : pas de travail, sous aucun prétexte.

Dupin faillit remarquer que leur accord stricto sensu se limitait au commissariat de Concarneau et à tout ce qui pouvait s'y dérouler. Mais il était conscient que ce serait ergoter.

— Je le respecte en tout point, répliqua-t-il en s'efforçant de parler d'une voix détendue.

Ils étaient arrivés devant leur serviette.

Claire embrassa Dupin.

Bien sûr, Dupin savait qu'il était recommandé de rester un bon moment allongé sur la serviette à côté de

Claire. Il s'était demandé combien de temps ce moment devait durer. Et avait jugé qu'une heure était un laps de temps acceptable et même généreux. A un moment donné, son calepin bleu s'était retrouvé, comme par hasard, dans sa main, et il y avait noté quelques mots.

Tout bien réfléchi, ces incidents étaient bizarres. Les quatre.

Y compris celui dont il avait été question à l'instant : la disparition de madame Durand. Si les Durand faisaient partie de ces couples chez qui les disputes relevaient du rituel, alors cette disparition ne s'intégrait pas dans le schéma. D'après les déclarations de monsieur Durand, ce n'était jamais arrivé, pas une seule fois. Cela bouleversait de fond en comble le rituel. D'un autre côté, il était possible qu'une limite ait été franchie et que la situation soit sortie des clous. Il était dommage que Dupin n'ait rien surpris des conversations du couple. Quoi qu'il en soit, une chose était claire : Durand n'avait pas quitté la terrasse de tout le dîner. Dupin avait immédiatement compris ce que la question de la gendarme sous-entendait. Il n'était pas rare qu'une personne disparaisse et que, dans le cas d'un crime, l'assassin soit justement la personne qui avait déclaré la disparition.

L'affaire de la députée aussi était étrange. Bien sûr, il était possible que la manifestation des agriculteurs ait mal tourné. Et que celui qui avait lancé la pierre n'ait pas vu que la députée était assise juste derrière la fenêtre. Probablement parce que la vitre renvoyait un fort reflet. Ou bien quelqu'un avait profité de l'action coup de poing. Quelqu'un qui n'était pas un agriculteur. Qui aurait attaqué la députée pour des raisons personnelles ou politiques. En dépit du fait que madame Quéméneur jouissait d'une bonne estime, ainsi que ses recherches sur Internet le matin même l'avaient confirmé, elle pouvait avoir des ennemis.

Dupin remarqua que ses ruminations criminologiques avaient égayé son humeur. Non seulement parce qu'elles lui procuraient une distraction, mais aussi parce qu'elles correspondaient à son être profond. C'était plus fort que lui.

Incident suivant : le vol de la statue de sainte Anne, qui se trouvait dans la chapelle de Trégastel. Un mètre de hauteur environ ; il avait étudié avec minutie les quelques images trouvées sur Internet. Elle datait du XVIIe siècle. Pourtant, il était improbable qu'un individu voulant gagner de l'argent rapidement vole une telle statue. Il devait plutôt s'agir d'une personne intéressée précisément par cet objet, quel qu'en soit le motif. Par exemple la collectionneuse d'œuvres d'art dont la marchande de journaux avait parlé. Mais cette piste avait été écartée. Le matin même, Dupin s'était renseigné auprès des Bellec qui, bien entendu, la connaissaient et savaient qu'elle séjournait à New York durant deux semaines.

Dupin ayant questionné incidemment monsieur Bellec, celui-ci lui avait appris quelques détails sur le vol, que le commissaire avait minutieusement consignés dans son carnet. Comme chaque soir, une employée municipale avait verrouillé la chapelle à dix-neuf heures. Ce soir-là, elle n'avait rien remarqué de particulier, mais elle n'était pas entrée dans la chapelle. Le lendemain matin, elle avait immédiatement constaté la disparition de la statue. Etant donné qu'il n'y avait aucune trace d'effraction, que les gendarmes et la police scientifique dépêchée sur les lieux n'avaient rien trouvé et que seules trois personnes possédaient une clé, on en avait conclu que le vol avait dû se produire la veille, en fin d'après-midi. A seize heures quinze, une infirmière avait allumé un cierge pour son cousin malade ; elle était – jusque-là – la dernière personne ayant vu la statue. Il ne faisait pas de doute qu'on se trouvait face à un incident bizarre.

Le dernier événement à présent : le cambriolage de la maison inoccupée d'Eiffel, où rien n'avait été subtilisé. Dupin avait appris que la maison était fermée à clé, sans autre mesure de sécurité.

Le commissaire laissa tomber son stylo sur la serviette et ferma son calepin.

Sa légère euphorie s'était soudain volatilisée. Il ne savait pas pourquoi.

Peut-être exagérait-il quelque peu. S'était-il mis à élucubrer, histoire de s'occuper ? Peut-être voyait-il le mal partout ?

— On va se baigner, Georges ?

Claire était déjà debout.

Elle paraissait avoir oublié la visite des gendarmes.

— Allez ! Viens !

Dupin n'avait rien à objecter. Au contraire. Il avait besoin de se rafraîchir. Et de se distraire.

Mercredi

La soirée de la veille s'était étirée en longueur ; Dupin et Claire avaient quitté la terrasse fort tard. Une nuit de rêve. Même si l'air se rafraîchissait d'heure en heure, il était resté assez doux pour permettre à Claire et Dupin de demeurer dehors. Ils avaient bu deux bouteilles du fameux rosé de Saint-Tropez. Vers minuit et demi, ils avaient goûté au whisky breton de Lannion. Et l'avaient trouvé excellent. Vers une heure, ils en avaient bu un dernier verre sur le balcon de leur chambre.

Ils avaient bavardé, ri, regardé ensemble dans la nuit, admiré l'immense ciel étoilé. Des étoiles, et surtout de spectaculaires étoiles filantes, par dizaines. Les médias s'en faisaient l'écho depuis des jours : comme chaque été, le ciel, cette année encore, allait « pleurer ». Sur son chemin autour du soleil, la Terre croisait le sillage d'une comète et, plusieurs jours durant, des morceaux de pierre se consumeraient par myriades en tombant dans l'atmosphère terrestre.

Ils avaient respiré le merveilleux air frais qui venait du large. Ils sentaient le goût du sel sur leur langue.

La mer d'été, si légère. Parfois, ils s'étaient tus, heureux. Ils étaient allés se coucher à trois heures.

Malgré tout, Dupin s'était senti frais comme un gardon lorsqu'il s'était levé à huit heures et demie ; un quart d'heure plus tard il quittait la chambre. D'abord, il s'était rendu dans le salon et dirigé vers l'ordinateur qui, à son étonnement, bénéficiait d'une connexion rapide à Internet, bien plus rapide que celle de son portable, dont il détestait de toute façon l'écran miniature. Puis il avait pris un avant petit déjeuner sur la terrasse, muni des journaux locaux, que l'hôtel recevait. Dupin s'était entretenu brièvement avec monsieur Bellec, qui était très affairé : une importante livraison de vin venait d'arriver, un jour plus tôt que prévu. L'hôtelier avait néanmoins pu l'informer que le labo de la police n'était pas parvenu à reconstituer d'empreinte sur la pierre.

Dupin avait étudié avec minutie tout ce qu'il avait pu trouver à ce sujet dans les journaux et sur Internet. L'état de santé de la députée était encore incertain, la blessure à l'épaule s'était infectée, si bien qu'on lui avait administré un traitement antibiotique à forte dose. *Ouest-France* et *Le Télégramme* mentionnaient l'épouse disparue dans une brève. Plus une ligne sur l'effraction de la maison Eiffel et le vol de la statue de sainte Anne.

Les appels qu'il avait ensuite passés à Nolwenn et Le Ber n'avaient rien donné. Dupin avait mentionné le cas de la députée blessée mais tous deux avaient refusé d'en discuter, même s'ils en avaient évidemment entendu parler. Idem pour la disparition de madame Durand. A ce sujet, Dupin avait simplement voulu savoir si une déclaration de personne disparue avait été étendue à la France entière. Mais Nolwenn et Le Ber étaient restés, là aussi, muets.

Le quiz quotidien d'*Ouest-France* « Es-tu un Breton ? » posait ce jour-là la question comme suit : « Tu sais que tu es breton quand, en cas de retard, tu t'excuses par une de ces phrases : je suis venu en tracteur / j'ai été attaqué par des mouettes / je me suis blessé les deux mains en ouvrant une boîte de sardines / mon cochon préféré est mort. »

Claire était descendue peu avant dix heures. Puis, une fois le petit déjeuner pris ensemble, elle s'était rendue de la terrasse à la plage.

Dupin s'était dirigé vers la maison de la presse.

Passé l'activité fébrile du matin et avant l'affluence de midi, il n'y avait pas foule quand il y arriva. L'air sentait bon le papier fraîchement imprimé.

Dupin salua madame Riou d'un hochement de tête. Depuis la veille, il connaissait le nom de la propriétaire du magasin. Anne Riou. Des cheveux frisés bruns, coupés court, un joli visage détendu. Si elle avait l'air douce, elle pouvait aussi déployer une belle énergie.

Madame Riou parut très heureuse de le voir. Elle se précipita vers lui.

— Cela m'est subitement revenu en mémoire cette nuit : vous êtes le célèbre commissaire parisien de Concarneau !

— Je... Georges Dupin. Oui, je passe mes vacances ici.

— Je vous ai vu l'année dernière à la télé. Au sujet de cette affaire de la croix disparue.

Au moins avait-elle usé d'une formulation neutre.

— Puisque vous êtes là, vous allez pouvoir nous aider à résoudre la tentative de meurtre sur Viviane Quéméneur. Vous êtes un expert en meurtres !

— En aucun cas, madame Riou. Comme je vous le disais, je suis en vacances. Rien qu'en vacances. (Il parlait comme Claire.) De plus, aucun indice ne permet de penser qu'il s'agit d'une tentative de meurtre.

— Vous voulez vraiment laisser l'enquête à ce mollasson de Le Gourlaouen ? A un commissaire de Lannion ?

Il n'avait pas l'air d'être aimé, par ici, le commissaire de Lannion.

— Tout à fait, madame Riou. Sans l'ombre d'une hésitation. C'est cent pour cent son affaire. Cela ne me concerne en rien. Ne serait-ce que d'un point de vue officiel. J'aurais de gros ennuis si je me mettais à enquêter ici. (Rien de plus vrai, et il ne pensait pas seulement au préfet.) L'affaire est entre de bonnes mains, je n'ai aucun doute, conclut Dupin.

— Cette pierre lancée n'a rien à voir avec l'action des agriculteurs, poursuivit madame Riou en secouant la tête de colère. J'en mettrais ma main à couper. Quelqu'un a un compte à régler avec la députée !

Dupin s'était mis à longer les rayons pour trouver ce que Claire lui avait demandé. Madame Riou ne le lâchait pas d'une semelle.

— Qu'est-ce qui vous fait dire ça ? demanda Dupin par pur réflexe.

Cela venait corroborer son avis.

— A cause de ses actions des dernières années, elle ne s'est pas fait que des amis. Pourtant, elle a raison sur toute la ligne.

— Vous pensez à quelqu'un en particulier ?

— Oh oui. Jérôme Cardec. Un épouvantable frimeur ; riche comme Crésus. Il a hérité d'une des carrières, la carrière rose. Il délègue tout le travail à un gérant. Par ailleurs, il dirige une usine qui produit des machines agricoles. Il les exporte dans le monde entier. Tout comme le granit. C'est un célibataire endurci.

Madame Riou avait l'irrésistible habitude de débiter ses phrases sur un rythme staccato.

— Un coureur de jupons ridicule. Toujours une nouvelle conquête au bras. Pas plus de quelques semaines avec la même. Toutes moins de trente ans ! L'usine est à Saint-Brieuc. Mais il habite à Trégastel. Dans ce château de conte de fées, sur l'île entre Trégastel et Ploumanac'h. Vous l'avez certainement aperçu, c'est une de nos principales attractions ! Cardec voulait acheter le vieux bureau de poste de Trégastel. Il y a quelques semaines. Pour en faire un siège administratif ultramoderne pour ses deux entreprises. Viviane Quéméneur était contre. Et elle a tout fait pour que ce soit le maire qui y emménage avec toute l'équipe municipale. Un excellent maire ! Le combat a fait rage, vous pouvez me croire.

— Je vois.

Dupin sortit machinalement son carnet bleu de la poche arrière de son jean. Le visage de madame Riou affichait un mélange d'admiration et de plaisir.

— Pas d'enquête, mais des notes, hein ?

— Monsieur Cardec, vous dites ?

Dupin nota le nom.

— Jérôme Cardec. D'habitude, il reste à Saint-Brieuc de lundi à jeudi soir tard. Il vient chez moi le samedi vers dix heures. Régulièrement. Vous pourrez l'y guetter. Il vient acheter des magazines. Sur l'automobile, l'informatique, les maisons, les piscines et surtout les bateaux.

— Je ne viendrai pas guetter monsieur Cardec.

Dupin rempocha son calepin et se dirigea vers la caisse ; il avait tout ce dont il avait besoin.

— Comme vous voulez. Et maintenant, parlons de la blonde qui a disparu. De votre enquête à son sujet.

Dupin était sur le point de protester, mais il laissa tomber.

— Ce Durand est un requin de l'immobilier à Paris, déclara madame Riou qui paraissait fort bien informée. Il a gagné beaucoup d'argent ces dernières années. Ils possèdent un appartement luxueux dans le XVe arrondissement et une grosse Mercedes. C'est la première fois qu'ils viennent dans la région. Sa femme est plutôt vulgaire, une petite poupée naïve qui n'a pas trente-cinq ans. Il a vingt ans de plus qu'elle.

La veille, en début de soirée, Dupin avait par hasard croisé l'individu dans le couloir de l'hôtel. Le commissaire l'avait salué d'un air aimable, monsieur Durand – tout en jambes, grosse tête, chauve, des pommettes saillantes, vêtu d'un pantalon de toile bleu et d'un polo Lacoste mauve – avait fait de même. Il semblait replié sur lui-même, très préoccupé. Dupin avait tenté de lier conversation : « Nous sommes désolés de ce qui vous arrive, monsieur », lui avait-il dit. Mais Durand s'était contenté de murmurer « Oui, oui » avant de poursuivre son chemin. Aussi désolé que puisse l'être Dupin pour la pénible situation qu'il devait affronter, l'homme lui restait profondément antipathique.

— Et d'où tenez-vous toutes ces informations, madame Riou ?

— De Raphaël. Notre coiffeur. Madame Durand y est allée deux fois ces derniers temps.

Parfait. Une autre raison d'aller se faire couper les cheveux. Les coiffeurs étaient à la fois psychologues et confesseurs.

— Et qu'a raconté d'autre Raphaël ? demanda Dupin sans le vouloir.

Il était arrivé devant la caisse, le calepin de nouveau à la main. Anne Riou passa les articles sur le scanneur tout en bavardant :

— Madame Durand a plusieurs fois pesté comme une furie contre son mari disant qu'il était parfois un « effroyable imbécile ». Un « égoïste inimaginable ».

— C'est ce qu'elle a dit ? Parfois ?

— Je…

La sonnerie du portable de Dupin interrompit madame Riou.

— Excusez-moi.

Dupin avait vu le numéro, il devait répondre. Il alla devant la porte et revint quelques minutes plus tard, le sourire aux lèvres.

Madame Riou avait mis les magazines dans un sac en papier rouge vif. Et posé la monnaie à côté.

— Nous en étions au « parfois », rappela Dupin en reprenant le fil de la conversation.

— Je peux seulement répéter ce que Raphaël m'a dit. Ils auraient eu une grosse dispute le matin du jour de son deuxième rendez-vous chez lui.

Tout ce que Dupin apprenait correspondait à l'idée qu'il se faisait d'un couple chez qui les disputes, voire les conflits plus sérieux, étaient intrinsèques à la relation. C'était leur façon d'être malheureux ensemble – ils restaient unis, malgré tout – et, qui sait, peut-être étaient-ils même heureux comme ça, de cette façon tordue.

— Madame Durand a-t-elle mentionné un incident particulier, ou un événement, qui aurait rendu la dispute plus sérieuse que d'ordinaire ?

— Pas que je sache. Mais allez voir Raphaël. Il peut certainement vous proposer un rendez-vous.

— C'est vrai que je dois aller chez le coiffeur sans tarder.

Anne Riou examina avec scepticisme les cheveux courts de Dupin.

— Comme vous voulez, monsieur le commissaire. Comme vous voulez.

Elle haussa les épaules, impassible.

— Quant à l'effraction de la maison Eiffel, je ne peux hélas rien vous dire de plus. Je n'ai rien appris de neuf. Peut-être une blague idiote de gamins. Je pense que vous devriez collaborer officiellement avec la gendarmerie. Cela mettrait un coup d'accélérateur à leurs investigations.

— Des conversations, madame Riou, je ne fais que bavarder. (Une assertion bien spécieuse, Dupin en était conscient.) Il ne s'agit aucunement d'une enquête. De la curiosité pure. Un tic professionnel.

— Je comprends.

Il était clair pourtant qu'elle n'en croyait pas un mot.

— Bon, je vous souhaite une belle journée, madame, conclut Dupin en s'efforçant d'avoir un joyeux ton de vacances. A demain.

Il se dirigea vers la porte, la pochette en papier coincée sous son bras.

— A demain, commissaire. A demain.

Au goût de Dupin, madame Riou parlait trop fort. Non loin de là, deux femmes âgées se tenaient devant un tourniquet de cartes postales. Au mot « commissaire », leurs regards pleins de curiosité s'étaient tournés vers Dupin.

— Ah, une chose encore.

En faisant un geste difficile à interpréter, madame Riou quitta sa caisse et s'avança vers lui.

— Il y a aussi – je ne sais pas pourquoi je n'y ai pas pensé plus tôt – une agricultrice qui pourrait éveiller les soupçons, selon les circonstances.

Dupin leva les mains en signe de dénégation, mais madame Riou n'en tint pas compte :

— Madame Guillou. Maïwenn Guillou. Elle est maraîchère. Que du bio. Elle possède aussi un petit élevage de porcs. Des porcs laineux bretons. Ah oui, et de la volaille. Des coucous de Rennes, le poulet parfait pour le repas du dimanche, juteux et tendre. Avec un léger goût de noisette, ajouta-t-elle, les yeux brillants. Elle a en effet un compte à régler avec la députée. Un compte personnel. (Madame Riou chuchotait maintenant :) Il paraît que madame Quéméneur a eu une liaison avec le mari de Maïwenn. L'année dernière. Bien que Maïwenn soit elle-même une femme très séduisante. Tout compte fait, ce sont des rumeurs. Mais elles vont bon train. Puisque vous allez vous renseigner auprès de Raphaël, posez-lui des questions aussi sur cette affaire.

— Je ne le ferai pas.

— Et à cela s'ajoute une autre implication, dit-elle en prenant une longue inspiration, madame Guillou connaît aussi la mystérieuse collectionneuse d'art dont je vous ai déjà parlé. C'est elle qui lui a vendu sa maison. A l'un des sept accès de la vallée des Traouïero. Maïwenn habite à quelques centaines de mètres de là.

Une relation de cause à effet qui semblait de prime abord totalement arbitraire. Mais que madame Riou avait chargée de lourds sous-entendus.

— La collectionneuse séjourne à New York depuis plus d'une semaine. Il est impossible qu'elle soit impliquée dans le vol de la statue.

— Elle a peut-être des complices. Vous connaissez la vallée ?

Dupin secoua la tête.

— Une vallée magique. Des chaos de rochers de granit, comme sur la presqu'île Renote. Une forêt sombre, épaisse. Des fougères de plusieurs mètres de haut. Il s'y passe des choses bizarres. Tout le monde le sait. Traversée par un ruisseau bruissant, la vallée jouit même d'un climat particulier. Il y fait toujours humide, toujours chaud, expliqua-t-elle avant de regarder autour d'elle. Elfes, fées, gnomes. Autrefois, contrebandiers, pirates et bandits. C'est là qu'elle vit. Est-ce que vous allez l'interroger ?

— Non, certainement pas. Comme je vous disais, elle ne peut être la coupable. Et même si c'était le cas, quel serait son mobile, d'après vous ?

Il n'aurait jamais dû poser la question.

— Tiens, la collectionneuse serait coupable du vol de la statue et Maïwenn Guillou de l'agression contre la députée. Et l'une a vendu une maison à l'autre. Cela ne peut être une coïncidence. C'est ainsi que vous enquêtez : vous mettez au jour des liens enfouis.

Puis, sans se laisser décontenancer par l'expression consternée de Dupin, elle ajouta :

— Même si, pour le moment, tout paraît encore flou et mystérieux.

Avec une méthode pareille, avait envie de rétorquer Dupin, n'importe quelle spéculation, n'importe quelle pensée, aussi absurde fût-elle, aurait devant elle un boulevard ! On se noierait dans un océan de possibilités infinies.

— Merci, madame. Je dois vraiment y aller. Ma femme…

— Oui, vous avez besoin d'un peu de repos. Cela vous fera certainement du bien, vous avez l'air très tendu. Au fait, l'agricultrice vient tous les matins vers huit heures et demie acheter son journal.

Anne s'envola vers sa caisse, tout sourire. Les deux femmes âgées l'y attendaient, chacune une carte à la main.

Dupin quitta précipitamment la boutique.

La visite avait duré longtemps. Mais elle avait été riche d'enseignements.

Il devait se dépêcher. Passer rapidement chez Rachid, Claire s'étant décidée ce jour-là pour des pans-bagnats, avaler vite fait un petit café. Il prendrait en plus un rosé et une grande bouteille d'eau, ainsi que deux Breizh Cola.

Et prendre rendez-vous chez le coiffeur. Pour le lendemain matin tôt.

Une demi-heure plus tard, Dupin avait rejoint l'îlot de tissu-éponge mauve. Il s'était contenté de jeter un œil dans la chapelle et de prendre quelques notes. Il avait vu l'endroit où se trouvait la statue avant sa disparition. Rien de particulier ne lui avait sauté aux yeux.

Des gouttes de sueur perlaient à son front lorsqu'il retrouva Claire. Il n'y avait pas un seul brin d'air.

— Ça a duré longtemps, remarqua Claire qui, allongée sur le ventre, était plongée dans un livre.

Elle n'avait jeté qu'un bref regard à Dupin.

Il s'agenouilla sur la serviette et vida la pochette rouge vif.

Philosophie magazine, *Beaux Arts*, *Science et Univers*, *Saveurs* – un des magazines préférés de Claire –, *Côté Ouest*. Un joli assortiment.

— Et les pans-bagnats, annonça-t-il en posant la glacière sur la serviette de bain. Avec le vin, de l'eau et du Coca. Tout est frais.

— Magnifique ! As-tu enfin trouvé un livre pour toi ? Est-ce parce que tu as commencé à lire tous les livres pour t'en faire une idée que cela a duré si longtemps ?

— Oui, j'en ai trouvé un.

— Lequel ?

Après une hésitation, Dupin répondit :

— Une enquête de Sherlock Holmes. *Le Signe des quatre*.

— Et où est-il ?

— Je le prends demain.

Il ne lui restait plus qu'à espérer qu'Anne Riou l'ait en stock.

— Mais je t'ai apporté tous les magazines que tu voulais, dit-il en montrant le paquet. Et j'ai pris rendez-vous chez le coiffeur. J'ai eu du mal à le joindre.

— Ici, sur notre serviette, le réseau passe très bien.

— Je n'y pense jamais.

— Georges, commença Claire en regardant Dupin droit dans les yeux. Pas d'enquête en douce ?

— Sur quoi veux-tu que j'enquête ?

Il se trouva convaincant. Pour un policier, il était important de s'exprimer sur un ton maîtrisé quand ça sentait le roussi.

— En effet. Il n'y a rien sur quoi on pourrait enquêter.

L'âme rassérénée, Claire se retourna sur le dos.

Dupin s'installa confortablement sur une des chaises longues multicolores placées au milieu de l'oasis de verdure.

Dorénavant il inaugurerait la soirée en prenant un pré-apéritif dans le jardin de l'Ile Rose, avant de savourer l'apéritif principal en compagnie de Claire qui, en cet instant, s'habillait pour le dîner. Il avait trois quarts d'heure pour lui tout seul.

Dupin n'était pas assis depuis une minute que son portable sonna. Numéro masqué.

— Allô, oui ?

— Commissaire Le Gourlaouen, à l'appareil, commissariat de police de Lannion.

C'était une surprise.

— Bonsoir.

— Vous avez entrepris quelques investigations, ai-je ouï dire. Dans deux affaires grotesques qui n'en sont pas, ainsi que dans un cas qui relève de *ma* compétence : l'escalade des actions coups de poing contre la députée Viviane Quéméneur. Je n'ai pas besoin de vous rappeler que vous êtes ici sur mon territoire. Qui relève de ma seule compétence. Vous vous trouvez dans un département étranger et sous les ordres d'un autre préfet. En outre, vous n'êtes pas en service !

Le commissaire de Lannion s'exprimait sur un ton ferme et acéré, plein de sarcasme mais sans colère.

— Je ne me suis en aucune manière adonné à des investigations, monsieur… cher collègue. (Ces noms bretons lui donnaient du fil à retordre en dépit de sa « bretonnisation avancée ».) C'est certainement un malentendu.

— Ce n'est pas un malentendu, fulmina Le Gourlaouen. J'ai entière confiance en mes sources.

— Vos sources ?

Qui cela pouvait-il être ? Dupin exclut les Bellec, ainsi que madame Riou. Elle n'avait pas fait mystère de son opinion sur le commissaire. Bien sûr, ils n'étaient pas seuls dans la maison de la presse au moment de leurs échanges. Plusieurs personnes les avaient vus. Peut-être avait-il manqué de prudence.

— J'ai également entendu dire que vous avez l'intention de mener un autre interrogatoire demain matin.

— Vous parlez de mon rendez-vous chez le coiffeur ? Une coupe de cheveux, rien d'autre.

Une des aimables serveuses vint lui apporter son Americano : vermouth rouge et Campari, un cocktail très apprécié en Bretagne. Dupin mit sa main gauche devant le micro.

— Merci beaucoup. Quelques chips, s'il vous plaît.

Des Brets, des chips bretonnes, à partir de pommes de terre bretonnes, saupoudrées de sel de Guérande.

— Allô, vous êtes encore en ligne, Dupin ?

— On dirait bien que oui.

— Vous vous rendez coupable de plusieurs délits, argumenta Le Gourlaouen. Cela va vous attirer d'énormes problèmes.

Dupin soupira profondément :

— Je suis en vacances, monsieur. C'est tout. Et tout le monde est libre dans ce pays de converser avec qui bon lui semble. Sur le sujet de son choix, à tout instant.

Dupin ne se laisserait pas intimider par ce type bouffi d'orgueil.

On apporta les chips.

— J'ai… commença Le Gourlaouen, interrompu par les bruits de grignotage de Dupin, je vous ai à l'œil, Dupin. Je vous suis à la trace, je vois ce que vous faites et j'entends ce que vous dites. Et si vous abordez ne serait-ce qu'une seule fois un des sujets qui concernent mes enquêtes, je me mettrai en contact avec l'inspection générale et mon préfet.

Cela pouvait en effet devenir problématique. L'IGPN avait reçu de nombreuses plaintes au cours des dernières années. Lesquelles – au grand dam de l'insupportable inspectrice – n'avaient pas réussi à mettre Dupin en danger pour la seule et bonne raison que la plupart avaient été déposées au cours d'enquêtes qu'il avait résolues avec brio.

— Et notre préfet en référera immédiatement à votre préfet.

Cela non plus n'augurait rien de bon.

Guenneugues s'était fermement opposé à ce que Dupin prenne des vacances – entérinées depuis des semaines – malgré « les circonstances extrêmes qui régnaient sur tout le territoire du Finistère ». Maintenant que lui, le préfet, le supérieur de tous les hauts représentants de l'ordre et de la sécurité publique, était « gravement blessé », tous les autres devaient « travailler double, pour une fois ».

— Vous aussi, monsieur… Vous aussi, vous êtes libre de parler avec qui vous voulez, avec quiconque vous procure du plaisir.

Dupin tendit l'oreille. Le commissaire de Lannion avait raccroché.

Un appel tout à fait absurde. Même s'il était sage de se demander s'il devait poursuivre ses « investigations personnelles », et de quelle façon.

Dupin avala une longue gorgée.

Il allait commander un autre apéritif. Alors qu'il s'apprêtait à appeler la serveuse, son portable sonna de nouveau.

Numéro masqué.

— Un instant, s'il vous plaît, répondit-il avant de se tourner avec un sourire vers la jeune femme : Encore un, s'il vous plaît, commanda-t-il en montrant son verre vide. Je suis à vous, reprit-il d'un ton bourru.

— Bonsoir, monsieur le commissaire. Viviane Quéméneur à l'appareil.

La députée victime de l'agression. Dupin se redressa aussitôt.

— Veuillez m’excuser si je vous dérange.

A sa voix, on entendait qu’elle parlait avec peine.

— J’en suis à l’apéritif, madame, répondit Dupin encore perplexe.

— J’ai besoin que vous me conseilliez.

— Moi ?

— Cet après-midi, j’ai reçu une lettre anonyme à l’hôpital, déclara-t-elle encore plus lentement. Une lettre de menace. Cette pierre lancée n’était pas un accident, monsieur Dupin, ajouta-t-elle d’une voix tremblante.

— Une lettre de menace ? répéta Dupin qui devait faire attention à ne pas parler trop fort. Que disait-elle exactement ?

— Je vous la lis : « Députée Quéméneur, faites attention. Je sais tout. Laissez tomber. Et ne contactez pas la police. »

Le message était clair. Et en même temps très vague.

— Je suppose que la lettre n’est pas manuscrite ?

— Non.

— Arrivée par la voie postale ?

— Elle a été déposée dans la boîte aux lettres qui se trouve à l’entrée de l’hôpital.

— A quoi cette menace fait-elle allusion ? Que devez-vous laisser tomber ?

— Je n’en ai aucune idée.

— Qui pourrait être l’expéditeur ? Vous pensez à quelqu’un de particulier ?

Elle hésita.

— Mon activité donne lieu à des conflits. Mais je ne pense pas qu’un de mes opposants en soit capable.

— Avez-vous des ennemis, madame ? De vrais ennemis ?

Un silence.

Dupin devait prendre des précautions. Et agir avec circonspection.

— Pourquoi me téléphonez-vous, à moi ?

— Je ne sais pas ce que je dois faire. J'ai peur de m'adresser officiellement à la police. Ma sœur vit à Concarneau, elle m'a dit que vous étiez à Trégastel, elle l'a lu dans le journal. Ma sœur ne m'a dit que du bien sur vous.

— Et comment avez-vous obtenu mon numéro ?

— J'ai contacté votre préfecture. J'ai mes sources.

— Madame Quéméneur, il m'est simplement impossible d'enquêter sur votre affaire, voire d'y participer d'une façon ou d'une autre. Je suis en congé.

C'était la phrase qu'il prononcerait le plus souvent pendant ces quinze jours.

— Je sais. Mais dites-moi ce que je dois faire. A votre avis.

— A votre place, je m'adresserais à la police malgré la menace. Et même sur-le-champ.

— Vous le pensez vraiment ?

— Tout à fait. La police sait comment agir dans de telles situations.

— Vraiment ? demanda-t-elle d'un ton sceptique. Mais ne lancera-t-elle pas immédiatement des investigations dont le corbeau prendra connaissance tôt ou tard ?

— On enquêtera discrètement. Personne ne le saura.

Elle se tut.

— Je vous l'assure.

Dupin espéra que rien ne viendrait le détromper. La police aussi commettait des erreurs. Tout dépendait du commissaire.

— D'accord, je vais suivre votre conseil, dit-elle, sans conviction.

— Vous prenez la bonne décision. Une question, madame. Qui sont ces opposants dont vous parliez ? Avec qui êtes-vous en conflit ?

— J'y ai réfléchi. Je vais vous dire à qui j'ai pensé : un député de l'autre bord, Hugues Ellec. Nous croisons le fer depuis longtemps. (Parler lui coûtait manifestement beaucoup, elle faisait des pauses régulières.) En ce moment nous avons quelques différends sur plusieurs points. Un homme sans scrupule. Il y a aussi Jérôme Cardec (à ce nom, Dupin tendit l'oreille, l'héritier de la carrière et le fabricant de machines agricoles dont madame Riou lui avait parlé), qui possède la plus grande carrière de la région. Il l'agrandit de façon illégale. Et exige qu'on l'entérine au fur et à mesure. Mon bureau a justement commencé à rassembler des documents à ce propos. Dernièrement… Non, c'est tout.

— Vous étiez sur le point de citer quelqu'un d'autre.

— Non, non.

Dupin n'en croyait pas un mot. Mais il était inapproprié d'insister.

— Je vous remercie, monsieur Dupin. J'ai de la visite.

— Je comprends. Une dernière chose : il serait préférable de ne divulguer notre échange à personne.

— Je voulais vous faire la même demande.

— Surtout pas au commissaire de Lannion.

— Nous partageons un secret.

— Il est possible que je vous rappelle plus tard. Si vous m'y autorisez.

— Bien entendu. Au revoir, monsieur.

Elle avait raccroché avant qu'il puisse à son tour prendre congé. Et lui souhaiter un prompt rétablissement.

Il s'adossa et saisit son deuxième Americano, que la serveuse avait posé discrètement sur le guéridon à côté de lui. Il avala une longue rasade, en se passant une main dans les cheveux.

— J'ai fait mon possible pour être prête rapidement.

Dupin sursauta. Claire venait de se matérialiser, sortie de nulle part. Elle s'installa sur la chaise longue voisine.

— C'est une bonne idée de prendre l'apéritif dans le jardin ; j'ai commandé un kir breton.

Ses cheveux étaient encore mouillés.

Dupin s'efforça de se donner un air décontracté et de ne rien laisser paraître. Il avait reçu deux appels fort intéressants.

Claire s'adossa confortablement.

— Magnifique. Quel endroit merveilleux ! Nous reviendrons ici, Georges.

Avant que Dupin puisse réagir, la serveuse apporta le kir breton. Cidre et sirop de cassis.

— Le coursier vient de passer, madame Chauffin. Il est en route !

— Merci.

Claire s'empara de son verre en ignorant le regard interrogateur de Dupin.

— *Yec'hed mat*, Georges. A nos vacances insouciantes !

— *Yec'hed mat*, répliqua Dupin en levant son verre machinalement, faisant tinter les glaçons.

Il avait encore l'esprit occupé par les dernières nouvelles. C'était une *véritable* affaire. Il n'affabulait pas.

Vingt minutes plus tard, ils étaient attablés sur la terrasse.

Le soleil était encore haut, il inondait de lumière le monde rosé, tout paraissait surexposé. Le ciel et la mer – une surface sans une seule ride – n'étaient pas bleu clair mais presque blancs, les deux bleus étaient en harmonie ; ce n'était qu'en suivant la ligne pâle de l'horizon qu'on discernait la nuance qui les différenciait. Même le rose était blanchâtre. Il arrivait certains soirs que la lumière éteigne les couleurs. Les plus gros quartz des énormes blocs de granit scintillaient alors telles des sources de lumière éthériques.

Les pensées de Dupin tournaient autour de sa conversation avec madame Quéméneur.

Pourquoi la lettre de menace n'était-elle arrivée qu'aujourd'hui ? Peut-être l'expéditeur voulait-il s'assurer que la députée en personne la lise ? De nombreuses questions demeuraient sans réponse.

Dupin remarqua qu'un sentiment d'euphorie l'avait envahi. Il y avait au moins une affaire. Avec ça, il aurait une vraie occupation. D'un autre côté, la situation se compliquait. Soudain, cela devenait sérieux. N'était-il pas personnellement l'obligé de la députée ? Elle avait eu confiance en lui et il lui avait donné un conseil de poids : se tourner officiellement vers la police malgré ses doutes. C'était la raison pour laquelle il endossait une certaine responsabilité. En d'autres termes : il devait persévérer dans son enquête et accélérer le rythme.

Dupin se força à revenir au moment présent.

C'était inconcevable de voir à quel point Claire était détendue et sereine. Quelques mèches de ses cheveux avaient éclairci sous le soleil, son visage était bronzé, ainsi que ses bras et ses épaules. Elle portait une robe de lin noire.

Ils avaient commandé leur vin blanc de rigueur, un saumur frappé ce soir-là. Le menu leur promettait une expérience fabuleuse. Encore des cocos de Paimpol mais accompagnés d'huîtres gratinées, une quiche aux oignons de Roscoff caramélisés et aux artichauts violets. En plat principal, du homard à l'armoricaine. En dessert, un sorbet aux fraises de Plougastel, à l'arôme si parfumé, célébrées comme les meilleures fraises du monde, louange que Dupin reprenait avec force.

Somme toute, cette soirée pouvait être le bon moment pour réaliser son projet. Rien ne s'y opposait. Les dernières étapes avaient été franchies en deux coups de fil aujourd'hui même.

Puis il se rappela ce qu'il voulait demander à Claire, alors qu'ils étaient encore dans le jardin.

— De quel coursier s'agissait-il, au fait ?

— Je devais à tout prix envoyer quelque chose à Lydia.

Une de ses amies dont elle avait fait connaissance en prenant un bain de mer à Beg-Meil.

— Quelque chose d'urgent, on dirait ?

— Elle avait besoin d'une ordonnance. Son médecin traitant est en vacances.

— Je comprends.

C'était une bien grosse enveloppe pour une ordonnance.

Claire avala une gorgée et lui fit un grand sourire.

— A mon goût, il n'y a jamais trop de jours de plage. Mais peut-être est-il temps de faire quelques escapades. Qu'en penses-tu, Georges ?

Il ne devait pas se montrer trop enthousiaste. Mais tenter de répondre en guidant avec tact les propositions dans la bonne direction.

— Pourquoi pas ? Avec plaisir, en ce qui me concerne. Nous pourrions aller voir cette vallée merveilleuse dont tout le monde parle avec des trémolos dans la voix. Ce serait une jolie balade. On pourrait pénétrer dans la vallée en partant de la plage et monter en suivant ce ruisseau si romantique.

— Ou bien aller au Roi Gradlon. De là, on a une vue exceptionnelle sur tous les environs. Et on serait à côté de l'aquarium. Puis terminer par le château sur la presqu'île de Renote. Demain après-midi ?

L'après-midi ! Ce serait déjà ça ! Le bain de soleil sur la plage serait raccourci d'autant.

— La maison de Gustave Eiffel se trouve aussi dans les environs.

Il est vrai que les investigations prioritaires partaient dans d'autres directions depuis l'appel de la députée, mais Dupin ferait bien de ne pas perdre de vue les petits événements à première vue insignifiants. Qui sait ? Peut-être étaient-ils reliés les uns aux autres ?

— On ne pourra pas tout faire demain. Mais on devra aller de toute façon à Ploumanac'h. Dans ce restaurant.

Claire avala la dernière gorgée de saumur qu'elle savourait manifestement avec grand plaisir.

— Claire, commença Dupin qui jugeait le moment idéal. Je voulais parler d'une chose avec toi.

L'amorce était beaucoup trop neutre, peut-être aurait-il dû réfléchir un peu, il était quand même question d'une décision cruciale.

— Je voulais te dire quelque chose, te demander quelque chose. Je…

— Monsieur Dupin !

Bellec venait d'apparaître à la droite de Dupin, il semblait bouleversé, mais tentait de s'exprimer de façon à peu près compréhensible :

— Vous devez venir avec moi. Sur-le-champ.

— Que s'est-il passé ? demanda Dupin qui s'était levé précipitamment, ainsi que Claire.

— Venez !

Bellec disparut à l'intérieur de la bâtisse, Claire et Dupin sur ses talons. Il se dirigea à grandes enjambées vers la réception et ferma la porte derrière eux.

— On a trouvé une femme morte, annonça-t-il d'une voix tremblante. A la carrière rose. La plus grande des trois qui existent encore. Là où une autre femme a été retrouvée morte il y a sept ans. Celle qu'on appelle « la morte rose », précisa-t-il en blêmissant. Autrefois ils…

— Qui est-ce ? l'interrompit Dupin.

— Le corps est dans un état plutôt… bafouilla Bellec, le regard fixe. Il y a cinquante mètres de hauteur. Exactement comme il y a sept ans.

— Pourrait-il s'agir de madame Durand ? s'enquit Claire.

C'était la question la plus urgente.

— La police de Lannion a demandé à monsieur Durand de l'accompagner pour éventuellement l'identifier. Ils viennent de partir. C'est tout près d'ici. Ils l'ont prévenu que le spectacle serait terrible. Mais il voulait y aller. Inès et Alan s'y sont rendus également.

— Quand cela s'est-il passé ? interrogea Dupin qui y serait bien allé aussi.

— On ne sait pas encore. Ce sont des ouvriers de la carrière qui ont trouvé le corps par hasard. A un endroit qui n'est pas exploité. Il est possible qu'il y soit depuis un bout de temps. D'après les premières constatations, il semblerait que l'accident ne se soit pas produit récemment.

— Madame Durand a disparu lundi soir, confirma Claire. Ça concorderait.

— Un gendarme de Perros-Guirec déjà sur place croit l'avoir reconnue, confirma Bellec en baissant la voix. Il a vu l'avis de recherche avec la photo.

— Ne serait-ce pas là une coïncidence bien étrange ? Je veux dire, si ce n'était pas elle ? demanda Claire.

— A-t-on donné une information sur la cause du décès ? s'immisça Dupin.

Bellec leva les sourcils d'un air interrogatif.

— Elle a fait une chute de cinquante mètres.

— Elle aurait pu être morte avant la chute.

A la mine de Bellec, il était clair qu'il n'y avait pas pensé.

— Ils n'ont rien dit à ce sujet. Le médecin légiste vient d'arriver sur les lieux.

Pendant un moment, un lourd silence régna.

— Quelle merde, murmura Dupin.

Il alla à la fenêtre de l'étroite pièce.

Suivi du regard par monsieur Bellec.

Ce n'était pas possible. Quelle tournure cruelle prenaient les choses !

Dorénavant, il y avait selon toute apparence deux affaires. Deux affaires graves. Les pensées de Dupin voltigeaient. S'il s'agissait réellement de madame Durand, ils avaient sans aucun doute affaire à un meurtre. Un accident était peu probable. Et, pour l'instant, rien n'allait dans le sens d'un suicide.

— S'agit-il de la carrière dont a hérité ce fabricant de machines ?

— Cardec, oui, répondit Bellec en hochant la tête. Encore lui.

Dupin sortit son portable, et appuya sans tarder sur le numéro de Nolwenn.

— Qu'as-tu l'intention de faire ?

Dupin n'avait pas remarqué que Claire s'était approchée de lui. Elle le regardait fixement.

— Je pense que…

Il mit fin à l'appel.

— C'était par pur réflexe.

Ce qui était vrai, d'ailleurs.

— Ce n'est pas ton enquête, Georges, lui rappela Claire sur un ton plus compréhensif que sévère. Même s'il s'agit de madame Durand, ce n'est pas ton affaire.

Elle avait raison.

— Tu n'as rien, strictement rien à voir avec cette histoire. Aussi dramatique que soit tout ce qui se passe.

Dupin se tourna vers monsieur Bellec :

— Le commissaire de Lannion est-il déjà arrivé sur les lieux ?

— A l'heure qu'il est, certainement.

— Tu vois, Georges, l'enquête est entre de bonnes mains.

Puis elle ajouta d'un ton ferme :

— Nous allons maintenant retourner à notre dîner.

Elle marcha vers la porte, qu'elle ouvrit d'un geste énergique.

Bellec en profita pour se rapprocher de Dupin.

Il chuchota si doucement que Dupin faillit ne pas pouvoir le comprendre.

— Vous allez bien continuer votre enquête. Je veux dire, maintenant plus que jamais. Et ne pas laisser l'affaire à Lannion. Pas à quelqu'un d'aussi médiocre que ce Le Gourlaouen ! Nous comptons sur nos gendarmes de Trégastel – et sur vous ! Vous êtes le meilleur, d'après Nolwenn. Vous voilà maintenant dans notre équipe ! C'est *vous*, notre commissaire ! conclut-il avec une mine de conspirateur.

Dupin aurait dû y penser : Trégastel s'affichait contre Lannion. Un exemple de cet esprit de clocher breton. L'étranger venu de loin était considéré comme plus proche que le voisin immédiat. A cela s'ajoutait ce que Bellec n'essayait pas de cacher : le sensationnalisme, le plaisir d'être au plus près d'une enquête policière.

Le front plissé, Claire attendait dans l'encadrement de la porte.

Dupin s'éloigna de Bellec.

Une minute plus tard, ils étaient revenus à leur table.

L'ambiance sur la terrasse était gaie. Personne ne semblait avoir remarqué leur brusque départ. Seuls les parents terribles tournèrent la tête vers eux et tinrent un conciliabule.

— Tu attires les crimes comme la lumière les papillons, Georges, déclara Claire en dégustant la dernière huître gratinée. Où que tu ailles, il se passe quelque chose.

Difficile de le nier.

— Que voulais-tu me dire avant que nous soyons interrompus ?

— Je te le dirai à un autre moment.

Claire n'insista pas.

— Pauvre monsieur Durand. Ce doit être terrible pour lui.

A l'instar de Dupin, Claire était préoccupée par la tournure tragique des événements.

— Il y a seulement deux jours, elle était assise là, sur la terrasse, et elle savourait son dîner.

Elle laissa son regard glisser sur la mer :

— En tout cas, l'envie de voir une carrière m'est passée.

Claire avait le chic pour prononcer de telles phrases sans paraître macabre.

Dupin se taisait. Il essayait de mettre de l'ordre dans les événements, bien que cela fût oiseux. Il savait trop peu de chose. Une question le hantait : les deux crimes étaient-ils indépendants l'un de l'autre ? Si oui, ce serait une incroyable coïncidence. Mais cela ne voulait rien dire. De par sa profession, Dupin entretenait une relation particulière avec les coïncidences.

— Nous devrions…

Mais le portable de Dupin l'interrompit.

— Nolwenn. Je dois répondre.

Sur ces mots, il se leva et disparut.

Claire paraissait trop perplexe pour réagir.

Dupin se précipita dans les escaliers menant au jardin.

— Oui ?

— Je viens d'entendre parler de la victime retrouvée dans une carrière. Même s'il s'agit de madame Durand, vous n'avez pas le droit d'enquêter sur cette affaire, commissaire. Je viens de recevoir encore une fois les directives les plus strictes à ce sujet. Ni Le Ber ni Labat ne vous diront quoi que ce soit. Vous vous mettriez dans un joli pétrin, vous le savez bien.

— Je sais.

— Donc, tout va bien.

Et elle avait déjà raccroché.

Dupin était sur la dernière marche de l'escalier. Il fit demi-tour. En un clin d'œil, il était de nouveau assis à leur table, avec Claire.

— Tout est en ordre ?

— Tout est en ordre.

Bizarrement, Claire ne posa pas d'autre question.

Comment Nolwenn avait-elle appris tout cela aussi vite ? A cette heure, elle n'était certainement plus au commissariat.

— Cette quiche aux oignons, il faut que tu y goûtes tout de suite…

— Commissaire, intervint Bellec qui avait resurgi à côté de leur table, de nouveau tourneboulé. J'ai encore besoin de vous.

Cette fois-ci, Claire et Dupin s'efforcèrent de se lever plus discrètement et emboîtèrent le pas à monsieur Bellec.

— Le coiffeur a téléphoné. Raphaël Kerléo.

Bellec prit une pose dramatique pour annoncer le dernier scoop :

— Ce n'est pas elle. Ce n'est pas madame Durand. C'est sûr et certain. Monsieur Durand l'a affirmé sans doute possible.

Comme lors de la première interruption, ils s'étaient rendus à la réception. Bellec n'en avait pas encore franchi le seuil qu'il avait déjà annoncé la nouvelle.

— Certes, ils veulent faire venir de Paris les radios dentaires de madame Durand, mais ce n'est qu'une simple formalité. N'est-ce pas merveilleux ?

— Oui, c'est merveilleux, répéta Claire dont le visage reflétait un grand soulagement.

« Merveilleux » n'était pas tout à fait le mot que Dupin aurait choisi. Somme toute, une femme était morte, succombant à un destin cruel. Mais il devait s'avouer que lui aussi était content. Cependant, la situation était devenue encore plus confuse.

— Mais alors, qui est la victime ?

— On ne sait pas encore. Elle aurait entre trente-cinq et quarante ans. Un mètre soixante-dix. Des cheveux longs et bruns. Madame Durand est, elle, très blonde, ajouta Bellec qui parut content de cet élément de preuve supplémentaire. Le visage n'a pas été trop abîmé. Jean Armani, tee-shirt Ralph Lauren, tous deux discrets.

Dupin se demanda ce que pouvait bien signifier le qualificatif « discret » dans de telles circonstances.

— Pas de portefeuille, pas de carte d'identité ni de portable, je suppose.

— Exactement.

Pour une raison ou une autre, Claire le laissa poser ces questions aux accents d'interrogatoire évidents. Probablement parce qu'elle se les posait aussi.

— Rien qui pourrait aider à l'identifier ?

— Non. Mais, selon le médecin légiste, la victime n'est pas morte depuis quelques petites heures. Il pense qu'elle est morte il y a un jour. Ou deux. Pas plus.

— Avez-vous appris quelque chose au sujet de la cause du décès ?

— Non. Et le légiste a dit que ce serait long.

— Le corps va bientôt être transporté à la morgue, expliqua Dupin d'une voix absente.

C'était bizarre. Il était si près et en même temps si loin de tout. Il connaissait la procédure, chaque étape de l'enquête policière qui allait maintenant s'enclencher – le film défilait devant ses yeux – et, cependant, il n'y jouerait aucun rôle.

— Une véritable affaire criminelle.

Un sourire de contentement évident se dessinait sur les lèvres de Bellec.

— On n'a rien eu de tel depuis longtemps, ici.

On aurait dit qu'il annonçait une nouvelle attraction touristique.

— Monsieur Durand va-t-il revenir à l'hôtel aussitôt ? lui demanda Dupin.

— Je pense que oui.

— J'aimerais bien m'entretenir avec lui brièvement. Somme toute, nous étions pour ainsi dire voisins de table.

Claire le dévisagea. Elle parut vouloir émettre une objection, mais se ravisa.

— Quelques paroles de réconfort lui feront certainement du bien.

Involontairement, Bellec jeta un regard par la fenêtre.

— Comme je vous disais, la carrière n'est qu'à quelques minutes d'ici en voiture.

L'hôtelier se dirigea vers son bureau et s'assit devant son ordinateur. Il semblait plein d'entrain, il ne manquait plus qu'il se mette à siffler un air entraînant. Lorsqu'il rencontra le regard de Dupin, il s'empressa d'ajouter :

— Je suis tellement soulagé que la victime ne soit pas madame Durand ! Pouvez-vous imaginer ce que cela aurait signifié pour notre hôtel ?

Il s'interrompit. Dupin le comprenait.

— Je vérifie sur Internet si on parle déjà de l'incident. Peut-être devrions-nous prévenir nos clients ? Ne serait-ce que pour parer à toute agitation.

Claire se tenait à côté de Bellec et regardait l'écran.

Dupin dut insister :

— Madame Durand est encore portée disparue. Depuis deux jours. Comme si elle s'était volatilisée. Et une autre femme ne s'en est pas tirée à si bon compte.

Claire et Bellec ne semblaient pas avoir entendu.

— Rien, constata Bellec, une pointe de déception dans la voix. Mais, continua-t-il avec plus d'enthousiasme, c'est seulement parce que nous avons bénéficié de l'exclusivité.

— Notre quiche aux oignons est encore sur la table, Georges. Retournons poursuivre notre dîner. Monsieur Bellec nous préviendra s'il a d'autres informations importantes.

Dupin se retourna.

— Là ! ils arrivent ! s'écria monsieur Bellec qui avait bondi de sa chaise et montrait la fenêtre qui donnait sur une partie du parking.

On apercevait l'avant d'une voiture de police. Quelques instants plus tard, on entendit des portières s'ouvrir, puis claquer.

— Le mieux à faire est d'accueillir monsieur Durand sur le pas de la porte.

Claire et Dupin hochèrent la tête et suivirent Bellec.

Ils venaient d'arriver devant la porte d'entrée quand celle-ci fut ouverte à la volée.

Monsieur Durand se rua dans le vestibule.

Dupin n'avait pas encore remarqué à quel point ses yeux noirs étaient perçants. Un regard presque incisif qui lui conférait une certaine sévérité, bien qu'il eût de grosses poches sous les yeux.

— Nous voulons seulement vous dire combien nous sommes soulagés, monsieur. La situation a dû être extrêmement pénible, énonça Claire qui savait trouver les mots.

Monsieur Durand resta immobile, indécis.

— Nous vous avons pris au dépourvu, veuillez nous excuser.

— Je vous remercie de votre attention. C'est extrêmement gentil, déclara monsieur Durand en fixant tour à tour Claire, Bellec puis Dupin. Je vous prie de m'excuser mais je ne me sens pas capable de mener une conversation. Je dois reprendre mes esprits.

Claire, Bellec et Dupin s'écartèrent. Monsieur Durand passa devant eux et se dirigea vers l'escalier. Malgré sa pénible situation, il n'était pas devenu plus sympathique aux yeux de Dupin.

— Nous le comprenons fort bien, monsieur. Mais peut-être cela vous ferait-il du bien de parler un peu.

Dupin connaissait bien ce ton : Claire avait le don d'insister auprès d'une personne sans la heurter.

Durand se retourna et sourit avec circonspection :

— Je vous l'ai dit : c'est très sympathique, mais j'ai besoin de me reposer.

— Allez-vous rester à Trégastel et y attendre votre épouse ? demanda Dupin avec amabilité.

Durand soupira.

— Dans un premier temps, je pense que oui.

Il tourna les talons et atteignit l'escalier.

— Monsieur Durand, je suis médecin. Si vous avez besoin de quelque chose, vous pouvez vous adresser à moi à n'importe quel moment, proposa Claire.

— Merci beaucoup.

Durand n'avait pas tourné la tête.

Bellec, Claire et Dupin traversèrent la salle à manger et se dirigèrent vers la terrasse.

— Dans de telles circonstances, chacun gère ses émotions à sa façon, déclara Claire pleine d'empathie.

Puis elle ajouta d'une voix presque joyeuse :

— Georges, le plus important est que tu n'aies rien à voir avec la victime de la carrière ni avec la disparition de madame Durand.

Jeudi

Le seul rendez-vous qu'on put lui donner au Salon Raphaël puisqu'il voulait être coiffé par Raphaël en personne était à neuf heures du matin. Dupin serait ainsi le premier client de la journée.

Dupin avait peu dormi, bien qu'ils se soient couchés à minuit – plutôt qu'aucun autre soir de leurs vacances. Claire s'était endormie immédiatement, alors que lui n'avait pu trouver le sommeil tant les pensées fusaient dans sa tête. A deux heures et quart, il s'était levé et était resté assis un moment sur le balcon.

Il se sentait néanmoins frais et dispos ce matin-là. Dynamique. Dans une forme olympique, aussi bien physique que psychique. A six heures trente, il était encore trop tôt pour prendre un café à l'hôtel. Aussi était-il allé directement au centre-ville. Il s'était rendu dans l'excellente boulangerie en face de la chapelle et de la maison de la presse. Il y avait bu ses deux premiers cafés debout à une des trois tables hautes. Il avait sorti son calepin bleu, noté aussi précisément que possible tous les événements de la veille, et avait surtout réfléchi à la manière dont il allait s'y prendre.

En l'état actuel de ses informations, le cas de la députée semblait en lien avec le fabricant de machines, l'agricultrice et le député du parti adverse. Dans le cas de la mystérieuse disparition de madame Durand, rien de nouveau. Le spectaculaire retournement de situation que constituait la découverte d'un corps dans la carrière de granit – un meurtre à n'en pas douter – semblait de prime abord ne pas avoir de lien avec l'agression de la députée et la lettre de menace. Seul le lieu où avait été découverte la victime pouvait se révéler intéressant : la même que dans l'affaire non résolue sept ans plus tôt, mais il s'agissait peut-être alors d'un accident. Une chose était sûre, cependant : la carrière de Cardec était au centre des deux affaires.

Dupin avait été quelque peu chagriné de ne pas pouvoir être à la fois chez le coiffeur et chez la marchande de journaux. Il ne pourrait croiser l'agricultrice que le lendemain matin, et Cardec seulement samedi ; hélas, il ne pouvait convoquer aucun des deux protagonistes. De toute façon, comme il n'avait pas la possibilité de mener des interrogatoires officiels, il était primordial qu'il se renseigne à leur sujet.

En sortant de la boulangerie, Dupin s'était dirigé vers l'office de tourisme, quelques maisons plus loin. Il y avait trouvé une carte du village et des environs. Trégastel, Ploumanac'h, Perros-Guirec. Le plan indiquait tout ce dont il avait besoin : le château, la vallée, les carrières, la maison de Gustave Eiffel, la chapelle et l'église Sainte-Anne, sans oublier les célèbres roches de granit rose… Dupin y consignerait tous les détails importants. Jusqu'aux domiciles des personnes éventuellement impliquées.

Puis il s'en était retourné à pas lents, toujours d'excellente humeur. La matinée était splendide, l'air encore frais et transparent. Seuls quelques habitués du village étaient dans les rues. Sur le chemin du retour, Dupin avait observé la maison de la députée.

Huit heures. Assis à sa place habituelle sur la terrasse de l'Ile Rose, il était le seul client. Pourtant, le petit déjeuner était servi dès huit heures. Madame Bellec et Nathalie le préparaient avec mille attentions : croissants savoureux, baguettes exceptionnelles – croûte croustillante, mie moelleuse –, gâteau spécial petit déjeuner, qui ressemblait au quatre-quarts de l'Amiral, miel mille fleurs crémeux, confitures maison de mûres, de mirabelles et gelée de coing. Il y avait aussi les fromages préférés de Dupin, tous produits à quelques kilomètres de là : le Darley, un Val-Doré doux, le Grand-Madeuc à l'arôme si fruité et la tomme du Vaumadeuc.

Nathalie lui avait apporté un crème au mélange parfait.

Claire devait dormir encore à poings fermés. Il admira le jardin sauvage et les rochers dont le rose tendre scintillait au soleil du matin, la mer étale, paisible et majestueuse, dont aucun mouvement ne faisait frémir la surface argentée.

— Encore rien sur l'identité de la victime, commissaire !

Bellec était apparu à la table de Dupin comme sorti de nulle part, complice, presque comploteur.

— Elle n'est enregistrée dans aucune base de données des personnes disparues.

Il était étonnant que Bellec en sache autant. Mais Dupin connaissait la chanson : plus le village était petit, plus vite les nouvelles circulaient. A une vitesse telle que même Internet était toujours à la traîne.

— Le Gourlaouen a remué ciel et terre pour dénicher une information sur la victime. Mais en vain pour l'instant, d'après Raphaël.

— Comment se fait-il que le coiffeur soit toujours au courant ? D'où tire-t-il toutes ces informations ?

— Inès.

— La gendarme ?

— Oui.

— Et alors ? s'enquit Dupin, interloqué.

— Personne ne vous a encore dit qu'Inès était la nièce de Raphaël ? Inès Mahé, la fille de sa sœur préférée.

— La gendarme est la nièce du coiffeur ? Et c'est comme ça qu'il obtient toutes les informations de source policière ?

— Probablement pas toutes, mais c'est par cette voie, oui.

Cela expliquait bien des choses. Et rendait le rendez-vous chez le coiffeur encore plus attrayant. S'il l'avait su, Dupin y serait allé bien plus tôt. Pourquoi les Bellec ne l'avaient-ils pas dit plus tôt ? Ou madame Riou ? Quoi qu'il en soit, de cette façon originale, une chaîne d'informations s'était formée dont il profitait.

— L'inverse fonctionne aussi : à maintes reprises Raphaël l'a aidée à démêler des sacs de nœuds en lui fournissant des indices.

— A-t-on des précisions quant à la cause du décès ?

— Non. J'ai justement posé cette question à Raphaël, répondit Bellec qui semblait attendre des félicitations. Ça va encore prendre du temps, a-t-il dit. A dit Inès.

Par contre, le légiste a précisé l'heure du décès : mardi, vingt-deux heures trente, plus ou moins une heure.

Dupin était plongé dans ses pensées.

— Comment avance votre enquête, commissaire ?

— Vous savez bien que je…

— Oui, je sais, je sais ! s'écria Bellec avec un rire malicieux. Vous n'enquêtez pas, vous êtes en congé. Je m'en tiendrai rigoureusement à cette formulation, n'ayez aucune crainte. C'est aussi valable pour ma femme.

Dupin était mal à l'aise. Mais que pouvait-il faire ? Somme toute, c'était ce dont il avait besoin : un complice. Cela simplifierait tout.

Soudain, il se rappela avec effroi que Nolwenn connaissait les Bellec.

— Et Nolwenn ? Elle…

— Nolwenn est une amie, commissaire, c'est vrai. Mais dans la situation présente, nous ne sommes pas du même avis. Par ailleurs, ma femme et moi savons garder un secret. Cela fait partie des qualités inhérentes à notre métier. Si vous saviez le nombre de secrets que nous connaissons !

— Bien.

Dupin avait mis dans son ton toute la fermeté possible.

— Alors, comment allez-vous procéder, je…

— Commissaire ! s'écria madame Bellec qui se précipitait vers eux, le téléphone à la main. Pour vous ! Madame Riou.

— Cela tombe mal, je…

— C'est urgent !

D'une main hésitante, Dupin prit l'appareil.

— Allô ?

— La femme qui a disparu, la blonde. Savez-vous avec qui on l'a vue la veille de sa disparition ? A Paimpol ! Dans un bar ! Les Valseuses !

La commerçante ménageait le suspense !

— Avec monsieur Cardec.

— Madame Durand ? La cliente de cet hôtel ?

Dupin s'était raidi. Il se tenait assis droit comme un I sur sa chaise.

Une courte pause ébahie, puis :

— De qui voulez-vous que je parle d'autre ?

— En compagnie de ce chef d'entreprise ?

— Oui, celui qui possède également la carrière de granit ! Où ils viennent de trouver un cadavre ! Oui, c'est bien lui !

— Madame Durand était dimanche soir dans un bar de Paimpol.

— Dans la *nuit* de dimanche. Elle est arrivée peu après minuit.

C'était un véritable scoop. Même si Dupin ne voyait pas ce qu'il signifiait. En tout cas, une chose était sûre : Cardec devenait une figure-clé, et ce dans deux affaires.

— Madame Durand a bu plusieurs verres. Puis Cardec et elle sont partis. Vers une heure et demie.

Monsieur et madame Bellec se tenaient devant Dupin, captivés. Ils ne s'en cachaient pas.

— D'où tenez-vous ces informations, madame Riou ?

— Aujourd'hui, la photo de madame Durand a été publiée dans l'édition locale d'*Ouest-France* et du *Télégramme*. Il est demandé à tous ceux qui l'auraient vue de se mettre en relation avec la gendarmerie.

Les journaux étaient à côté de lui, mais Dupin n'avait pas encore eu le temps de les feuilleter.

— Un de mes clients était chez moi à l'instant. Il a des amis à Paimpol. Avec qui il aime aller dans ce bar sympa. Comme dimanche. C'est là qu'il l'a vue. Elle ne passe pas inaperçue. Il l'a reconnue. Et Cardec est aussi connu que le loup blanc.

— Il n'a aucun doute ?

— Non, aucun.

— A-t-il déjà contacté la gendarmerie ?

— Il va de soi que je vais appeler Inès sur-le-champ. Mais je voulais d'abord vous le dire à vous.

— Madame Riou, puis-je vous demander un service ? Demandez à votre client de tout raconter par le menu. De quoi ils parlaient ? Comment ils se comportaient. Et… (il devait à tout prix procéder avec tact) si vous pouviez lui dire que vous garderez les informations pour vous.

— Pas de problème. Mais vous ne voulez pas lui parler personnellement ? Inès n'aura certainement rien contre.

— Il doit immédiatement se mettre en relation avec la gendarmerie. Vous savez que je suis en vacances et que je ne mène aucune enquête. Je veux dire, officiellement.

— Alors parlez-lui de façon officieuse.

— Si vous voulez apporter votre aide, faites en sorte que la gendarmerie obtienne ces informations le plus vite possible. Je dois hélas partir.

— Je comprends. C'est une question de priorités. Vous pourrez vous entretenir avec mon client plus tard. Je…

— A bientôt, madame Riou !

Dupin mit fin à la conversation.

Qu'une enquête soit officielle ou pas, c'était toujours la même chose : on devait rencontrer tout le monde : les vendeuses en boulangerie, les bouchers, le capitaine du port, le coiffeur, le médecin, le concierge, les buralistes... Il fallait parler avec eux, les apprécier, les comprendre, d'une façon naturelle. Sans eux, le travail de la police n'était pas possible. Ils en étaient le cœur. Qu'importe l'apport des nouvelles technologies, cela ne changerait jamais. Dupin était un adepte des bonnes vieilles méthodes.

Monsieur et madame Bellec se tenaient si près de lui qu'ils avaient certainement entendu chaque mot que madame Riou avait prononcé.

Madame Bellec affichait une mine à la fois excitée, curieuse et inquiète. Quant à monsieur Bellec, il était abasourdi.

— Eh bien, la disparition de madame Durand devient elle aussi une véritable affaire ! Même si elle n'est pas la victime de la carrière. La dame a fichu le camp avec un autre ! Rien que ça ! s'écria madame Bellec.

— Si cette information se vérifie, madame, répliqua Dupin qui devait étouffer dans l'œuf toute cette agitation, si c'est vraiment madame Durand qui a été vue dans ce bar en compagnie de monsieur Cardec, rien ne nous dit qu'elle est partie avec lui. Et même si c'était le cas, ce qui pour l'instant n'est que pure spéculation, ce ne serait pas du ressort de la police. Ce serait purement et simplement une affaire privée qui ne concernerait que les Durand.

Le visage de l'hôtelière exprimait la plus profonde déception.

Monsieur Bellec ne pipait mot. Ce qui était très inhabituel.

Dupin se leva et se tourna vers les Bellec :

— Avez-vous vu monsieur Durand ce matin ?

— Oui, il a déjà quitté l'hôtel, répondit monsieur Bellec. Il devait se rendre à la gendarmerie. Pour y signer je ne sais quoi. Il nous a confirmé vouloir rester ici quelque temps. Il part du principe que sa femme va bientôt revenir. Ce matin, il avait l'air très éprouvé.

— A quoi passe-t-il ses journées, en fait ?

— Il va s'informer auprès d'Inès plusieurs fois par jour. Il se promène. Il travaille aussi. Il dit qu'il n'y a rien de mieux pour se changer les idées. Que dans ces circonstances, il ne peut pas profiter de ses vacances. Vendredi, quand le temps s'est mis au beau, ils ont loué un bateau pour la semaine entière. C'est un grand amateur de pêche à la ligne. Il a rendu le bateau après la disparition de sa femme. Il passe le plus clair de son temps dans sa chambre. Ils ont réservé notre unique suite. Depuis, il s'y fait servir son petit déjeuner ainsi que son dîner. Seul. Il n'a pas envie d'avoir de la compagnie, conclut Bellec dont la voix vibrait de compassion.

Dupin avait sorti son calepin pour y consigner quelques notes.

— On dit partout que vous avez un calepin rouge, intervint Bellec.

Dupin ne fit aucun commentaire.

— Et la Mercedes des Durand, elle est restée garée tout ce temps ici ?

Madame Bellec le regarda, le front plissé.

— Naturellement. Sur le parking de l'hôtel.

— Avez-vous remarqué s'il était arrivé à madame Durand de quitter l'hôtel tard dans la soirée, voire la nuit ? Si elle avait déjà pris la voiture seule ?

— Non. Mais ça ne veut rien dire. Nous sommes tous les jours occupés jusqu'à une heure et demie. On n'a pas le temps de remarquer grand-chose. Par ailleurs, de la suite un escalier extérieur mène directement au jardin. Elle pouvait l'utiliser à tout moment.

— Cela signifie que madame Durand pouvait quitter l'hôtel sans être vue ?

— Tout à fait. Mais son mari, lui, devait s'en apercevoir.

Dupin se disposa à partir.

— Il faut que je me dépêche. J'ai rendez-vous chez le coiffeur.

Les deux Bellec reculèrent enfin de quelques pas.

— Bonne chance, commissaire.

Dupin partit à la hâte.

Le salon de coiffure était situé sur la petite place où se dressait la chapelle, à proximité de la boucherie et du Ty Breizh, un café de village bien agréable. Une jolie maison en pierre de deux étages, chapeautée d'un toit d'ardoise pointu.

— Ah, monsieur le commissaire ! s'écria un homme grassouillet en s'élançant vers lui au moment où Dupin franchit le seuil du salon. (Epaisse chevelure qui grisonnait avec élégance, large chemise noire et jean bleu foncé.) Madame Riou vient de m'appeler. C'est pour moi un honneur de pouvoir vous assister dans votre enquête, commenta-t-il sans aucune ironie.

— Je ne fais pas d'enquête.

— Je sais, répliqua-t-il en clignant de l'œil de manière éloquente.

Le visage, le menton et le cou en donnaient une preuve irréfutable : l'homme appréciait la bonne chère. Accompagnée d'un verre de bon vin.

— Inès a beaucoup à faire, commença-t-il, le front plissé de profondes rides de concentration. Une bonne fille. Vous voyez qu'à Trégastel on ne s'ennuie jamais. Au fait, monsieur Quilcuff est-il déjà venu vous voir ?

— Non. Qui est-ce ?

— Tout le bourg sait que vous êtes ici. Ne prenez pas ce vieux monsieur trop au sérieux. Il a l'esprit un peu troublé, mais il a un bon fond. Quatre-vingt-quatorze ans. Depuis des années, il a remarqué que les baguettes de monsieur Nolff raccourcissent au fur et à mesure que les prix augmentent. Monsieur Nolff s'en défend avec véhémence. La boulangerie, à côté de la caserne des pompiers. Monsieur Quilcuff voulait passer vous voir à l'hôtel.

Il n'en était pas question.

— Quoi qu'il en soit, occupons-nous de vos cheveux, annonça le coiffeur en tournant autour de Dupin. Mais il n'y a rien à faire ! Vous aviez besoin d'une raison officielle pour venir me voir, les Bellec me l'ont expliqué. Nous allons donc faire un bon shampooing et vous prodiguer un excellent soin. Pour protéger vos cheveux des UV très agressifs et du sel de mer. Il suffit de passer quelques jours au bord de la mer pour ruiner une chevelure. De plus, ma collègue, dit-il en montrant de la tête une jeune femme qui se tenait à la caisse, vous offrira un massage crânien décontractant.

De toute sa vie Dupin n'avait bénéficié d'un soin du cheveu. Il devait même avouer qu'il ne savait pas en quoi cela consistait. Mais s'il y avait une chose qu'il détestait, c'était bien les massages. Et encore plus les massages crâniens.

— Seulement une coupe, s'il vous plaît. Pas de soin, pas de massage. Rien d'autre.

Puis il s'empressa d'ajouter :

— Avec de telles températures, on est content de se faire rafraîchir les cheveux ne serait-ce que d'un seul centimètre.

Monsieur Kerléo haussa les sourcils.

— Vous parlez sérieusement ? demanda-t-il avant de s'interrompre puis de sourire d'un air entendu. Bien sûr, votre couverture doit être crédible.

Ses yeux pétillaient.

Dupin ne fit aucun commentaire.

— Vous avez bien compris que… comment dois-je le dire ? que vos cheveux seront alors *presque ras* ?

— Pas grave.

— D'accord, donc allons-y sans tarder, annonça le coiffeur en prenant une cape noire en tissu fin.

Il la lui passa avec adresse et dégaina sans tarder ciseaux et peigne.

— Installez-vous.

Le siège était un vieux fauteuil bien rembourré. En cuir marron passé, usé. Dupin obéit. Le fauteuil était confortable.

— Venons-en au fait : que voulez-vous savoir ? Vous êtes déjà au courant que madame Durand et

Cardec ont été vus ensemble dans un bar. On ne sait rien de plus sur la femme qui a été retrouvée morte dans la carrière. Il n'y a qu'une seule information, très récente, que vous n'avez certainement pas encore entendue. (Le coiffeur fit une pause théâtrale avant de poursuivre :) L'un des deux tracteurs qui ont bloqué l'entrée de la maison de la députée, le jour de l'action coup de poing, appartient à une agricultrice de Trégastel. Maïwenn Guillou. Une très belle femme.

— J'ai entendu parler d'elle.

Comme s'il répondait à un signal, Dupin avait tripoté son calepin dans sa poche de pantalon puis l'avait extirpé, le tenant sous la cape.

— Donc vous savez aussi que son mari avait une liaison avec la députée. Madame Quéméneur est célibataire. Elle aussi très séduisante.

— La rumeur est parvenue jusqu'à moi, oui.

— Je vous assure : c'est bien plus qu'une rumeur.

— Et d'où tenez-vous cette certitude ?

— Je le sais, c'est tout. Et selon moi, leur relation dure encore.

Dès la veille au soir, cette histoire avait occupé l'esprit de Dupin. Si cette liaison amoureuse était réelle, Maïwenn Guillou avait un mobile pour en vouloir à la députée.

— A quel point en êtes-vous sûr ?

— Relativement sûr.

La réponse vague du coiffeur n'avait pas l'air de le gêner.

— Le commissaire de Lannion est-il au courant qu'un des tracteurs appartient à madame Guillou ?

— Seulement depuis hier soir. C'est un hôtelier de la plage de Coz Pors qui s'en est rendu compte. Mais qui ne l'a signalé qu'hier. Pierrick Le Gourlaouen a pris contact ce matin tôt avec Maïwenn Guillou, confirma monsieur Kerléo en secouant la tête d'un air préoccupé. La police se demande encore s'il s'agissait vraiment d'une agression ou simplement d'un regrettable accident. Hier soir, le commissaire Le Gourlaouen s'est rendu de nouveau sur place, accompagné d'experts de la police scientifique. Ils ont voulu vérifier si on pouvait voir que quelqu'un se trouve dans la pièce, juste derrière la fenêtre.

— Et ? Qu'en ont-ils conclu ? l'interrompit Dupin avec impatience.

C'était là aussi une information nouvelle. Monsieur Bellec ne la lui avait pas transmise. Sans doute parce qu'il ne le savait pas lui-même.

— Pour la reconstitution, on a habillé une personne comme l'était madame Quéméneur : il était très difficile de la voir. Tout a été reconstitué avec minutie. Ça plaide plutôt en faveur d'un accident.

Dupin n'y croyait pas.

— Mais le résultat n'était pas non plus sûr à cent pour cent, relativisa le coiffeur.

— Quelqu'un d'ici a-t-il exprimé un soupçon concret au sujet de cette pierre qui a été lancée ?

— La plupart des gens pensent que c'est involontaire. Que l'un des agriculteurs a lancé une pierre. Sans vouloir atteindre madame Quéméneur.

Le coiffeur s'affairait sur la nuque de Dupin. Celui-ci fut surpris de voir autant de cheveux par terre.

— Y a-t-il d'autres conflits entre l'agricultrice et la députée ?

— Des dizaines, et depuis longtemps. Pour les élus bretons, l'agriculture est un sujet brûlant. Partout, c'est l'escalade. Les paysans vont ourdir une nouvelle révolution si ça continue comme ça. Ils luttent pour leur survie. Vous êtes au courant des manifestations. Cela dit, les élus locaux ne sont pas les bonnes cibles. Aujourd'hui, les agriculteurs bloquent les parkings devant les supermarchés.

— Qu'est-ce que ça veut dire concrètement ? Quel est le motif de la mobilisation ?

— C'est au sujet des quotas laitiers et des prix, pratiqués à l'échelle européenne. Posez la question à monsieur Bellec, il s'y connaît mieux que moi. En tout cas, madame Guillou est à la tête du mouvement. Et elle n'a pas la langue dans sa poche.

— Qu'en pensez-vous, monsieur Kerléo ? La croyez-vous capable d'une telle action ? Une agression avec la députée pour cible ?

— Une chose est sûre : elle peut être féroce. Elle gère son exploitation épaulée seulement par deux ouvriers agricoles. Les légumes, les porcs, les poulets, cela fait beaucoup de travail. Son mari travaille dans la société qui fournit les études en vue de créer un immense parc éolien dans la baie de Saint-Brieuc. C'est le responsable scientifique. Ainsi, il est en contact avec madame Quéméneur non seulement pour des histoires personnelles, mais aussi… pour des raisons professionnelles. Madame Quéméneur s'est investie avec vigueur en faveur de la ferme éolienne. Tandis que Maïwenn Guillou y est farouchement opposée, en dépit du fait que son mari occupe un poste de direction dans la partie. A cause des conséquences désastreuses sur les fonds marins. Monsieur Guillou se rend fréquemment à Rennes où la société a son siège.

Dupin prenait de nombreuses notes. Le calepin était parsemé de petits cheveux.

— La croyez-vous capable d'être l'auteur de l'agression ?

— Non.

Un non catégorique.

— J'ai l'impression, poursuivit le coiffeur en reculant d'un pas et en examinant Dupin, que pour vous la pierre n'a pas été lancée par accident. Vous penchez pour l'agression, n'est-ce pas ?

— Je ne penche pour rien, j'essaie seulement de me faire une idée.

Le coiffeur se rapprocha de Dupin et s'attaqua aux tempes.

— Ce Cardec, quel genre de conflits a-t-il avec la députée ?

— Beaucoup de choses sont en jeu. Le commerce du granit rose est devenu compliqué. Pour le cinquième du prix, la Chine en livre partout dans le monde. Cardec a été obligé d'augmenter la production pour rester rentable. Mais l'extension de la carrière entre en collision avec la protection de l'environnement. L'éternel dilemme. Pour le propriétaire de la carrière, c'est une question de survie. Madame Quéméneur s'est prononcée contre l'extension. Dans une interview, elle a dit que si tous les secteurs économiques avaient le droit de se développer à leur guise, nous aurions épuisé toutes les ressources de la planète en l'espace de quelques années. Le conflit s'est durci ces derniers mois.

— Des menaces ont-elles été proférées ?

— Je n'en ai pas entendu parler. Mais d'âpres affrontements, oui. Des insultes, des calomnies. Cardec cogne fort. Mais, comme je vous disais, madame Quéméneur n'y va pas de main morte non plus.

— Certains disent que Cardec s'est passé de l'autorisation pour agrandir d'ores et déjà sa carrière.

— C'est un secret de Polichinelle. Mais personne n'a apporté de preuve ni même déposé plainte.

— Les autorités s'en sont-elles occupées ?

— Non, pas que je sache. L'autre conflit en cours entre Cardec et Quéméneur concerne le siège administratif de sa société.

— J'en ai entendu parler.

— Alors vous connaissez les deux sujets qui ont défrayé la chronique ces derniers mois.

— Et là aussi, ça a été loin ?

— Oh oui. Cardec a donné une interview. Et tempêté contre madame Quéméneur lors de manifestations publiques. L'enjeu pour lui est affectif, il prend ça personnellement.

— Est-ce que madame Quéméneur a répliqué ?

— Elle a d'autres moyens à sa disposition.

— C'est-à-dire ?

— Plus Cardec est agressif et plus elle fait en sorte que ses efforts ne mènent à rien.

Monsieur Kerléo se posta devant Dupin, fixa son crâne puis tourna autour de lui sans prononcer un mot.

— Encore quelques finitions, lui fit-il savoir.

— La députée est-elle aussi votre cliente ?

Le coiffeur lança un regard surpris à Dupin.

— Bien sûr.

— Et madame Guillou ?

— Oui.

— Monsieur Cardec également ?

— Qu'allez-vous imaginer ? Jamais il ne mettrait un pied dans un salon aussi « ordinaire ».

— Quel type d'homme est ce monsieur Cardec ?

— Quel que soit le prix à payer, son objectif est de jouer dans la cour des grands ; il ne faudrait pas le sous-estimer. Son entreprise de machines agricoles marche très bien, surtout les récolteuses et les épandeurs d'engrais. A l'heure actuelle, il les exporte dans de nombreux pays. Il a ses propres méthodes. S'il le faut, il marche sur des cadavres. Même s'il se donne une apparence affable.

— En d'autres termes, vous pourriez bien l'imaginer agressant la députée.

Monsieur Kerléo prit son temps avant de répondre, comme s'il voulait d'abord faire un examen de conscience.

— Je pense que oui. Celui que vous devriez aussi avoir dans le collimateur, c'est Hugues Ellec, le député du parti adverse.

Viviane Quéméneur l'avait évoqué la veille.

— Lui aussi a croisé le fer pendant des années avec madame Quéméneur. Ils s'opposent sur presque tous les sujets, sont systématiquement d'un avis contraire, et pas seulement parce qu'ils ne sont pas du même bord politique. Et même si je suis, quant à moi, du côté de madame Quéméneur, précisa-t-il sur un ton quasi fier, d'un certain point de vue, ils se ressemblent. Des politiques, quoi. Tous les deux. S'il le faut, de grands stratèges. Mais Ellec manque d'empathie et ne prend pas les bonnes décisions. Si vous voulez le rencontrer, Anne pourra vous dire à quel moment il a l'habitude d'acheter ses journaux.

— Quels sont les points de friction entre madame Quéméneur et cet Ellec ?

Ce ne serait pas une mauvaise chose de mettre une bonne fois pour toutes sur la table tous les sujets dont il serait question. Parfois, il était utile de procéder de façon systématique.

— Les moyens de juguler en profondeur la crise qui secoue le monde agricole. Grâce à des régulations européennes et nationales ciblées ou bien en libéralisant le plus possible l'offre et la demande. Ou bien le sujet des subventions. Ou celui du parc éolien : elle est pour, lui est contre. Ou bien encore le gros projet de l'année dernière concernant la baie de Lannion : on a autorisé la destruction du banc de sable sous-marin, d'une valeur écologique inestimable, en dépit des protestations massives et des avertissements lancés par la communauté scientifique. Lui était pour, et elle, fermement opposée.

Dupin sursauta. C'était le projet contre lequel Nolwenn s'était mobilisée. Pendant des mois, ç'avait été le sujet n° 1 au commissariat ; Nolwenn avait participé à diverses manifestations pendant qu'ils enquêtaient sur leur dernière affaire, qui avait été particulièrement éprouvante. Aujourd'hui encore, ce sujet agissait sur elle comme un chiffon rouge. Une défaite cuisante que Nolwenn avait prise personnellement.

— Ellec y était favorable ?

— Oui, il s'y est engagé de toutes ses forces. Et s'est fait apprécier par Paris. Madame Quéméneur a sous-entendu qu'on lui avait graissé la patte. Ils ne se font pas de cadeaux.

— Par qui aurait-il été soudoyé ?

— Par des entreprises, des personnes influentes, par le gouvernement. Pas forcément avec de l'argent, mais par un « retour sur investissement commercial », des faveurs. Y compris à son bénéfice personnel. Des contrats intéressants, vous voyez ce que je veux dire.

— Par exemple ?

— L'année dernière, il a déposé une demande de permis exceptionnel pour construire une maison sur un terrain situé sur le front de mer. A Ploumanac'h, en haut du promontoire, bien que la loi sur le littoral l'interdise et qu'aucun permis de construire n'ait été délivré depuis dix ans. Le terrain appartient depuis des générations à une famille et, tout à coup, on apprend que cela fait des années qu'il a obtenu une autorisation exceptionnelle des plus hautes autorités, mais que la famille ne l'avait tout simplement pas encore fait valoir.

— Je vois.

— Bien entendu, Quéméneur et Ellec s'opposent aussi au sujet de l'extension de la carrière appartenant à Cardec.

Procéder avec méthode avait un inconvénient : les sujets devenaient innombrables. Mais qu'à cela ne tienne : Dupin continuait à prendre des notes.

— Je…

— Monsieur Kerléo, on vous demande au téléphone.

La femme qui tenait la caisse s'approcha, le combiné à la main.

— Un instant, commissaire. Je reviens tout de suite.

Il disparut derrière un rideau au fond de la pièce.

Les informations recueillies se révélaient nombreuses et intéressantes. Dupin était extrêmement satisfait de son rendez-vous chez le coiffeur. Mais il lui restait encore quelques questions à poser.

Il s'épongea le front. Les rayons du soleil transperçaient la grande vitre du salon. Evidemment, il n'y avait pas de climatisation. A midi, cela devait être intenable. La chaleur stagnante et le fort taux d'humidité se mêlaient aux effluves des laques et des shampooings.

— C'était ma nièce, lui apprit le coiffeur à son retour. L'enquête sur la disparition de madame Durand est entre ses mains. Le Gourlaouen la lui a laissée officiellement. Il ne voit aucun lien entre elle et le corps retrouvé dans la carrière.

Dupin avait une remarque acerbe sur le bout de la langue ; il en aurait mis sa main à couper : il était prématuré de rejeter tout lien entre les deux affaires. Mais le cadavre de la carrière était un sujet plus important.

— Avez-vous une quelconque idée de ce qui s'est passé ? Pour la victime de la carrière ?

— Pas la moindre, franchement. Inès m'a dit que pour l'heure ils ne possédaient aucun indice. Le Gourlaouen navigue à vue. Les idées les plus absurdes lui traversent l'esprit. Par exemple, que ce crime serait en relation avec le décès inexpliqué de l'employée de Cardec, il y a sept ans. La « morte rose ».

— Selon vous, il est aberrant d'établir un tel lien ?

— Puisque vous me le demandez, oui, c'est complètement idiot. L'enquête a duré deux ans et n'a pas pu déboucher sur une autre conclusion que celle de l'accident. Ce qui, pour la plupart des gens, a été une grosse déception ; ils auraient préféré une histoire plus croustillante. Mais elle était on ne peut plus banale : il a été prouvé que cette femme, qui travaillait dans le service administratif, voulait, ce jour-là, aller chercher son mari, un des ouvriers de la carrière. Ils s'étaient rencontrés lors d'une fête de l'entreprise et mariés six mois avant l'accident. On a supputé qu'il lui avait fait visiter la carrière alors que c'est interdit, et que c'est à ce moment-là que l'accident s'est produit. Ce qu'il a nié farouchement, car si cela avait été le cas, il aurait été lourdement sanctionné pour faute grave. Quoi qu'il en soit, tous les témoignages concordaient : ils formaient un couple heureux. Finalement, l'homme n'a pas été mis en accusation. Il a quitté la région.

Donc rien n'avait pu être prouvé.

Une conclusion qui laissait toujours Dupin songeur. Mais les événements s'étaient certainement déroulés ainsi.

— Quoi qu'il en soit, résuma le coiffeur, si un lien existait, il serait bien sombre.

— C'est-à-dire ?

Monsieur Kerléo pouvait s'adonner aux associations d'idées à sa guise.

— C'est une pure hypothèse. Peut-être sous couvert d'« accident » Cardec a-t-il éliminé une employée qui avait découvert un quelconque trafic. La dernière victime joue-t-elle un rôle dans ce scénario ? Peut-être a-t-elle déterré quelque chose ? Cette vieille affaire justement ? Peut-être a-t-elle compris que c'était un meurtre ?

— Alors qu'elle n'est pas de la région ?

— C'est la raison pour laquelle tout ça me paraît absurde.

Ils furent interrompus cette fois-ci par le portable de Dupin. Il hésita puis le sortit en se contorsionnant.

— Madame Riou, expliqua-t-il.

Raphaël Kerléo hocha la tête, compréhensif, et disparut derrière le rideau.

Dupin prit l'appel.

— Commissaire, je sais que vous êtes au milieu d'un entretien très important. Comme convenu, j'ai reparlé avec mon client : il n'a entendu que des bribes de la conversation, mais il pense que Cardec et madame Durand roucoulaient à qui mieux mieux. Surtout elle. Il va le rapporter à Inès sur-le-champ.

— Ils roucoulaient ?

— Oui, pas de façon très subtile, si vous voyez ce que je veux dire. Elle voulait, je cite, « l'embarquer ».

— C'est l'impression qu'il a eue ?

— Tout à fait. C'est tout. Rien d'autre. Ah, j'ai une livraison. De la papeterie Clairefontaine ! Je dois raccrocher.

Quelques instants plus tard, monsieur Kerléo réapparut, tout sourire.

— En fait, j'ai terminé. Mais je peux faire comme si je devais encore donner ici et là quelques coups de ciseaux. Nous pourrons ainsi poursuivre notre conversation. Que voulait Anne ?

Dupin résuma en quelques mots rapides le bref appel. En fait, il n'avait nulle envie de mener une enquête collective. Mais le coiffeur allait bientôt tout apprendre par sa nièce.

— Madame Durand est venue deux fois chez vous se faire coiffer.

Dupin n'avait pas la moindre idée de la raison pour laquelle on allait chez le coiffeur deux fois de suite.

— C'est exact. Mais à chaque fois seulement pour un shampooing, un soin et un brushing.

— Parlez-moi d'elle.

— Elle vient d'un milieu populaire et pense qu'elle s'en est échappée en faisant un beau mariage. Plutôt naïve, si vous voulez mon avis. Elle essaie de se la jouer élégante. Or, elle peut être très vulgaire ; elle ne le remarque même pas. Cependant, je pense qu'elle a un bon fond en dépit de toutes ses simagrées, conclut monsieur Kerléo sur un ton empathique, nuançant son jugement.

— Ces disputes dont elle vous a parlé : vous a-t-elle dit de quoi il retournait ?

— L'argent. Du moins c'était le sujet d'une des disputes. Tout à fait banal. Son mari l'a menacée de bloquer sa carte de crédit. Elle se serait énervée, des insultes ont fusé, raconta monsieur Kerléo qui s'affairait ciseaux à la main derrière les oreilles de Dupin.

Tout en ayant l'air de se demander s'il devait les répéter, le coiffeur poursuivit :

— Je vous épargne les noms d'oiseaux. A la fin, elle a dit : « Il n'en fera rien. Il a déjà proféré la même menace mille fois. »

— Etait-ce lors de son premier rendez-vous ?

— Non, le deuxième. Le premier rendez-vous a eu lieu jeudi matin, le lendemain de son arrivée, le deuxième, samedi matin. J'ai vérifié dans l'agenda, souligna-t-il en montrant la caisse d'un signe de tête. Ses cheveux la tracassaient beaucoup. A cause du sel, du soleil, etc.

— Qu'a-t-elle raconté d'autre ? A-t-elle mentionné un événement particulier ?

— Non, pas vraiment. Elle a seulement dit que les disputes étaient tout aussi insupportables en vacances que chez soi. Ne serait-ce qu'à cause de la petite chambre – elle parlait de la suite. Et qu'elle détestait la pêche à la ligne. Son mari et elle avaient fait du bateau le vendredi en fin d'après-midi, quand après deux jours de mauvais temps le soleil avait enfin réapparu. Elle craignait que la pêche ne fasse partie du programme quotidien.

A l'occasion, Dupin demanderait à Bellec si la suite comportait deux lits simples.

— Si cela ne tenait qu'à elle, ils pourraient tout aussi bien fiche le camp, elle a dit. Pour elle, ce n'était pas des vacances. « Avec cet idiot. » Mais c'était dit comme ça, selon moi. Par colère. Rien à voir avec un départ planifié.

Que Dupin le veuille ou non, il ressentait un certain attachement pour madame Durand. C'était certainement dû à l'aversion instinctive qu'il avait ressentie pour son mari.

— A votre avis, il est peu probable qu'elle soit partie seule ?

— En effet. Mais qui sait ? Peut-être s'est-elle rendue chez sa meilleure amie ? Pour donner une leçon à son mari. Elle a mentionné une « meilleure amie ».

— Avez-vous eu l'impression que les altercations entre les deux époux étaient rares ?

— Franchement, non. Je ne supporterais pas une telle situation mais je connais des couples qui en ont besoin.

Monsieur Kerléo semblait avoir une bonne connaissance du genre humain.

— Et des aventures ? Pensez-vous que ce soit envisageable ?

— Ça, je ne peux pas vous le dire. On ne sait jamais. Il arrive que les personnes paraissant les plus libérées soient les plus retenues, et que les plus strictes, celles qui exigent à grands cris la plus haute moralité, soient les pires. J'ai vu tous les cas de figure. Seule madame Durand connaît la vérité. D'un autre côté, le soir, ajouta-t-il en secouant la tête, elle allait manifestement avec d'autres hommes dans les bars. Du moins avec Cardec. En fait... hésita-t-il avant de s'interrompre.

— Oui ?

— Dans un certain sens, il y a quelque chose qui cloche.

Dupin partageait ce sentiment, mais arrivait à la même conclusion que le coiffeur : on ne savait rien. Les gens faisaient sans cesse des choses qui ne correspondaient pas à leur personnalité.

— Quoi qu'il en soit, déclara monsieur Kerléo en tiraillant les cheveux de Dupin au-dessus de sa tempe gauche, monsieur Cardec est un amateur de jupons. Il est prêt à se jeter dans toutes les aventures. Aucun scrupule ne l'étouffe.

— A-t-elle cité le nom de son amie ? L'endroit où elle habiterait ?

— Non.

— Hum, fit Dupin en se passant les mains dans les cheveux – qui lui semblèrent fort différents.

— Inès était tout aussi déçue que vous. Au fait, ma nièce vous a trouvé très sympathique.

— Qui ? Moi ? Sympathique ? s'étonna Dupin qui n'avait pas eu cette impression lors de leur conversation sur la plage – cependant, si c'était vrai, ce serait un avantage.

— Vous n'avez aucun souci à vous faire à son sujet. Elle connaît le « statut », dirons-nous, de votre enquête.

Dupin avait involontairement sursauté. Jusque-là, quatre personnes, au moins, étaient au courant : les Bellec, madame Riou, monsieur Kerléo, auxquelles s'ajoutait maintenant la gendarme. La situation risquait de lui échapper. Claire, Nolwenn, le commissaire de Lannion, l'inspection générale, son préfet… Dupin se demandait quelle serait la pire conséquence si ses investigations clandestines apparaissaient au grand jour.

— Inès ne peut pas voir Le Gourlaouen en peinture. Elle le trouve arrogant et frimeur. Et, bien sûr, Trégastel est son territoire à elle. Ce en quoi elle a tout à fait raison : nous devrions faire en sorte que nos affaires se règlent entre nous. Un Lannionnais n'a rien à y faire. J'ai conseillé expressément à Inès de travailler avec vous en étroite collaboration. Les Bellec ont beaucoup d'amitié pour Nolwenn, et pour vous aussi par voie de conséquence. Certes, vous n'êtes pas d'ici, mais vous faites quasi partie de la famille.

Une logique imparable typiquement bretonne. Et, partout et toujours : Nolwenn !

— Comme je vous disais, ma nièce vous trouve très sympathique. Tout comme madame Riou !

— Madame Riou et vous êtes de proches amis, je suppose.

— Nous étions ensemble à l'école. Ici, à Trégastel.

— Les Bellec aussi ?

— Dans la même classe, en plus.

Comment pouvait-il en être autrement ?

Raphaël Kerléo se plaça devant Dupin en lui tendant le miroir :

— Jetez un œil aussi sur les côtés et derrière. Et là : coupés très court pour qu'on voie bien le changement. Comme vous l'avez demandé.

Dupin avait été si absorbé par la discussion qu'il n'avait pas regardé dans le miroir avant cet instant. Il en eut la chair de poule. Ses cheveux étaient vraiment très courts. Une coupe méticuleuse quasi militaire. C'était affreux.

— Ça vous donne un air dynamique, déclara le coiffeur en regardant Dupin, la tête penchée sur le côté. Se décider pour une coupe bien courte demande toujours un certain cran.

Il tourna de nouveau autour de Dupin.

Dupin devait rester fair play, c'est lui qui avait demandé une coupe à la place du massage crânien.

— Je vous propose de mettre un peu de gel, les cheveux de devant ne rebiqueront plus.

Le commissaire n'avait encore jamais utilisé de gel et n'avait pas l'intention de commencer.

Monsieur Kerléo avait déjà le gel sur les doigts.

— Regardez ! C'est bien mieux comme ça !

Dupin n'y vit au mieux qu'une très légère modification.

— Je vous conseille d'en prendre un tube.

Muni d'un épais pinceau, monsieur Kerléo brossa la nuque de Dupin et lui enleva la cape.

Dupin se mit debout.

— Je…

Encore son portable.

Claire.

Il fit quelques pas de côté et prit l'appel.

— Georges, où es-tu ?

— Chez le coiffeur, je suis en train de régler.

— Tu y es encore ? Que te fait-il ? Des mèches ?

— Il m'a fait un soin revitalisant.

Il vit monsieur Kerléo sourire d'un air moqueur.

— Et mis du gel.

Elle n'allait pas tarder à voir ça.

— Un soin et du gel ?

Ça n'avait pas l'air de l'amuser.

Il parla alors le plus bas possible :

— Un soin léger, et le gel seulement devant.

— Je me suis réveillée ce matin un peu plus tôt et je viens de prendre mon petit déjeuner. J'aimerais maintenant aller à la plage. Tu as acheté des provisions ?

— Je les ai. J'arrive tout de suite, Claire.

Pendant ces dernières heures heureuses, Dupin avait presque oublié la plage. Le programme du jour était le suivant : bain de soleil jusqu'à quatorze heures trente puis une « petite escapade ».

Il allait devoir se dépêcher. Il n'avait pas encore acheté les journaux. Ni les bouteilles d'eau, ni le rosé, ni les sandwichs. Rien.

— Nous nous retrouvons sur la plage, Claire.

— Bien, Georges. A tout de suite !

Le ton était de nouveau aimable.

— Je dois vite partir, monsieur Kerléo. Je vous remercie pour tout.

— Avez-vous obtenu les informations les plus importantes ? Avez-vous appris maintenant ce que vous vouliez savoir ?

— Je crois que oui.

— Si une autre question vous vient à l'esprit, n'hésitez pas à passer me voir. Je vais prévenir ma collègue de vous donner immédiatement un rendez-vous. Officiellement pour rafraîchir la coupe.

Il aperçut le regard plein d'effroi de Dupin.

— Je peux aussi faire semblant. Je vais vous donner le numéro de téléphone d'Inès. Peut-être avez-vous quelque chose à lui dire directement.

C'était une bonne idée.

Le coiffeur se dirigea vers la caisse.

— Ça vous fait 20 euros pour la coupe, et 10 pour le gel. C'est un gel d'une qualité supérieure, avec de l'aloe vera. Votre femme saura de quoi il s'agit.

Dupin sortit son portefeuille. Monsieur Kerléo posa une carte de visite près de la caisse.

— Et la disparition de la statue de sainte Anne ? Vous n'avez plus l'intention d'enquêter à ce sujet, commissaire ?

Le coiffeur avait baissé la voix.

— Si, si. Elle a seulement été reléguée à la marge. Mais j'ai encore eu une conversation avec monsieur Bellec hier à ce propos.

— Hélas, il n'y a rien de nouveau. Sauf une deuxième déclaration de l'infirmière qui y était allée pour allumer un cierge.

— Oui ?

— Hier, elle s'est rappelé qu'en quittant l'église, elle avait vu un homme s'approcher de la statue ; âgé de soixante-dix ans environ, mais doté encore d'une belle chevelure brune. Il ne lui a pas donné l'impression de vouloir visiter la chapelle. Mais elle n'a pas pu en dire davantage. Ni le décrire plus précisément. Cette déclaration n'a pas apporté beaucoup d'aide à Inès. Mais elle vous sera peut-être utile.

Dupin avait encore une fois sorti son calepin. Et aussitôt trouvé les notes qu'il avait prises à ce sujet.

— Cela s'est donc passé vers quatre heures et quart, murmura-t-il.

— Exactement. Ah oui ! s'écria monsieur Kerléo. Anne a parlé avec un célèbre collectionneur d'art de Rennes, pour avoir une estimation plus précise de la valeur de la statue de sainte Anne. Il lui a dit qu'on en tirerait 700, peut-être 800 euros, mais pas plus. Il a ajouté qu'une vieille histoire lui était rattachée, d'après laquelle le légendaire rubis Côte de Bretagne serait caché dans une des statues de la chapelle. Une pierre précieuse en forme de dragon, un morceau de la Toison d'or autrefois propriété d'Anne de Bretagne, aujourd'hui disparu sans laisser de trace.

Dupin ne se laisserait pas embarquer dans ce genre d'histoire.

— Autre chose que vous devriez savoir, continua monsieur Kerléo comme si cela venait de lui revenir en mémoire, hier et avant-hier, il y a eu deux autres vols dans la région.

— Lesquels ?

— La veuve de l'ancien capitaine du port, une dame âgée de quatre-vingt-seize ans, ne retrouve plus un bougeoir en or. Elle jure ses grands dieux qu'il était posé depuis toujours sur sa table à manger, rapporta monsieur Kerléo sur un ton très sérieux. Et puis un courtier en assurances n'a plus son vieux scooter poussif. Mais ça s'est passé à Perros-Guirec.

Dupin connaissait ce phénomène. Une fois que le public entendait parler d'un vol, toutes sortes d'objets avaient le chic pour disparaître les semaines suivantes.

Il avait encore à la main son calepin et son stylo.

— Y a-t-il du nouveau au sujet de l'incident de la maison Eiffel ?

— Personne ne vous a mis au courant ? J'ai pourtant donné l'information aux Bellec et à Anne dès hier après-midi.

— Et que leur avez-vous dit ?

Dupin était tout ouïe.

— Hier, le maire a reçu une lettre. D'un groupe de quatre randonneurs originaires des Pyrénées.

— Et alors ?

— Ils se sont excusés et ont envoyé un chèque.

Dupin interrogea le coiffeur du regard.

— Mercredi de la semaine dernière, il y a eu un terrible orage, la température a chuté de dix degrés. Des éclairs fusaient de partout. L'orage s'est abattu soudainement ; tout est allé très vite. Le mauvais temps a duré deux jours.

— Et ? s'impatienta Dupin.

— Ils randonnaient sur le GR 34, le célèbre sentier qui fait le tour de la Bretagne, et ils ont été surpris par l'orage. Ils ont ouvert la porte avec une carte de crédit. Pour s'y abriter. Dans le Sud, ils ne connaissent pas les brusques changements de temps. Lorsqu'ils sont repartis quelques heures plus tard, profitant d'une éclaircie, ils ont dû se dépêcher pour atteindre leur destination du jour. Ils n'ont pas pris le temps de laisser un mot. Mais une fois rentrés chez eux, ils ont aussitôt écrit au maire.

— Et c'est tout ? Le mystère de la maison Eiffel est résolu ?

Dupin se massa les tempes. Il fallait croire que oui. C'était bien la clé de l'énigme. Le coiffeur n'avait manifestement plus rien à ajouter. Dupin remit son carnet dans la poche de son pantalon.

— Bon, eh bien, je vais y aller.

— Je vous souhaite de bonnes vacances, commissaire ! s'écria joyeusement le coiffeur.

Hélas, la boutique de Rachid n'avait pas désempli lorsque Dupin arriva. Il ne restait plus aucun pan-bagnat. Ni aucune mini-pizza. Il devait improviser.

A l'inverse, la maison de la presse était vide. Dupin était content qu'Anne Riou soit absente, il n'avait vraiment plus de temps. Un jeune homme au teint blême se tenait à la caisse.

Bien qu'il se fût dépêché, Dupin mit du temps à arriver à la plage.

— Je suis là, s'annonça-t-il tout essoufflé.

Claire était allongée sur le ventre, les yeux fermés, la tête tournée vers la mer. Elle ne bougea pas. Peut-être dormait-elle.

Après une telle matinée, cela n'allait pas être simple de retrouver son calme, assis sur la serviette. En vacances. Ces dernières heures avaient ressemblé, enfin, à celles qu'il connaissait : une enquête.

— Où es-tu donc allé ?

Elle ne dormait pas. Mais n'avait pas bougé d'un pouce.

— Au tabac-presse. (C'était le seul endroit où il n'avait pas dit être déjà passé.) C'était l'enfer. Je me demande bien pourquoi. D'ordinaire, il n'y a personne à cette heure-là.

Il n'était pas exclu que Claire l'accompagne un jour à la même heure.

— A quelle heure t'es-tu levé aujourd'hui ?

— Je ne sais plus exactement. L'air était agréable, je suis allé me promener, puis j'ai pris mon petit déjeuner.

Claire ne répliqua rien.

Mais elle se retourna.

Et se redressa sur-le-champ.

— Mais qu'est-il donc arrivé à tes cheveux ?

Dupin l'avait déjà oublié. Refoulé.

— Par cette chaleur, c'est beaucoup mieux comme ça, tu peux me croire.

Il s'était efforcé de parler d'une voix convaincue. Ce qui n'était pas facile. Déjà sur le trajet entre le salon de coiffure et la plage, il s'était rendu compte, à son grand désarroi, que sa nouvelle coupe le protégeait peu contre le soleil ardent. Avec pour conséquence qu'il devrait porter la casquette abhorrée.

— Ils sont courts. Très, très courts.

Son ton exprimait clairement ce qu'elle pensait de sa nouvelle coupe.

Entre-temps, elle s'était assise en tailleur, une position qu'elle appréciait. De l'art pur, selon Dupin.

Dupin s'installa à côté d'elle.

— J'ai apporté de bonnes choses : salade niçoise et fougasse avec de la tapenade. Il n'y avait pas de pan-bagnat.

Claire continuait à fixer la tête de Dupin d'un air d'effroi.

— Aujourd'hui, j'ai acheté l'enquête de Sherlock Holmes, rapporta Dupin, content que la boutique de Riou soit bien achalandée. Et deux autres livres. Je t'ai apporté une édition spéciale de *Science et Avenir*, qui vient juste de paraître. Avec pour dossier « Et si les lois de la gravitation n'étaient pas universelles ? ».

Dupin, en pure dilettante, trouvait cette question quelque peu dérangeante. L'autre titre de la revue provoquait en lui un malaise encore plus important : « Spectaculaire ! La mémoire a une capacité dix fois plus importante qu'on ne le croyait jusqu'ici ! » Une découverte extraordinaire pour Dupin qui déjà avait l'impression de ne se souvenir que d'un dixième maximum de ce que les autres se remémoraient…

— Et *Bretagne cuisine*. Les produits phares. La Bretagne revisitée.

Claire tarda à réagir.

Puis elle sourit. Sans piper mot. Son visage s'éclaira, une pure formalité.

Dupin se sentit étrangement mal. Il ouvrit vite le journal. Le mieux était de se taire un moment.

Le quiz breton lui sauta au visage : « Tu sais que tu es breton, quand : généralement, tu as du mal avec les Anglais / tu ne trouves pas que l'andouille sente le caca / tu bois uniquement du cidre brut et laisse le cidre doux aux Normands / tu peux réciter sans faute et jusque dans ton sommeil la liste des régions françaises où la pluviométrie est plus forte qu'en Bretagne ; par exemple : Biarritz, 1 450 millimètres par an, Nice, 769, Rennes, seulement 694. »

C'était en effet impressionnant : creusé dans un rocher, l'aquarium s'élevait au milieu d'un amoncellement de blocs de granit rose. Une idée audacieuse. Même si ce site avait été créé par la nature, il semblait être l'œuvre gigantesque d'un architecte ou d'un artiste téméraire. Des sentiers sinueux, des escaliers, des couloirs menant aux différentes salles et bassins s'y faufilaient. Un dédale parfait, offrant de multiples points de vue : les maisons blanches du hameau, les toits, la mer, dont on ne voyait que quelques éclats. On se serait cru dans un tableau cubiste. Perché sur le plus haut des rochers, on embrassait la région tout entière : Trégastel, la côte, la Manche, les Sept-Iles. Les bassins peu profonds étaient dehors, au milieu des géants de granit rose, les plus grands épousaient les cavités naturelles.

Dupin aimait les aquariums.

L'Océanopolis de Brest, bien sûr – qui abritait ses pingouins préférés – mais aussi tous les autres. Où qu'il se trouve, si un aquarium existait et s'il avait du temps devant lui, il le visitait. Il se rendait souvent à celui de Concarneau, qui était juste en face de son immeuble. Il ne se lassait jamais des formes et des couleurs infinies du monde sous-marin, souvent insolites et drôles, que la nature avait imaginées. De petits et gros monstres, qui n'avaient rien à envier aux créatures de science-fiction ou de fantasy. En comparaison, les aliens étaient de bien pâles personnages. Pour s'en convaincre, il suffisait d'observer un lump adulte, qui existait dans de nombreuses couleurs, les fabuleux cténophores et méduses bleues, ou encore les ophiures. Splendides mais aussi menaçants, inquiétants, angoissants. Et surtout : totalement sauvages.

— C'est fantastique ! s'exalta Claire. Né en 1624 et encore en vie ! Il parcourt toutes les mers du monde depuis quatre cents ans ! A l'époque de sa naissance, la guerre de Trente Ans mettait l'Europe à feu et à sang. Depuis, il a tout vécu et pourrait nous en raconter de bonnes. Sur Louis XVI, la Révolution française, Napoléon… Les scientifiques pensent que l'espèce existe depuis plus de cent millions d'années.

L'exposition temporaire s'intitulait « Le requin du Groenland : le grand prédateur ». Outre de nombreux panneaux explicatifs, il y avait une reproduction grandeur nature du « requin du Groenland n° 28 », baptisé « Mandy ». Cinq mètres de long. Un corps en forme de torpédo. Marron-gris, vert olive.

Dupin se tenait juste devant, Claire à côté devant le panneau explicatif. Personne d'autre dans la salle ; par un temps pareil, l'aquarium était presque vide, les gens préféraient profiter des températures estivales en se prélassant sur les plages.

— *Somniosus microcephalus* ! Aucun autre vertébré n'est aussi gros et ne vit aussi longtemps. Sa longévité est bien plus importante que celle des tortues. Quand ils ne sont pas occupés à se nourrir, ils se déplacent très lentement à travers les mers. On les appelle aussi les « sleeper sharks ». Mais qu'on ne s'y trompe pas : ce sont des chasseurs rapides dont le menu ressemble beaucoup à celui du requin blanc, qui fait partie de la même espèce, lut Claire devant le panneau principal. Dans leur estomac, se trouvent de gros ostéichthyens, toutes sortes de mammifères marins, comme les phoques, dauphins et pingouins.

Cela ne rendait pas le requin du Groenland très sympathique aux yeux de Dupin.

— Et il vit dans les eaux arctiques ?

— Pas uniquement. Son territoire englobe l'Atlantique Ouest jusqu'à Cape Cod, et à l'est jusqu'à la côte septentrionale du Portugal ; on en a même vu un au large de la côte sud de la Caroline.

Son nom était donc trompeur, pensa Dupin. La Caroline du Sud était bien plus au sud que la Bretagne.

— Mais je suppose qu'ils nagent très loin des côtes.

Heureusement, Dupin avait oublié la conversation de l'avant-veille lorsqu'il s'était baigné depuis.

— Cela dépend. Certains s'ébattent en eaux peu profondes, répondit Claire, les yeux rivés sur le panneau. Mais la grande majorité, selon nos connaissances scientifiques actuelles, vit en eaux profondes, dans l'Atlantique Nord.

Une des zones bretonnes en eaux peu profondes pourrait suffire, se dit Dupin. Peut-être devrait-il penser à réduire ses bains de mer.

— Commençons le circuit, Claire. Nous voulons aussi aller jusqu'au château.

Certes, ils étaient partis à l'heure prévue, mais le temps n'était pas infini jusqu'au dîner.

— Je voudrais lire les autres panneaux. Avance sans moi.

Même si Dupin voulait vraiment se rendre au château, la proposition de Claire tombait bien. Il devait passer quelques coups de fil. Il avait beaucoup à faire.

— D'accord, on se retrouve dans une des grottes.

Dupin regarda autour de lui, un discret panneau indiquait le circuit de l'aquarium.

Peu de temps après, il se tenait devant l'un des premiers bassins qui étaient mis en scène de façon époustouflante. Les salles de l'aquarium étaient formées par les grottes creusées à même le granit. Il y faisait sombre, seuls les bassins baignaient dans une lumière jaune verdâtre. Transformant le rose du granit en nuances de violet.

Le nez de Dupin touchait presque la vitre. Devant lui évoluaient des bébés hippocampes. De simples filaments translucides, mais déjà dans la position typique des hippocampes. Il n'avait encore jamais vu ça, on aurait dit des apparitions surnaturelles.

Cela suffirait à nourrir une conversation avec Claire quand ils parleraient de l'aquarium. Dupin contourna un gros rocher. De là, on ne pouvait déjà plus apercevoir le bassin.

Il sortit son portable de la poche arrière de son pantalon.

Le matin même, une idée – bonne, espérait-il – avait germé dans son esprit.

Ils ne se voyaient pas souvent, mais quand même une ou deux fois l'an. Ils s'appréciaient depuis l'école de police. Seul le hasard n'avait pas permis qu'ils deviennent des amis intimes. Jean Odinot. Dont la carrière, en dépit de son esprit non conformiste, l'avait mené jusqu'à la préfecture de police de Paris, où il était devenu commissaire divisionnaire. Ensemble, ils avaient traversé plusieurs enquêtes délicates. Ce qui les avait rapprochés.

— Salut, Jean !

— Salut. C'est toi, Georges ?

Le ton était légèrement bourru. En arrière-fond, on entendait des voix fortes et animées.

— Ça tombe mal. Je suis à la Brasserie Dauphine, devant le plat du jour : lapin sauce moutarde. (Cela avait été aussi la brasserie habituelle de Dupin.) Ici, c'est l'enfer, et je n'ai qu'un quart d'heure.

Jean était de la même taille que Dupin mais d'une minceur éhontée.

— Je serai rapide. Peux-tu lancer pour moi une recherche sur une personne ?

— De façon non officielle, tu veux dire ?

Il se mit à rire, il connaissait bien Dupin.

— Tout à fait.

— Tu fais cavalier seul ? Une enquête dont tu n'es pas chargé ?

Jean ne semblait pas le moins du monde surpris. Il connaissait les nombreuses notes de service que contenait le dossier de Dupin.

— Je n'ai pas le droit de t'aider, tu le sais bien. Bon, d'accord, donne-moi son nom.

(Comme à chaque fois, sa curiosité avait été piquée.)

— Hervé Durand. Requin immobilier à Paris. Marié à Alizée Durand. Si tu pouvais aussi avoir des infos sur elle…

— Oui, je te les donnerai. Mon lapin m'attend.

— Appelle-moi uniquement sur mon portable, s'il te plaît. Tu peux laisser un message. Je ne pourrai peut-être pas toujours répondre.

— Je comprends. Tu ne peux même pas mettre au parfum ta fameuse assistante.

— Merci, Jean.

— Je te rappelle.

Il raccrocha, la dernière syllabe à peine prononcée.

Parfait. Dupin était content. Tout était allé vite.

Il restait du temps pour l'autre action, même si elle était infiniment plus difficile.

Dupin avait déjà le téléphone contre l'oreille.

Nolwenn tarda à répondre.

— Commissaire, vous n'aviez pas l'aquarium au programme, aujourd'hui ?

Dupin avait désactivé la géolocalisation de son portable pour toute la durée de ses vacances. En clair : Nolwenn ne pouvait tenir ses informations que de Claire ou des Bellec. Que ce soit l'une ou les autres, la situation était préoccupante. Mais il y avait plus important. De toute façon, Nolwenn ne livrait ses sources à aucun prix.

En revenant du salon de coiffure, il avait eu une idée grandiose, un plan assez perfide, devait-il s'avouer.

— J'étais ce matin chez le coiffeur, annonça-t-il. Une vraie coupe d'été. La nièce du coiffeur est la gendarme du coin (un détail qu'il ne pouvait hélas pas cacher, même s'il aurait préféré qu'il en fût autrement) et…

— Vous savez que vous enfreignez toutes les règles et que…

— Le député, Hugues Ellec, s'empressa-t-il d'ajouter en jetant un œil dans son calepin, manœuvre afin que certaines décisions politiques soient prises au bénéfice de généreux donateurs, avec à la clé de substantiels avantages pour lui-même. Englobant des faits de corruption, martela-t-il pour être bien compris. Et savez-vous quelle affaire est concernée, parmi d'autres ?

Bref silence. Nolwenn semblait hésiter sur son attitude ; une situation bien rare.

— Il s'agit ni plus ni moins que de la destruction de la dune sous-marine dans la baie de Lannion.

Un silence plus long. Puis :

— C'est vrai ? siffla-t-elle entre ses dents. Il est dans le coup, *lui* ?

Dupin pouvait deviner sa rage à travers le téléphone.

— On dirait bien.

— C'est infâme.

Elle était hors d'elle. Parfait. La première étape du plan était réalisée.

— La gendarmerie de Trégastel a rassemblé des preuves irréfutables ? Elle a des soupçons fondés ? Qu'Ellec a trempé dans l'affaire ?

— Je ne sais pas à quel point tout est prouvé. Mais c'est ce que j'ai compris.

Un silence prolongé.

— Vous savez que nous n'avons pas le droit d'enquêter, déclara-t-il avec calme avant d'attaquer le cœur de la manœuvre : Mais vous pourriez faire quelques petites recherches en sous-main.

La réponse fusa en une fraction de seconde.

— Commissaire ! Vous êtes conscient qu'il n'en est pas question ! s'écria-t-elle.

Dupin n'en crut pas ses oreilles.

— Vous ne voulez pas explorer cette piste ?

Il avait cru son plan infaillible.

— Bien sûr que non. Les collègues en sont déjà chargés. Donc… je vous souhaite de continuer à passer de bonnes vacances, commissaire. Va-can-ces !

Fin de la conversation.

C'était incompréhensible.

Entendant des pas précipités se rapprocher de lui, il se hâta de rejoindre le circuit de la visite qui menait au prochain bassin.

Mais c'était une fausse alerte : au lieu de tomber sur Claire, il se trouva nez à nez avec une dame pâlichonne dans une robe colorée, qui lui lança un regard courroucé.

Dupin se souvint des longues visites au Louvre, au musée d'Orsay ou au Centre Pompidou : il y avait fort à parier que Claire visitait l'aquarium de la même façon qu'une exposition et qu'elle venait tout juste d'arriver devant les hippocampes.

Dupin pénétra dans la deuxième grotte, stationna brièvement devant un bassin avant de poursuivre son chemin. A cette allure, il aurait une bonne longueur d'avance sur Claire et pourrait passer les deux autres appels. Du coin de l'œil, il aperçut une vive dans le fond sableux du bassin. Un de ses pires ennemis. L'année passée, il avait marché sur un de ces poissons perfides munis d'une épine dorsale venimeuse, alors qu'il se baladait sur la plage de Tahiti, une de ses plages préférées. Jamais dans sa vie il n'avait ressenti une douleur plus intense. Heureusement, son ami Henri était aussitôt intervenu : il avait brûlé la plaie avec une cigarette. Dupin n'avait élevé aucune protestation, n'espérant qu'une chose : que la douleur disparaisse.

De nouveau, il quitta le chemin et se faufila entre deux gros rochers qui s'étiraient en longueur.

Vite, il sortit son portable. Qui sonna à peine l'eut-il dans la main. Bien trop fort. Un numéro masqué.

— Monsieur Dupin, dit une voix qu'il reconnut immédiatement, j'espère que je ne vous dérange pas.

La députée. Madame Quéméneur.

— Non. Pas du tout.

— J'ai appris qu'on avait retrouvé un corps dans la carrière. Effroyable. (Puis, après un bref silence :) Croyez-vous que quelque chose de… plus gros est en train d'arriver ? demanda-t-elle d'une voix fatiguée.

— Nous sommes encore dans le noir complet. Avez-vous pensé qu'il puisse y avoir un lien entre cet événement et l'agression dont vous avez été victime ?

— Je ne vois pas lequel.

— Avez-vous parlé au commissaire de Lannion ?

— Oui, ce matin, à huit heures. Je n'ai pas pu le faire hier soir. Qu'il puisse s'agir d'une agression volontaire l'a anéanti. Comme vous me l'aviez dit, il m'a promis que la police agirait avec la plus grande circonspection. Mais qu'il allait poster un agent devant ma porte.

— A-t-il exprimé un quelconque soupçon ?

Elle hésita avant de répondre d'une voix troublée :

— Il soupçonne une agricultrice du coin. Fort soupçon, m'a-t-il confié. Maïwenn Guillou. Il était chez elle ce matin même. Pour interrogatoire. Grâce aux recherches qu'il a menées, il a découvert qu'un des deux tracteurs postés devant ma porte le jour de la manifestation appartenait à madame Guillou.

Une façon bien étrange de procéder, pensa Dupin : communiquer de vagues spéculations à la victime. De plus, le commissaire de Lannion se parait des plumes du paon.

— Et que pensez-vous de cette idée ?

— Je… commença-t-elle avant de s'interrompre et de reprendre ses esprits. Vous êtes au courant, n'est-ce pas ?

— Oui.

— Notre liaison dure encore, expliqua-t-elle avant de s'interrompre de nouveau. Son mari a l'intention de la quitter. Il le lui a dit.

Madame Quéméneur avait une voix triste. Même si c'était elle qui sortirait peut-être vainqueur dans cette histoire.

— Pour refaire sa vie avec vous ?

— Je ne sais pas. Je crois qu'il ne le sait pas lui-même. Dans un premier temps, il veut rester à Rennes, où se trouve la société qui est chargée des études pour la ferme éolienne. C'est la meilleure solution. La distance lui fera le plus grand bien.

Elle paraissait encore plus abattue.

— Vous aviez imaginé une autre issue.

— Oui. Très différente.

— Et madame Guillou vous en tient responsable, vous, et pas son mari ?

— Exactement. Pourtant, mon attitude a été extrêmement, comment puis-je dire, retenue, surtout au début, dit-elle sur un ton qui faisait comprendre à quel point elle était heureuse d'en parler. Le couple battait de l'aile depuis longtemps lorsque je l'ai rencontré. C'est ce qu'il m'a dit.

— Madame Guillou vous a-t-elle déjà menacée ?

— Non. Jamais. Mais elle m'a certainement maudite plus d'une fois. Nous nous croisons de temps en temps, nous ne pouvons pas l'éviter. Elle me lance des regards noirs. Il nous arrive parfois de nous disputer publiquement sur des questions agricoles. Comme il y a deux semaines lors d'une rencontre avec les paysans du Trégor.

— Qu'a-t-elle dit ?

— Que je l'entraîne dans la ruine ainsi que d'autres paysans. Que je les détruis. Alors qu'en fait, on pense la même chose.

Madame Quéméneur semblait très lasse.

— Avez-vous parlé ensemble de la situation ? s'enquit-il, conscient qu'il lui était difficile d'appeler un chat un chat.

— Non, non. J'aurais bien aimé lui dire que ce n'était pas uniquement de ma faute. Je... Je dois me reposer, monsieur Dupin.

Mais il lui fallait absolument poser une question.

— Vous avez dit que vous aviez commencé à rassembler de la documentation au sujet de l'agrandissement de la carrière appartenant à monsieur Cardec.

— Oui. Avec la collaboration de mon assistant.

— Serait-il possible que j'y jette un œil ?

— La situation a changé ? Vous êtes chargé de l'enquête ?

La question vibrait d'espoir.

— En aucune façon, madame Quéméneur. Je ne suis chargé de rien.

— Je comprends. Passez voir mon assistant. Aimeric Janvier. Bellec a son numéro de téléphone.

Dupin nota le nom.

— Ces « contrats » en faveur du député Ellec, pouvez-vous m'en dire quelques mots ? Sur cette affaire du terrain à bâtir ?

La réponse se fit attendre.

— Vous êtes bien informé. Nous avons fait quelques recherches, Janvier et moi, sur cette affaire également.

— Tant mieux, s'exclama Dupin d'un ton joyeux inapproprié. Merci beaucoup, madame Quéméneur, reposez-vous bien.

— Je vais essayer. Au revoir, monsieur Dupin.

Dupin aurait aimé pouvoir lui demander son numéro de téléphone mais il pourrait au moins parler avec son assistant.

La conversation avait été – contre toute attente – très instructive.

Dupin avait presque oublié où il se trouvait. Sans s'en rendre compte, il avait poursuivi son chemin à travers le dédale de blocs de granit. Soudain, ces rochers roses semblèrent tous se ressembler. Bizarrement, il n'y avait aucun bruit. Un silence de mort régnait. Les pierres avalaient tout écho. Il tourna à gauche, puis à droite et encore une fois à gauche. Et arriva devant un immense mur rose. Il aperçut une fente étroite. Il s'y faufila avec peine. Derrière, un long couloir avançait entre deux hauts murs.

— Ce n'est pas possible, pesta Dupin.

Sur quelle surface s'étendait donc l'aquarium ? Il allait bien finir par se retrouver à un moment donné sur le chemin du circuit.

Il avança jusqu'au bout du couloir. De nouveau devant une fente étroite, il bifurqua à droite et atterrit dans une sorte de grotte : au-dessus de plusieurs pierres ovales, étrangement bien proportionnées – comme des galets surdimensionnés parfaitement ciselés –, était posée une pierre plate, longue d'une dizaine de mètres. Comme un couvercle. Bien sûr, les pierres ne fermaient pas complètement la grotte, elles laissaient quelques surfaces gris clair dans les interstices, qui semblaient bidimensionnelles, sans profondeur. On n'aurait jamais pensé qu'il s'agissait du ciel, même si ça ne pouvait pas être autre chose. Dupin fit le tour de la grotte. C'était un cul-de-sac.

Il avait perdu tout sens de l'orientation.

Un malaise l'envahit.

Il valait mieux qu'il retourne sur ses pas.

Dupin fit demi-tour et quelques secondes plus tard rejoignit le long couloir, mais la seule ouverture – par laquelle il croyait être passé – se trouvait sur la gauche, pas face à lui. De façon sournoise, le labyrinthe produisait-il des illusions sensorielles ? Il s'y faufila. Et arriva dans une salle de dix mètres sur dix. D'où venait donc tout cet espace ?

Il sortit son portable. C'était ridicule, mais il allait géolocaliser cet endroit sur la carte et zoomer. Et retrouver illico le sens de l'orientation.

Pas de réseau. Même pas la plus petite barre. Rien.

Soudain, il entendit des sons. Des mots épars. Chuchotés.

Une voix de femme.

— … je dirais ça, oui, tout à fait… Oui…

Dupin l'avait reconnue. C'était la voix de Claire. C'était elle qui parlait, probablement au téléphone. Elle devait être tout près. Sans doute de l'autre côté du mur de pierre. Comment se faisait-il qu'elle avait, elle, du réseau ?

— … l'aorte gauche, là… mais avec beaucoup de prudence… et un stent, oui, impossible autrement… hélas, plus le temps… je dois y aller.

Le doute n'était pas permis. Claire était en relation téléphonique avec la clinique !

Enfin, ça fit tilt ! Dupin comprit. L'enveloppe et le coursier. Les appels. Le portable sur la serviette de plage. Elle avait emporté des dossiers de la clinique ! Et maintenant elle opérait à distance.

— … jusqu'à aujourd'hui vers six heures… oui, dès que possible, j'essaie d'être à l'heure… Salut.

A n'en pas croire ses oreilles. Il était impatient d'entendre ses explications.

En tout cas, il ne s'était pas perdu dans le labyrinthe. C'était déjà ça.

Une minute plus tard, Dupin se trouvait dans la dernière grotte – il avait dû tourner deux fois à droite avant de retrouver le circuit officiel. Bizarrement, il n'avait pas croisé Claire.

Il n'en revenait toujours pas. En une unique minute, il avait envisagé dix manières d'apostropher Claire sur le sujet.

Il se tenait devant le bassin « Zone plate proche du littoral ». Un grand bassin où nageait tout ce qu'il aimait. Involontairement – et même s'il ne regardait qu'à moitié – l'eau lui était montée à la bouche : bars, rougets, un turbot et une barbue sur le fond – sans oublier un gros homard.

— On en a mangé un pareil l'année dernière à l'Amiral, entendit Dupin dans son dos.

Claire se tenait juste derrière lui ; la mine réjouie, elle montrait du doigt la barbue, le « petit cousin » du turbot, comme l'appelaient les Bretons, et encore plus délicat au goût.

Claire paraissait d'excellente humeur.

— Sais-tu tout ce qu'une coquille Saint-Jacques est capable de faire ? C'est l'un des instruments les plus précieux de la science. Grâce à elle, on peut suivre avec précision les changements climatiques jour après jour, mois après mois. Les arbres fossilisés ou les bulles d'air pris dans la glace ne nous livrent qu'une estimation selon une échelle graduée en millénaires. Les coquilles Saint-Jacques sont incomparablement plus précises !

Dupin avait décidé de prendre le taureau par les cornes.

— J'ai, derrière un des rochers… commença-t-il avant de s'interrompre.

Il avait eu une meilleure idée dans la seconde. Il ne put dissimuler son ricanement.

Claire le dévisagea, interloquée :

— Qu'as-tu donc ?

— Oh, rien.

Son idée était géniale.

Il ne dirait rien. Pas un mot. Même pas un sous-entendu qui pourrait insinuer qu'il avait entendu quelque chose. Qu'il avait eu vent de ses « activités ».

Il la laisserait vaquer à ses affaires. Et ce pour plusieurs raisons : si Claire voulait poursuivre son travail, elle aussi aurait besoin de temps pour elle. Lui-même n'aurait plus à avoir mauvaise conscience lorsqu'il s'adonnerait à ses investigations. En outre, il aurait ainsi un atout dans sa manche au cas où le pot aux roses serait découvert.

— Mais tu avais…

La sonnerie suave, au volume relativement peu élevé de son téléphone, retentit. Elle le sortit de son sac à main. Machinalement.

— Un numéro d'ici, expliqua-t-elle, soulagée.

Elle fit quelques pas de côté.

— Allô !

Dupin resta immobile, indécis.

Claire écouta pendant un bon moment. Puis elle lui fit signe de venir.

— Vous voulez parler à mon mari ?

Dupin la regarda d'un air scrutateur.

— Non – oui, certainement. Il est là, je… je vous le passe.

Elle lui tendit le portable, de toute évidence à contrecœur.

— Oui ?

Bellec était hors d'haleine.

— La victime a séjourné à l'hôtel Castel Beau Site. A Ploumanac'h. Quasiment notre voisin. Raphaël Kerléo vient de m'appeler, il a essayé de vous joindre il y a quelques minutes mais sans succès. Pareil pour moi…

— Qui est-ce ?

— Elle s'appelle Virginie Inard.

— D'où vient-elle ?

— Elle a donné une adresse à Bordeaux.

— Bordeaux ?

— C'est bien ça.

— Etait-elle seule ?

— Oui. Elle a réservé une chambre pour une semaine, via le site Internet, il y a trois mois.

— Que sait-on d'autre à son sujet ?

Claire se tenait à présent tout près de lui.

— Pour l'instant, rien. La police bordelaise a été informée. Le Gourlaouen est à l'hôtel et mène ses interrogatoires.

Dupin faillit annoncer : « Je suis là dans quelques minutes. » Dans de tels moments, sa situation lui paraissait déprimante au plus haut point. Il ne pouvait rien faire. Seulement agir de façon indirecte.

— A-t-on des informations sur le mardi soir ? Quand elle a quitté l'hôtel ? Ce qu'elle avait prévu de faire ? Ce que…

— Commissaire, je dois hélas faire quelques courses. Pour l'instant je ne sais que ce que je viens de vous dire. Et que Virginie Inard n'est pas rentrée à l'hôtel ce soir-là. Je vous rappelle dès que j'ai du nouveau. Ou bien Raphaël Kerléo.

— Alors, à plus tard.

Claire fixa Dupin après avoir rangé son portable.

— Ce n'est pas ta victime. Il n'est pas question que tu te charges de quoi que ce soit.

Dupin dut se refréner pour ne pas répliquer. Mais il était intéressant de noter que le ton de Claire semblait un peu moins mécanique que d'ordinaire. Elle était retournée vers le bassin.

— La pauvre femme, dit-elle en secouant la tête. C'est une affaire bien triste. Mais maintenant, consacrons-nous à cette fabuleuse exposition !

— Je dois m'éclipser quelques instants, Claire. Je reviens tout de suite.

Dupin souriait en son for intérieur. C'était formidable de ne ressentir aucune culpabilité.

— D'accord. Rendez-vous à la sortie de l'aquarium.

Dupin n'était pas dupe. Elle allait mener à terme sa conversation téléphonique. Le plan fonctionnait ! Sa stratégie était la bonne. Cela lui était difficile de ne rien dire, mais le jeu en valait la chandelle.

Il quitta la grotte et se dirigea vers l'entrée en suivant les panneaux du circuit. Il prit un double expresso au distributeur qu'il avait repéré à leur arrivée, puis alla se poster sur le trottoir d'en face pour apercevoir Claire dès qu'elle sortirait.

Il but son café en deux gorgées rapides et, sans perdre de temps, colla son portable sur son oreille.

La gendarme répondit tout de suite :

— Allô !

— Georges Dupin à l'appareil.

— Je vois.

— On vient de me rapporter que le corps avait été identifié.

— Je ne peux pas vous en dire plus pour l'instant. Nous n'avons pas encore été chargés de l'enquête.

Qu'elle trouvât Dupin sympathique – comme son oncle l'assurait – ne s'entendait pas vraiment.

— Pensez-vous que nous pourrions nous rencontrer ? Je pourrais passer à la gendarmerie.

— Si vous voulez. Mon oncle tient absolument à ce que je collabore avec vous.

— Je vais essayer de venir en fin d'après-midi. Sinon, demain matin de bonne heure.

Fixer des rendez-vous était encore un problème, malgré la nouvelle situation.

— Bien. Il y a du nouveau. Au sujet de la femme disparue.

— Quoi ?

— J'ai parlé avec Cardec. Il n'a fait aucune manière pour confirmer qu'il était en compagnie de madame Durand dans un bar de Paimpol la nuit de dimanche. Et aussi qu'il était parti avec elle. Mais il n'a pas voulu en dire davantage.

— Comment et quand a-t-il fait sa connaissance ?

— Dimanche, vers quatorze heures trente, dans un café sur la plage de Coz Pors. Madame Durand était assise à la table voisine, et ils se sont mis à bavarder.

— Comme ça ?

— De quelle autre façon ? Puis ils se sont donné rendez-vous pour la fin de soirée.

— Sans autre forme de procès ? Juste après s'être rencontrés par hasard en buvant un café ? Et bien qu'elle passe ses vacances avec son mari ? En fin de soirée ? Elle donne rendez-vous dans un bar à un inconnu et part avec lui au milieu de la nuit ?

— Cardec dit qu'ils sont restés trois quarts d'heure dans le café.

Dupin avait écouté d'une oreille distraite. Quelque chose clochait. Objectivement, tout était possible.

De telles choses arrivaient tout le temps, le monde était rempli d'histoires pareilles. Mais ça ne collait pas avec l'image qu'il se faisait de madame Durand ; quelque chose en lui se rebiffait. Il est vrai qu'il ne la connaissait pas.

Dupin tenta de rassembler ses idées.

— Madame Durand a-t-elle dit quelque chose à monsieur Cardec qui pourrait expliquer sa disparition ?

— Pas la moindre, d'après lui.

— A-t-elle raconté par exemple qu'ils auraient eu une dispute particulièrement forte ? Un quelconque incident ?

— Non. Elle aurait seulement dit qu'elle était mariée, mais que ce ne serait pas un problème s'ils prenaient un verre.

— Ce n'était pas un problème ? C'est ce qu'elle a dit ?

— Tout à fait. Selon Cardec.

— En dehors du mari, Cardec est donc la dernière personne avec qui elle a parlé avant sa disparition, en l'état actuel de nos connaissances ?

— Monsieur Bellec nous a rapporté que lundi, avant le dîner, elle s'est entretenue avec lui. Une dizaine de minutes, au bar du restaurant.

Bellec n'avait pas évoqué cette conversation.

— Ils n'ont parlé que de la météo, de la plage, de sujets anodins, a dit Bellec. Mais rien qui serait relié d'une quelconque façon à sa disparition.

Dupin en toucherait quand même un mot à Bellec. Pourquoi ne lui avait-il rien dit ?

Le commissaire devait poser une question cruciale qui lui avait d'ores et déjà traversé l'esprit lors de ses échanges avec madame Riou.

— Avez-vous déjà demandé à monsieur Durand s'il était au courant de son escapade à Paimpol ?

— Il nous a seulement dit qu'elle faisait parfois ce genre de choses. Elle aime la vie nocturne, pas lui. Elle a vingt ans de moins que lui. Il n'a rien contre. Il paraît très cool.

— Vraiment ?

— Oui.

— Pourquoi pas ? Ces deux-là avaient une relation très particulière. Bon. Je passerai plus tard.

— Faites, dit-elle sur un ton impassible.

— Une dernière question : le dossier de cette femme retrouvée morte il y a sept ans doit se trouver au commissariat de Lannion ?

— J'ai fait venir une copie. Grâce à mes contacts.

— Pourquoi ?

— Je ne sais pas. Tout me paraît bizarre. Mais peut-être est-ce un pur hasard ? Même si… Je ne travaillais pas encore à la gendarmerie il y a sept ans.

Ce n'était même pas son enquête. Cependant, elle avait eu la même idée que Dupin.

— Avez-vous découvert quelque chose d'étrange ?

— Non.

— La version de l'accident vous paraît-elle plausible ?

— Pour l'instant, oui, mais ce n'est pas une raison.

C'était juste.

— J'aimerais bien lire le dossier, moi aussi.

— Pas de problème.

Tout se passait beaucoup plus simplement qu'il ne l'avait imaginé. D'une certaine façon, elle l'avait intégré dans l'équipe de Trégastel même si c'était susceptible de lui apporter de sérieux ennuis si cela s'ébruitait. Ne serait-ce qu'en discutant avec lui de l'affaire. Mais elle ne paraissait pas être du genre à avoir peur.

Dupin eut l'impression de pouvoir sauter sur l'occasion.

— J'aimerais bien m'entretenir avec vous au sujet de madame Guillou et du député Hugues Ellec.

— Bien.

Etonnant. Son oncle avait fait du bon travail, à n'en pas douter.

La gendarme raccrocha sans autre forme de procès.

Pendant toute la conversation, Dupin avait fait les cent pas sans perdre de vue la grande fenêtre du pavillon de l'entrée, qui abritait la boutique de l'aquarium. Toujours pas de Claire en vue. Elle devait se cacher quelque part dans le labyrinthe et être au téléphone avec la clinique.

Dupin éprouvait une grande satisfaction.

Il sortit son carnet. L'humeur au beau fixe, il se rendit compte qu'il avait lancé la plupart de ses initiatives. Sa toile d'araignée se déployait à vue d'œil tout en se solidifiant. A un moment donné, quelque chose allait tomber dedans. Il ne fallait pas, cependant, qu'il soit trop euphorique. Le travail d'investigation indirecte restait difficile, et il y avait des angles aveugles.

Il prit quelques notes sur la conversation.

Tout à coup, il aperçut Claire, dans la boutique, feuilletant un livre. Puis elle se dirigea vers la sortie. Au même moment, le téléphone de Dupin sonna.

Il n'était pas censé prendre l'appel. Mais, bien sûr, c'était peut-être urgent.

Dupin répondit tout en traversant lentement la rue sans perdre Claire du regard. Elle ne l'avait pas encore remarqué.

— Oui ?

— Commissaire Le Gourlaouen à l'appareil. Je vous avais prévenu. Je vais dès à présent appeler mon préfet, votre préfet et l'inspection, et les mettre au courant de la situation.

Le commissaire de Lannion.

— Pourquoi ? demanda Dupin bien qu'il connût la réponse.

— Je voulais vous prévenir.

Claire venait de le repérer.

— Bien.

— Vous n'avez rien à dire de plus ? s'étonna Le Gourlaouen qui semblait au bord de la crise d'apoplexie.

Claire s'avança d'un pas rapide vers Dupin.

— Parfait. Donc tout refonctionne. Merveilleux. Je vous remercie.

Dupin mit fin à l'appel.

— Le chauffe-eau est réparé.

Il s'efforçait d'afficher un sourire soulagé. Ce prétexte, avec tout ce qu'il offrait comme perspectives, était dorénavant épuisé.

— L'aquarium est grandiose, n'est-ce pas ? J'ai beaucoup aimé la visite, affirma-t-elle en regardant Dupin d'un air radieux. Et… aurais-tu envie d'aller voir le château ?

— Absolument.

La déclaration du commissaire de Lannion le préoccupait plus qu'il ne l'aurait voulu. Mais peut-être bluffait-il ? Par ailleurs, il lui serait difficile de prouver qu'il menait une véritable enquête. Et Dupin démentirait tout avec la plus grande énergie.

Ils avaient traversé la baie de Sainte-Anne par marée très basse, en contrebas de la presqu'île Renote. Les chaussures à la main, ils avaient marché sur le sable tout droit vers le château de conte de fées, que de hauts arbres cachaient, ne laissant apparaître que le faîte du toit. Claire avait souhaité faire un rapide crochet par l'hôtel, qui était sur le chemin. Dupin l'avait attendue dehors.

Le paysage avait enchanté Dupin malgré les pensées qui tourbillonnaient dans sa tête. Il était d'une beauté enivrante. Un ravissant paysage de roche rose. Des centaines, des milliers et des milliers de rochers. Un océan de pierres. Jusqu'à l'horizon. Même le sable du fond de la mer était fait de grains grossiers de granit rose. Recouvert de tapis d'algues vert fluo, moelleux, presque duveteux, surmontés à leur tour d'algues foncées tirant sur le noir. Le paysage était parsemé de petites flaques argentées ou de plus grandes baïnes, avec ici et là des bouées d'un blanc éclatant. Puis, de nouveau, de longues surfaces brillant d'un éclat métallique sous la lumière du soleil, qu'ils contournaient en faisant de larges détours. Là où le sable était sec, il scintillait d'un rose clair acidulé. Eparpillés loin les uns des autres, comme si on les y avait placés là volontairement, des bateaux endormis, couchés sur le côté, des voiliers pour la plupart, ainsi que des barques de pêche. Surplombés par l'immense ciel d'un bleu éclatant. L'odeur pénétrante et corsée des algues et du goémon, du sel et de l'iode.

Dupin adorait marcher sur le sable à marée basse.

— *L'oreille de souris*, là !

Claire l'avait vue la première. Un point pour elle.

— *La tête de lézard triste* ! s'écria Dupin en montrant du doigt une formation juste devant eux.

— Avec ton imagination débridée, concéda Claire magnanime, tu vois toujours plus que ce qu'il y a !

Après avoir contourné un bras de mer, ils s'approchèrent du château par sa façade avant.

Somme toute, l'île n'était rien d'autre qu'un amoncellement de rochers en granit. Jusqu'au bois de pins touffu qui poussait au milieu du granit, juste au cœur de l'île. Et c'est là, parmi les arbres, que le manoir jaillissait, ainsi que l'avait certainement imaginé son architecte. Une composition très bien conçue. D'ici, il restait invisible.

Un vrai château de conte de fées, une fantaisie curieuse et enchanteresse, d'un romantisme sauvage. Construit, bien sûr, entièrement dans ce fabuleux granit rose. Deux hautes tours rondes chapeautées d'un toit conique en ardoise, munies de nombreuses fenêtres, un majestueux corps principal percé de fenêtres cintrées, rehaussées de pierres plus claires. La propriété semblait avoir été aménagée comme un labyrinthe. Une petite tour de pierre munie d'un arc en plein cintre formait l'entrée du domaine. L'îlot était tout entier entouré d'un mur de pierres, conférant au manoir une allure de château fort. Emergeant de la vase, une petite route serpentait jusqu'au château, passant à côté de la tour avant de disparaître derrière le mur d'enceinte.

— « Le château de Costaérès, en breton *coz-seherez*, est un édifice néogothique. »

Tout en marchant, Claire lisait la brochure qu'elle avait glissée dans son sac à main – lequel défiait toutes les lois de la physique par le nombre de choses qu'il contenait. Ils se dirigeaient vers la petite route.

— « Le manoir a été construit entre 1892 et 1896 dans le style néogothique des châteaux forts médiévaux par Bruno Abdank-Abakanowicz, ingénieur, mathématicien et inventeur polono-lituanien qui en a fait sa résidence principale. Le château accueillit de nombreux émigrants polonais dont Henryk Sienkiewicz, écrivain polonais et prix Nobel de littérature. Il y écrivit *Quo Vadis*, un roman qu'il publia en 1895 », lut-elle avant de se tourner vers Dupin et de lui demander : Tu écoutes ? On ne voit pas ce qu'on n'entend pas !

Elle poursuivit :

— « En 1988, la propriété fut achetée par un acteur allemand très connu qui la fit rénover avec soin, avant d'être rachetée en 2008 par Jérôme Cardec. » Pas mal, non ?

En fait, il préférait découvrir de nouveaux lieux par lui-même.

— Fascinant.

— Nous pouvons…

Un bruit de moteur interrompit Claire. Ils tournèrent la tête : une voiture roulait vers eux. A une vitesse excessive. Un gros SUV. Blanc nacré, avec des éclaboussures de boue. Et des vitres teintées.

Claire avait quitté la route et grimpé sur un rocher.

— Quel cinglé !

Dupin poursuivait son chemin d'un pas tranquille.

Le conducteur appuya sur la pédale de frein au dernier moment. Et klaxonna à rendre sourd.

La voiture s'immobilisa un demi-mètre derrière Dupin. Qui finit par se retourner tout aussi lentement.

La vitre côté conducteur s'abaissa, laissant apparaître un visage bronzé, encadré de cheveux un peu longs, blonds comme les blés. Un sourire décontracté aux lèvres. Dupin s'attendait à voir une tête rouge de colère.

— Est-ce que je peux vous aider ? demanda aimablement le conducteur.

Bien que Dupin se tînt juste devant lui, l'homme regardait Claire. Il ne paraissait pas avoir remarqué son compagnon.

Claire était perplexe.

— Nous avions l'intention de visiter l'île – qui abrite ce château magnifique.

— Je suis le propriétaire des deux. Jérôme Cardec. Hélas, madame, dit-il sans gratifier Dupin d'un seul regard, cette île est une propriété privée. Elle est interdite aux visiteurs.

Cardec. Le fabricant de machines. Le propriétaire de la carrière. Une rencontre tout à fait inattendue. Si les souvenirs de Dupin étaient bons, madame Riou lui avait expliqué qu'il rentrait de Saint-Brieuc le jeudi soir tard.

— Dans le cas présent, monsieur Cardec, répliqua le commissaire qui ne pouvait cacher son agacement, nous nous contentons de faire le tour de l'île. Cela ne devrait pas être interdit.

Pour la première fois, il jeta un bref regard à Dupin.

— Tant que vous ne pénétrez pas dans la propriété, tout va bien. Au plaisir. Et au revoir, madame. Je suis très heureux d'avoir fait votre connaissance.

Il fit hurler le moteur. La vitre remonta.

Dupin se mit sur le côté.

Cardec appuya sur le champignon. La voiture fila comme une fusée sur la route qui grimpait entre les blocs de granit, contourna un rocher particulièrement gros et disparut de leur vue.

Dupin était comme pétrifié.

— Il y avait une autre personne dans la voiture. Tu l'as vue, toi aussi ?

— Qui ? demanda Claire, agacée.

— Une silhouette. Une femme. Cheveux longs. Sur la banquette arrière. Une… J'ai pu la voir une fraction de seconde à travers la vitre fumée, au moment où il repartait. J'en suis sûr… presque sûr.

— Je n'ai vu personne. Et pourtant, du haut de mon rocher, j'avais un bien meilleur point de vue.

— Elle était assise sur la banquette arrière, du côté gauche. Elle avait la tête penchée.

— Tu vois des fantômes, Georges. Ce n'était sûrement que des reflets.

— Crois-moi.

Les pensées de Dupin allaient à toute vitesse. Naturellement. C'était une explication. Une possibilité.

— Et même ? Pourquoi est-ce que cela t'intéresse ? N'a-t-il pas le droit de se promener avec sa femme ou son amie ?

— Il est célibataire.

— D'où tiens-tu cette information ?

— Bellec m'a raconté ce matin que le château appartenait à un célibataire endurci, improvisa Dupin. Un vrai play-boy.

— Eh bien, c'était sa maîtresse !

— Pourquoi est-elle assise à l'arrière ?

— Il n'y avait personne, Georges.

Le mieux était de faire profil bas.

— Je me suis probablement trompé. Ce devait être l'appui-tête.

Claire ne pouvait pas savoir en quoi cette rencontre était importante. Et si la femme sur la banquette arrière était madame Durand ? Si elle se cachait chez Cardec, son nouvel amant ? Cette histoire était-elle plausible ? Dupin avait un doute. Peut-être ses sens lui avaient-ils joué un tour. Le soleil brûlant, les vitres teintées qui renvoyaient des reflets, les lunettes de soleil…

Claire lui lança un regard méfiant. Dupin préféra laisser tomber.

— Bon, on fait le tour de l'île ?

— Je n'en ai plus envie, Georges. Si on allait plutôt boire un verre ?

Dupin était écartelé. Peut-être verraient-ils quelque chose d'intéressant pendant leur promenade autour de l'île.

— Monsieur Bellec m'a parlé d'un café, celui d'un hôtel en fait, qui donne directement sur la plage de Ploumanac'h ; il doit être juste devant, là.

Sans attendre la réponse de Dupin, Claire avait fait demi-tour et s'était mise en route.

Dupin comprit sur-le-champ. Bellec était un complice rusé : le café qu'il avait recommandé à Claire était certainement celui où était descendue la femme retrouvée morte. Et où Dupin voulait de toute façon se rendre. Sauf qu'il n'avait pas eu jusque-là la moindre idée de la façon dont il aurait pu justifier la sortie. Fantastique ! C'est tout près. Bâtis sur une grande péninsule déchiquetée, Trégastel, Ploumanac'h et Perros-Guirec formaient un tout. Le château était sur la commune de Trégastel alors que la fin de la baie à l'est, qui était la rive la plus proche du château, faisait d'ores et déjà partie de Ploumanac'h.

— J'ai envie de sucré, fit Claire. Un gâteau breton. Qu'en dis-tu ?

— Tout à fait d'accord.

Dupin marchait deux pas derrière elle.

— Ah, j'avais oublié, dit-elle en se retournant. Tous les gens parlent avec un tel enthousiasme de la thalasso, sur la plage principale. Ils font, paraît-il, de fabuleux massages. J'ai appelé. Aujourd'hui, à dix-huit heures, il y avait justement une place. J'ai pris rendez-vous.

— Excellente idée. Cela te fera le plus grand bien.

Il ne pouvait croire à son bonheur. Il venait de passer une heure à se creuser la tête à la recherche d'un prétexte lui permettant de prendre le large un peu plus tard. Car il avait deux visites importantes à faire : à la gendarmerie et chez l'assistant de la députée. Il pourrait ainsi convenir de ces deux rendez-vous.

— Nous pouvons nous retrouver ensuite pour l'apéritif, déclara Claire, la mine réjouie, et…

Le portable de Dupin l'interrompit.

Le coiffeur. C'était donc important.

Mais le moment était on ne peut plus mal choisi.

Il prit toutefois l'appel.

— Oui ?

— Elle a été étranglée. La femme de Bordeaux. A l'aide d'un foulard ou d'un ruban, quelque chose dans ce genre. Cela veut dire qu'elle était déjà morte quand elle a été jetée dans le précipice.

Le coiffeur fit une pause. De toute évidence, il attendait une réaction de Dupin. Qui mit du temps ; l'information était de taille. Non qu'il ait cru sérieusement à un accident, mais il avait désormais la certitude d'avoir affaire à un meurtre.

— Merci, monsieur Kerléo. Très aimable de votre part de prendre la peine de m'appeler. Comme je suis bête. Ma carte de crédit ! Je viendrai la chercher plus tard. Vous êtes ouvert jusqu'à quelle heure ?

Monsieur Kerléo mit quelque temps à saisir la situation.

— Ah, vous ne pouvez pas parler ! réagit-il en baissant la voix. A Bordeaux, ils n'ont pas d'avis de disparition d'une femme dont la description correspond à la victime. Mais il y a plus étrange encore.

Le téléphone collé à l'oreille, au point qu'il commençait à avoir mal, Dupin faisait le tour d'une baïne, ce qui l'éloignait de deux mètres de Claire.

— Elle n'habite pas à l'adresse bordelaise qu'elle avait donnée lors de sa réservation en ligne. Pas de Virginie Inard, là-bas. Seules trois familles habitent l'immeuble. Et personne n'a jamais entendu ce nom.

— Non, non, j'ai assez de liquide sur moi. Ce n'est pas un problème. Je passe plus tard. A dix-neuf heures, avant la fermeture.

Il gagnerait un peu de temps supplémentaire grâce à cette petite entourloupe.

— A tout à l'heure, monsieur Kerléo. Et encore merci.

Il mit fin à l'appel. Claire l'interrogea du regard.

— Idiot que je suis, j'ai oublié ma carte bancaire chez le coiffeur.

— Je comprends.

— J'irai la chercher avant qu'il ferme boutique.

Pour une raison ou une autre, Claire n'insista pas.

Au moment même où ils s'en approchaient, et alors qu'il était préoccupé par la dernière information, Dupin savait déjà que Ploumanac'h et la terrasse du Castel Beau Site figureraient sur la liste de ses endroits préférés.

Avec ses maisons en pierres toutes tordues et des parterres de fleurs sauvages multicolores organisés de façon irrégulière, Ploumanac'h était un village d'un charme absolu, à l'atmosphère décontractée, même en haute saison. Plus petit que Trégastel, il ne possédait pas de longue plage sauvage et isolée, mais une petite plage de village très séduisante. On comprenait instantanément pourquoi Ploumanac'h avait été élu « plus beau village de France ». C'était ici, se souvint Dupin, que vivait le député Hugues Ellec.

La question était toujours la même : le meurtre de cette femme de Bordeaux avait-il un lien avec l'agression dont la députée avait été victime ? Une sombre histoire était derrière tout ça. Bien entendu, il était possible que ces événements n'aient rien à voir l'un avec l'autre, même si cela relevait d'un énorme hasard étant donné leur concentration chronologique. Voilà les pensées qui accaparaient l'esprit de Dupin depuis l'appel du coiffeur.

Pendant le quart d'heure qu'avait duré le trajet jusqu'à la plage de Ploumanac'h, Claire avait lu à haute voix le guide sur les balades, si bien que Dupin n'avait pas eu grand-chose à dire excepté « Très intéressant » ou « Passionnant ».

Sur les derniers mètres, il avait marché en tête, craignant qu'une voiture de police ne stationne devant l'hôtel. A son grand soulagement, il n'en vit aucune – probablement la police agissait-elle avec discrétion pendant la saison touristique. Par prudence, cependant, il avait tout de suite entraîné Claire sur la terrasse, l'éloignant de la façade de l'hôtel où se trouvaient l'entrée principale et le parking.

Le Castel Beau Site était sur le front de mer, légèrement en surplomb de la plage. Il ne pouvait pas être mieux placé. Une maison ancienne, élégante, bâtie en granit rose – comment pouvait-il en être autrement ? – avec des touches de brun et de gris qui conféraient à la demeure, haute de quatre étages et coiffée d'un toit d'ardoises, un charme particulier. Chaque chambre était prolongée par un étroit balcon doté d'une fine balustrade d'un noir mat ; la terrasse aux lattes de bois patinées était entourée d'une semblable rambarde.

Ils prirent place à une des tables basses beiges de la première rangée, dans de confortables fauteuils foncés, entourés de jarres de magnifiques lauriers-roses. Une atmosphère détendue, comme dans un lounge.

— Le panorama est encore plus beau.

Claire avait raison. Il était à tomber par terre.

Une petite crique en forme de croissant de lune sertie au cœur de la grande baie. Du sable blanc, avec un léger soupçon de rose, qui, quarante à cinquante mètres plus loin, rejoignait le fond de mer, piqué ici et là de bouées rose vif, jaunes, blanches. Des chaos de rochers roses de toutes les formes et tailles baignaient, à marée basse, dans la mer d'un bleu tendre.

Entourée des deux côtés par deux langues de terre sauvages qui descendaient doucement, comme si on avait voulu la sertir de la plus belle façon, la baie avait un charme fou. Dans un ordonnancement parfait, de grands pins se dressaient sur les avancées. Au milieu exactement de cette composition magistrale : l'île de Costaérès. Des mouettes tournaient dans le ciel d'un bleu immaculé.

Le regard de Dupin allait de la plage à la terrasse de l'hôtel. Elle était idéale pour admirer la scène sous la meilleure perspective.

— Bonjour, que puis-je vous servir ? leur demanda un jeune homme à peine sorti de l'enfance, en chemise blanche et pantalon de toile noir, presque trop apprêté.

— Une grande bouteille d'eau, s'il vous plaît, commanda Claire, deux Breizh Cola, pour moi une part de gâteau breton au caramel, compléta-t-elle en interrogeant Dupin du regard.

— Pour moi, une part à la framboise. Et un petit café.

— Avec les Breizh Cola aussi ? voulut-il savoir sur un ton à la fois zélé et aimable.

— Oui, avec les Breizh Cola. Bien frappés, si possible.

Le jeune homme partit.

— Je reviens tout de suite.

Ils s'étaient levés en même temps en prononçant la même phrase.

Ils se mirent à rire.

— Vas-y d'abord, Georges.

Claire se rassit. La situation était singulière. Mais, au bout du compte, Dupin profitait des activités secrètes de sa compagne. Et elle des siennes.

Dupin se dirigea vers l'entrée de l'hôtel qui donnait sur la terrasse.

D'abord, on accédait à un bar. Qui jouissait de la même vue splendide. Il pouvait voir Claire en regardant à travers une impressionnante collection de whiskies : elle était assise à leur table et téléphonait. Incroyable, elle n'avait pas attendu plus de quelques secondes !

Dupin quitta le bar. De là, on rejoignait la réception qui se trouvait à l'entrée principale, sur le côté de la bâtisse.

Il salua les deux employés de l'hôtel d'une manière si polie et surtout si naturelle qu'il ne leur serait pas venu à l'idée de l'interroger. De façon tout aussi naturelle, il avança de quelques mètres en direction de l'escalier. D'un pas énergique mais sans se presser, il grimpa les marches, et au premier étage jeta un œil sur le long corridor.

Personne en vue.

Il monta jusqu'au deuxième étage. Au bout du corridor de gauche, il vit un chariot avec des serviettes propres et des produits d'entretien.

Puis il se mit à chercher. Il devait se dépêcher, le temps lui étant compté.

Il s'approcha d'une chambre dont la porte était grande ouverte. Une femme de chambre s'avança vers lui. Petite, menue, vingt-cinq ans environ, les cheveux bruns relevés, un sourire franc.

— Bonjour ! Je peux vous aider ?

— Je…

Il avait tellement l'habitude, pendant une enquête, de surgir n'importe où à tout moment et d'interroger qui bon lui semblait qu'il n'avait pas pensé à la meilleure façon de procéder ici.

— J'enquête au sujet de Virginie Inard.

C'est ainsi que l'effet serait le plus saisissant, même si c'était risqué. Mais il n'avait pas le choix, il devait avancer. Il fit un geste vers sa poche, comme s'il voulait y prendre sa carte, puis continua à parler comme s'il la lui avait montrée.

— J'ai quelques questions à vous poser.

— Eh bien, vous êtes nombreux à travailler sur cette affaire, répliqua-t-elle en minaudant. La police a déjà fureté partout dans l'hôtel. Deux agents sont même encore là. Ma collègue a déjà été interrogée trois fois.

— Et vous ?

— Je viens d'arriver. Aujourd'hui, je suis de nuit. Mais un de vos collègues m'a déjà téléphoné à mon domicile, précisa-t-elle. Même si l'appel a été bref.

— Je sais, fit Dupin en espérant s'en tirer de cette façon. Pouvez-vous me livrer votre impression sur Virginie Inard ?

Les femmes de chambre faisaient en principe partie des personnes les mieux informées.

— Vous n'avez pas du tout l'air d'un policier.

Ce n'était pas la première fois qu'il entendait ce commentaire, y compris lorsqu'il était officiellement en service.

— Vous m'en voyez soulagé. Alors, que pouvez-vous me dire sur madame Inard ?

— Une personne très tranquille, pas désagréable, mais peu bavarde, qui avait du mal à saluer les gens. D'une certaine façon, elle n'était pas vraiment là.

— C'est-à-dire ?

— Je ne sais pas. C'est comme je vous ai dit. Votre collègue m'a aussi posé la question.

— L'avez-vous vue en compagnie de quelqu'un ?

Dupin avait sorti son calepin.

— Non, jamais. Elle était toujours seule. Elle n'avait vraiment pas l'air d'être en vacances. Mais elle n'avait pas l'allure d'une femme d'affaires non plus.

— Qu'est-ce qui vous fait dire qu'elle n'était pas là pour des vacances ?

— Je ne sais pas. Juste une impression.

— Quand s'est-elle présentée à l'hôtel ?

— Elle est arrivée mardi de la semaine dernière. Le soir. Les premiers jours, elle est beaucoup restée dans sa chambre ou allongée sur le balcon. La semaine dernière, j'étais de service du matin. C'est à cette période que je l'ai vue le plus souvent. Tout comme mes collègues de l'après-midi.

— Que faisait-elle dans sa chambre ?

— Aucune idée.

— Avez-vous remarqué quelque chose de bizarre dans son comportement ?

— En fait, tout le monde est bizarre, non ?

Dupin en était lui aussi profondément convaincu. Mais il ne répondit pas. La femme de chambre poursuivit :

— Elle n'avait pas l'air d'avoir peur, si c'est à ça que vous pensez. Pas nerveuse. Plutôt indifférente.

Pas comme si elle avait été préoccupée. Ou bien, continua-t-elle la mine assombrie, pas comme si elle pensait qu'on pourrait l'assassiner. Je veux dire qu'elle ne se sentait pas en danger. Elle portait des vêtements plutôt chics.

— Quelle catégorie de chambre avait-elle réservée ?

— Une suite.

— Quel est son prix ?

— 280 euros la nuit.

Virginie Inard ne paraissait pas avoir de problèmes d'argent.

— Elle avait réservé pour une semaine. Donc, elle aurait dû partir mardi ?

— Pour ça, il faut vous adresser à la réception.

— Mais lundi soir ou mardi matin, elle n'avait pas encore fait ses bagages.

— Non. Rien.

— Les affaires de madame Inard se trouvaient-elles encore toutes dans sa chambre le mercredi matin ? Il manquait quelque chose ? La chambre semblait-elle différente ?

Il ne restait plus beaucoup de temps à Dupin. Il avait accéléré son débit, qu'il avait déjà rapide.

— Tout était là. Et à la même place que la veille. Vous posez vraiment tous les mêmes questions. Vous et vos collègues, vous ne parlez pas ensemble ? se moqua-t-elle mais sans être impertinente.

— Nous posons nos questions indépendamment les uns des autres. Pour ne pas être influencés. Et nous commençons toujours depuis le début.

Il avait prononcé cette phrase idiote sur un ton de fermeté toute professionnelle.

— Madame Inard avait-elle emporté quelque chose d'inhabituel ?

— Non, seulement l'ordinaire.

— Savez-vous à quel moment elle a quitté l'hôtel mardi soir ? demanda Dupin à l'esprit duquel la question venait de revenir.

— Vers vingt-deux heures. C'est ce qu'ont dit les réceptionnistes.

— Bien. Après, plus personne ne l'a revue, n'est-ce pas ?

— Non. Hier matin, on s'est rendu compte que le lit était dans l'état où je l'avais laissé mardi en début de soirée. Ma collègue l'a signalé à la réception. Et comme madame Inard n'était toujours pas apparue vers midi, on a prévenu le directeur. Tout le monde avait entendu dire qu'une femme avait été retrouvée morte dans la carrière.

Dupin notait tout. Cela voulait dire que Virginie Inard avait rencontré son assassin très peu de temps après avoir quitté l'hôtel.

— Est-elle allée dans sa chambre mardi soir après que vous l'avez préparée pour la nuit ?

Dupin devait faire attention à ne pas cafouiller tant il se hâtait de poser ses questions.

— Non.

— Avez-vous parlé avec elle les jours précédents ?

— Nous avons seulement échangé quelques mots. On s'est dit bonjour et on a parlé de la météo. C'est tout.

— Avait-elle un accent ? Du Sud-Ouest ? De Bordeaux ?

— Aucune idée. Mais je dirais plutôt Paris.

— Paris ?

— Oui. Mais je n'en mettrais pas ma main au feu. En tout cas, elle s'exprimait d'une façon peu élégante. Nous n'avons échangé que quelques mots sans importance.

— Merci, mademoiselle... conclut Dupin en souriant à la femme de chambre.

— Fleur.

— Merci, Fleur. Vous m'avez donné des informations primordiales. Vous m'avez été d'une grande aide.

Il tourna les talons.

— Je peux vous dire quelque chose ?

Dupin se retourna.

— Je crois qu'elle n'a pas passé toutes les nuits dans sa chambre.

— Qu'est-ce qui vous fait croire ça ?

— Dimanche matin, j'ai fait son lit. Et il ressemblait à un lit qui devait donner l'impression que quelqu'un avait dormi là bien que ce ne soit pas le cas.

— Et là, vous pourriez en mettre votre main au feu ?

Elle regarda Dupin d'un air outré.

— Vous avez parlé de plusieurs nuits.

— De samedi à lundi.

— Deux nuits, donc ?

— Oui.

— Mais elle n'a pas prévenu la réception ?

— Non. Personne ne le savait. Est-ce important qu'elle n'ait pas dormi ici deux nuits ?

— Je n'en sais rien.

Dupin avait noté chaque détail.

— Avez-vous confié votre hypothèse au policier qui vous a appelée ?

— Non, répondit-elle, manifestement gênée. Mais je l'aurais fait. J'ai pensé qu'il fallait d'abord que je sois sûre et certaine. J'ai donc sondé mes souvenirs encore une fois.

— La police le sait maintenant, ne vous en faites pas. Encore une fois, je vous remercie vivement, Fleur.

Si Dupin avait de la chance – il ne voulait pas à cette heure envisager l'autre cas de figure – on n'interrogerait pas la femme de chambre une deuxième fois. Et la police ne saurait rien de leur conversation.

Une minute plus tard, il quittait le bar et retrouvait la terrasse. Encore dans les escaliers, il avait appelé en vitesse Bellec pour lui demander de prévenir l'assistant de madame Quéméneur de sa venue. Il attendrait d'être en tête à tête avec Bellec pour l'interroger sur la raison pour laquelle il n'avait pas mentionné sa conversation avec madame Durand.

Arrivé à la réception, il avait eu un choc en voyant derrière la vitre deux voitures de police. Puis deux hommes, l'un en uniforme, l'autre en civil, s'approcher à grands pas de l'hôtel. L'homme en civil – grand, cheveux châtains bouclés tirant sur le roux, visage étroit avec une cicatrice sur la joue gauche – pouvait être le commissaire de Lannion. D'autant plus qu'une des voitures était une grosse Renault Talisman.

Dupin s'était hâté de rejoindre le bar. Les réceptionnistes qui l'avaient regardé passer en toute confiance avaient cette fois-ci froncé les sourcils. Dupin les avait salués avec une amabilité ostensible.

De la fenêtre du bar, il avait remarqué que Claire n'était plus au téléphone. Elle avait reculé son siège et s'était installée confortablement. Elle paraissait très détendue – ou bien le feignait à la perfection –, le regard fixé sur l'horizon. Elle donnait l'impression d'être ainsi depuis une éternité.

— Un endroit remarquable, n'est-ce pas ? J'ai fait un petit tour, ajouta-t-il en sachant que cela sonnerait vrai, car c'était une de ses manies. Un hôtel dans nos goûts.

Il s'assit.

Claire avait déjà bu l'eau et son Breizh Cola. De sa fourchette elle piqua dans son dernier morceau de gâteau breton. Dupin prit sa tasse, le café était tiède. Mais c'était sans importance.

— Je me suis fait la même réflexion ! Cet endroit dégage une atmosphère merveilleuse. Nous pourrions aller voir l'oratoire de Saint-Guirec. L'histoire de ce saint remonte au VIe siècle. Selon la légende, il serait originaire des îles Britanniques et aurait débarqué ici après avoir traversé la Manche, expliqua Claire sur un ton très gai. Le guide rapporte deux coutumes amusantes : pendant des siècles, les jeunes filles célibataires de la région plantaient une aiguille dans le nez du saint – certaines le font encore de nos jours. Si l'aiguille y restait, cela voulait dire que la jeune fille se marierait avant la fin de l'année. D'après l'autre tradition, les mères baisent les pieds du saint pour que leurs enfants commencent à marcher tôt.

— J'ai bien peur qu'on doive partir, répondit Dupin en regardant sa montre. Il est dix-sept heures. Ton massage commence dans une heure et tu veux certainement passer à l'hôtel d'abord.

— Oui, tout à fait.

Dupin prit un gros morceau de gâteau, l'avala accompagné d'une gorgée de Breizh Cola et sortit son portefeuille.

— J'ai déjà payé, annonça Claire en se levant.

— Tu ne voulais pas…

Dupin s'interrompit.

Sur sa droite s'avançaient les deux officiers de police.

Il était trop tard pour prendre la tangente et quitter rapidement la terrasse. Il devait improviser.

— Je…

Dupin déglutit avant de se remettre à parler sur un ton décidé. Rien de mieux ne lui avait traversé l'esprit pour retenir l'attention de Claire en attendant que le terrain soit dégagé :

— Je voulais te demander quelque chose. Assieds-toi, s'il te plaît.

Claire plissa le front.

— On ne devait pas partir ? On peut discuter en marchant.

— On ne peut parler de ce sujet qu'assis.

Mais que racontait-il ?

— Ça ne peut pas attendre le dîner ?

— C'est maintenant le bon moment.

Ses paroles étaient des défis au bon sens… Le visage de Claire affichait un fort agacement. Et de l'inquiétude.

— Bon, si tu veux.

Elle se rassit à côté de lui. Dupin changea de place pour être juste en face d'elle. Il se pencha, dos à la terrasse : ainsi, les policiers ne pourraient pas le reconnaître.

— Alors ?

— Philippe m'a parlé d'une maison à Concarneau, sur la corniche, donnant directement sur la plage Mine, tu sais, cette petite plage si agréable. Quand on vient de chez moi, quatre cents mètres à droite. Boulevard Katherine-Wylie, une des fabuleuses maisons. A dix mètres de la mer. Une de ces maisons que tu trouves si belles. La bleu clair avec les énormes massifs d'hortensias.

Dupin se tut et tourna la tête vers le côté aussi discrètement que possible. Les deux policiers se tenaient sur la terrasse, peut-être à cinq mètres d'eux.

« … doit être passé quelque part… » attrapa-t-il au vol. C'était le grand échalas à la cicatrice qui avait parlé. Mais Dupin n'était pas sûr d'avoir reconnu la voix du commissaire de Lannion. Trop peu de mots et, au téléphone, les voix sont souvent différentes. « … ont fouillé… rien… »

— Tu veux déménager ? s'étonna Claire.

— Tu vois de quelle maison je parle ?

— Je crois, oui.

— La maison est grande.

Ils l'avaient souvent admirée lors de leurs balades.

— Où veux-tu en venir ? demanda Claire dont l'étonnement et la curiosité se teintaient d'impatience.

— J'aime mon appartement, mais j'ai pensé que quitte à vivre au bord de la mer, eh bien autant y aller franco. On peut alors aller se baigner dès le lever. Tu ne trouverais pas ça formidable ?

Dupin habitait le même appartement depuis six ans, en face de l'aquarium. L'année passée, Claire avait quitté Paris et emménagé à Quimper, un grand pas en avant pour eux deux.

— Naturellement. Elle est à louer ? Si oui, fais-le, je trouve ça super.

— Déjà fait.

— Ah bon ?

— Ces derniers jours, j'ai éclairci quelques détails et confirmé.

— Mais c'est fantastique ! s'émerveilla Claire dont le visage rayonnait de joie même si une certaine confusion y était perceptible. Génial ! Je te félicite.

— La maison a été complètement rénovée. Avec goût. Tu vas aimer.

— Tu l'as déjà visitée ?

— Deux fois. Et l'agence m'a envoyé un plan, je peux te le montrer. Mais tout est très petit sur un écran de portable.

Claire ne saisit pas l'occasion.

Dupin perçut de nouveau les voix des policiers. Elles semblaient même s'être rapprochées. « Rien, rien du tout ! Merde alors ! » Le grand type paraissait énervé.

S'il venait d'entendre une sorte de résumé de l'état de leur enquête, ils étaient encore dans le noir. Dupin dut réprimer un sourire. Et se concentrer uniquement sur sa conversation avec Claire. Sinon il risquait de tout gâcher.

— Je pensais... (Il devait maintenant aborder le cœur de l'affaire, qui l'accaparait depuis longtemps.) Je pensais que ce pourrait être notre maison.

— Notre maison ?

— Si tu en as envie, Claire, on y vivrait ensemble.

— Je...

Il était difficile de déchiffrer le langage corporel de Claire et l'expression de son visage.

Elle fixa Dupin dans les yeux.

Puis elle sourit. Un sourire typique de Claire mais avec quelque chose en plus, sentit Dupin. Même s'il n'aurait pas su dire quoi exactement.

« Complètement dingue. Mais une grosse affaire… Madame Guillou a… »

Les deux hommes marchaient maintenant juste derrière Dupin.

— Nous devons vraiment y aller, Georges, dit Claire sur un ton très doux en se levant. Nous en reparlerons tranquillement plus tard. Peut-être pendant le dîner.

Une chose était claire : elle ne dirait plus rien.

Dupin ne pouvait pas lui en tenir rigueur. Cela ne s'était pas déroulé de la façon la plus heureuse. Il avait été maladroit. Il n'avait jamais eu l'intention de poser une telle question entre deux portes et d'une manière aussi alambiquée. Cela faisait si longtemps que cette idée lui trottait dans la tête…

— Oui. On en reparlera tranquillement.

Dupin s'enhardit à jeter un œil à droite cette fois-ci.

Les deux hommes se dirigeaient tout droit vers la porte d'entrée du bar.

Ils auraient bientôt quitté l'hôtel, le danger serait passé.

Il se leva.

Claire fit quelques pas. Puis elle se retourna et s'approcha de Dupin.

L'embrassa.

Peut-être que cela s'était bien passé, finalement. En tout cas, cela ne s'était pas transformé en un moment pathétique, ce qui avait été sa plus grande crainte.

— Quelles nouvelles, commissaire ! Vous avez eu le temps de vous faire une idée ? Etranglée ! Et puis jetée dans le précipice. Qui peut faire une chose pareille ?

Ils étaient arrivés à leur hôtel à six heures moins dix, Claire était partie à son massage peu après et Dupin s'était installé sur le balcon, il devait se rendre chez le coiffeur « officiellement » peu avant sept heures pour y reprendre sa carte de crédit. Il avait attendu cinq minutes après le départ de Claire. Jusqu'au moment où il avait été certain d'avoir le champ libre. Puis était descendu en hâte à la réception à la recherche de Bellec.

— Monsieur Bellec, vous avez parlé avec madame Durand lundi soir. Le soir de sa disparition, affirma Dupin sur un ton ferme.

Puis il attendit. Il était curieux d'entendre ce que Bellec allait dire.

— Je... On n'a pas parlé longtemps. Quelques minutes seulement.

Bellec le regardait, à la fois interloqué et déstabilisé.

— Les jours précédents, je n'avais pas souvent vu madame Durand. Et je ne lui avais jamais parlé. Seulement « Bonjour » et « Au revoir ».

— Vous avez dit « dix minutes ». Quel était le sujet ? Et pourquoi ne m'en avez-vous rien dit ?

— Ce soir-là, j'étais assis au bar. Seul. J'ai bu un Pastis Marin, comme tous les soirs, vers six heures. Avant le coup de feu. Et là, elle s'est soudain assise à côté de moi et a commandé un Vodka Martini. Et elle s'est mise à parler.

Dupin avait sorti son calepin et prenait des notes avec minutie.

— De quoi ?

Bellec ouvrit des yeux ronds ; de toute évidence, quelque chose lui était désagréable.

— Du temps qu'il faisait. Qu'on avait un été formidable. Des choses de ce genre.

La réponse n'expliquait en rien son malaise.

— Et quoi d'autre ?

— Qu'ici, c'était très beau.

— Et puis ? Bellec, vous me cachez quelque chose.

Dupin avait haussé le ton. Le temps lui était compté. Il n'avait pas plus d'une heure et demie.

Après un moment d'hésitation, l'hôtelier déclara :

— Elle était très… amicale. Vous voyez ce que je veux dire ?

— Très amicale ?

— Oui. D'une certaine façon, elle a flirté avec moi, bafouilla Bellec.

— Madame Durand ? Avec vous ? Vous en êtes sûr ?

— C'est-à-dire qu'elle me faisait parfois les yeux doux, expliqua-t-il en jetant des regards alentour – pour voir si sa femme était dans les parages, supputa Dupin. Elle m'a demandé si je connaissais un bar sympa.

— Un bar ? Où elle voulait se rendre en votre compagnie ?

— Elle ne l'a pas dit si directement.

— Comment l'a-t-elle dit alors ?

— C'était son ton, surtout, répondit Bellec d'une voix qui frisait l'indignation. Je ne suis peut-être plus de la première jeunesse, mais je ne suis pas idiot. Je connais encore la chanson, commissaire. Cela voulait dire « un bar où nous pourrions poursuivre notre petite conversation ».

— Je comprends. Vous lui en avez indiqué un ?

— Non. J'ai changé de sujet.

— Et vous a-t-elle reposé la question ?

— Non.

Dupin se demandait à quoi allait bien lui servir cette information.

— Je lui ai dit que j'avais du travail, je me suis excusé et je suis parti.

— Vous ne l'aviez pas rencontrée seule les jours précédents ?

— Non.

— Vous a-t-elle paru différente, ce soir-là ?

Bellec paraissait quelque peu inquiet.

— Non. Seulement ça. Je veux dire, seulement ce que je viens de vous raconter.

Dupin devait se dépêcher.

— Bien. Avez-vous appelé l'assistant de madame Quéméneur ?

— Je l'ai fait, répondit Bellec, de toute évidence soulagé que Dupin ait changé de sujet. Il vous attend. Au 47, rue du Roi-Arthur. Juste derrière la Grève blanche. La plus célèbre de nos plages. Sable blanc le plus fin, si vous voulez vous reposer du sable rose ! Je vous ai signalé l'endroit, j'ai noté aussi les noms et les coordonnées, dit-il en tendant à Dupin un petit plan. (Dupin reporterait les marques plus tard sur son propre plan.) La gendarmerie est en plein centre. Pour l'entretien que vous aurez après (il fit un clin d'œil à Dupin). Place Sainte-Anne, en face, en biais de la chapelle, de l'autre côté de la maison de la presse, juste à côté du bar Ty Breizh. Un saut de puce. L'avantage des petites communes.

Il était curieux que Dupin ait remarqué tous les bâtiments sur la place, sauf la gendarmerie.

— Comment savez-vous que j'irai…

Dupin ne termina pas sa phrase. Bien sûr, les informations circulaient dans les deux sens.

Bellec sourit.

— Pouvez-vous me dire où à Ploumanac'h se trouve la maison du député Ellec ?

— Chemin de la Pointe. La grande maison d'architecte moderne, au bout de l'impasse, sur le trottoir de droite. Flambant neuve, précisa-t-il en faisant un geste dédaigneux de la main. Vous ne pouvez pas la manquer. Au bord de l'eau.

Dupin le nota.

— Connaissez-vous les patrons du Castel Beau Site ?

— Christelle et Pierre ? Bien sûr. Christelle est la meilleure amie de la sœur de ma femme…

— Pouvez-vous découvrir combien de temps exactement Virginie Inard a réservé sa chambre ? Sept jours ? Dans ce cas, elle aurait quitté l'hôtel le mardi. Avait-elle prolongé son séjour ?

Une lueur s'alluma dans le regard de Bellec. Une mission. Il parut en être flatté.

— Certainement ! Je vous trouve le renseignement à la seconde. Autre chose ?

— Demandez-leur s'ils ont remarqué quelque chose de bizarre chez madame Inard. Si elle a contacté quelqu'un. Et si le député Ellec, l'agricultrice… (il jeta un œil dans son carnet) Maïwenn Guillou ou bien Jérôme Cardec sont apparus ces jours-ci à l'hôtel. Au restaurant, au bar, où que ce soit.

— Ce sera fait.

— Ou bien madame Quéméneur. Avant l'incident.

Dupin choisit sciemment un mot neutre.

— La députée ? Vraiment ?

— Et si vous pouviez passer sous silence que…

— Que je me renseigne à votre demande. Ça tombe sous le sens ! s'indigna Bellec. Vous savez bien que…

— Est-ce que la suite des Durand, continua Dupin en baissant la voix sans raison puisqu'ils étaient seuls, comprend deux lits ? Savez-vous s'ils faisaient lits séparés ?

— Oui, répondit-il en fronçant les sourcils, mais en vérité je n'ai pas le droit de vous fournir de telles informations. Je vous le dis donc en toute confidentialité. Ah, au fait, votre nouvelle coiffure est vraiment chic !

— A plus tard, monsieur Bellec.

Dupin regarda sa montre.

Il était dix-huit heures neuf.

Dupin avait suivi d'un bon pas le chemin grandiose qui longeait la mer jusqu'à la Grève blanche, passant devant le centre de thalasso où Claire se faisait masser, traversant la langue de terre sauvage et déchiquetée qui s'avançait entre les plages.

La plage était adossée à de grosses dunes couvertes de buissons scintillant au soleil, qui tombaient à pic sur la plage. Laquelle était à moitié emportée. D'énormes rochers semblaient y avoir été placés de toute urgence pour éviter le pire. En début d'année, *Ouest-France* et

Le Télégramme avaient publié des images spectaculaires en page de titre : une tempête colossale associée à une grande marée exceptionnelle s'était abattue sur le littoral, emportant des quantités astronomiques de sable et quelques bateaux. Sans les hautes dunes, cette partie de Trégastel aurait été livrée sans défense à la mer en furie. Une vision inimaginable lorsqu'on se promenait en cette belle journée d'été, où l'eau clapotait gentiment.

Faisant honneur à son nom, le sable était, en effet, d'un blanc aveuglant, d'un grain plus grossier que celui du sable sur lequel Claire et Dupin avaient l'habitude de s'installer. Une courbe douce se transformait en une langue de terre sableuse et rocheuse, et rejoignait la Grève rose qui partait du sud. Le fin du fin était constitué par une île de granit rose à l'extrémité de la pointe de terre. A juste titre, la Grève blanche était considérée comme une des plus belles plages de Bretagne. La mer qui baignait l'avancée de part en part était étale, claire et lumineuse ; elle épousait toutes les couleurs de la mer caraïbe : d'abord le bleu clair cristallin, puis le vert émeraude, plus loin le turquoise, et, peu à peu, le bleu-gris et, enfin, le bleu marine. Longue d'une centaine de mètres, entourée d'innombrables îlots, l'île ressemblait à un énorme poisson. Entre les roches de granit rose poussaient des herbes vert clair : un contraste saisissant.

Si les couleurs étaient les mêmes que dans la baie protégée de Ploumanac'h, l'ambiance était tout à fait différente. La mer avait laissé son empreinte sur la plage, le paysage, le monde entier : tout était plus rude, plus sauvage. Même les coloris qui n'étaient ni chaleureux ni doux, mais nets et acérés, comme si eux aussi étaient fouettés en permanence par le vent du large.

Dupin arpenta la dune, cherchant un moyen d'accéder à la plage. Il le trouva, s'arrêta un moment et jeta un œil sur le plan.

La rue du Roi-Arthur se trouvait juste au coin.

Deux minutes plus tard, il arrivait devant le numéro 47. Un bâtiment neuf. Carré. Trois étages, toit plat, sans fioritures.

« Viviane Quéméneur. Elue du conseil régional de Bretagne », une plaque discrète. Troisième étage. Le dernier.

Dans le couloir, il vit s'avancer vers lui un jeune homme d'une trentaine d'années. Dupin avait emprunté l'escalier, dédaignant l'ascenseur. Des cheveux blond foncé hirsutes, une chemise bleu clair froissée, on aurait dit que Janvier venait de se réveiller.

— Bonjour, monsieur le commissaire. Je suis Aimeric Janvier.

Il parlait d'une voix sourde, presque conspiratrice, et jetait des regards anxieux dans le couloir désert.

— Venez.

Précédant Dupin, il franchit la porte restée ouverte et entra dans le bureau.

— Comme vous le savez, madame Quéméneur m'a informé que…

Le téléphone de Dupin sonna. Exceptionnellement, il était resté longtemps silencieux.

— Excusez-moi un instant.

Dupin retourna dans le couloir.

Numéro masqué.

— Allô !

— Là, vous allez trop loin, Dupin ! Vraiment trop loin !

Dupin reconnut aussitôt la voix. Le commissaire de Lannion était hors de lui. Il avait à coup sûr des éléments concrets.

Dupin ne s'énerva pas :

— Je suis juste en train d'admirer la Grève blanche, un véritable…

— Ne me la faites pas ! l'interrompit Le Gourlaouen avec brusquerie. Je…

— Que voulez-vous dire, cher collègue ? s'écria Dupin qui n'avait aucun mal à élever la voix. Ni à couper la parole à autrui.

— Ce que je veux dire ? Vous demandez à votre secrétaire de fouiner pendant que vous-même jouez le badaud en vacances, et vous pensez que je suis assez bête pour ne pas le remarquer !

C'était de plus en plus absurde.

— Mais de quoi parlez-vous ? A qui est-ce que j'ai demandé de fouiner ?

— Une certaine Nolwenn. Votre secrétaire. Ne faites pas l'innocent !

Dupin ignorait de quoi il était question.

— Elle fait des recherches à votre demande sur Hugues Ellec. L'employée du cadastre avec qui votre secrétaire a parlé est allée voir sa supérieure hiérarchique car elle se demandait s'il était opportun de donner de telles informations au commissariat de Concarneau. Par pur hasard, cette chef de service est une très bonne amie à moi !

Nolwenn enquêtait ? Dans son dos ? Concernant l'affaire du député ? A cause de la dune de sable et des éventuels marchés juteux ? C'était typique de Nolwenn de se tourner directement vers l'employée en charge de la question ; en règle générale, quand elle enquêtait, elle ne s'adressait jamais à un chef.

— Je… je vous remercie. Très aimable à vous.

Dupin raccrocha.

Il ne pouvait en croire ses oreilles. Claire et Nolwenn l'avaient condamné à passer des vacances sans l'ombre d'un écart, dans l'abstinence de travail la plus totale, lui avaient interdit de s'intéresser aux événements de Trégastel. Et l'une travaillait presque autant que si elle se rendait à la clinique, et l'autre lançait des recherches derrière son dos justement sur les affaires dont elle affirmait qu'elles ne le concernaient pas.

Il avait une irrépressible envie de passer un coup de fil. Mais d'une part une conversation urgente l'attendait et, d'autre part, il était plus intelligent de réfléchir calmement et de voir si, comme dans le cas de Claire, il ne pouvait pas en tirer profit.

A pas pressés – et encore sous le coup de l'indignation – il franchit la porte restée ouverte et pénétra dans le vaste bureau, élégant, à l'agencement moderne mais sans ostentation ; des meubles en bois clair ; une longue fenêtre panoramique sous laquelle se trouvaient une planche de bureau et quatre fauteuils confortables. D'impressionnantes photographies en noir et blanc représentant des paysages bretons étaient accrochées aux murs.

— C'est ici que nous accueillons nos visiteurs. La pièce adjacente abrite deux bureaux ; une autre pièce, plus petite, nous sert de salle de réunion.

Un agencement fonctionnel.

Dupin devait aborder le sujet sans tarder :

— Madame Quéméneur m'a confié que vous aviez constitué des dossiers sur quelques affaires délicates.

Il avait sciemment choisi une formulation générale.

— Je ne sais pas si « délicat » est le mot approprié, répondit le jeune homme d'une voix cassée, aux accents craintifs.

— Montrez-moi ce que vous avez.

Aimeric Janvier prit une pochette de plastique bleue qui était posée sur le long buffet.

— Ce sont des copies de documents relatifs au permis de construire de la famille Ellec. D'autres concernent l'extension illégale de la carrière de Cardec.

Il la tendit à Dupin.

— Ce sont des photocopies de vos propres copies ?

— Oui.

— Possédez-vous aussi les originaux ?

Le jeune homme se montra déstabilisé.

— Non. Et madame Quéméneur a dit que les documents ne devaient pas quitter la pièce. Elle vous demande de les lire ici, sur place.

— Avez-vous rassemblé d'autres documents sur monsieur Ellec ?

— C'est le seul dossier que nous avons monté méthodiquement.

— C'est-à-dire ?

— Il existe de nombreuses autres accusations venant de partout. Qui ne datent pas d'hier. Mais qui restent vagues. Nous voulons d'abord étudier en profondeur une affaire concrète.

— Quand auront lieu les prochaines élections ?

— L'année prochaine. Mais cela dépasse l'enjeu des élections.

Dupin prit la pochette bleue, alla s'asseoir dans un des fauteuils. La chemise renfermait deux pochettes en plastique munies d'une étiquette : une rose, « Cardec », et une verte, « Ellec ».

Dupin commença par le député. Il ne cessait de penser à Nolwenn. Pourquoi donc ne l'avait-elle pas mis dans la confidence ?

Dupin posa le premier document sur la table.

L'assistant de Quéméneur s'était assis à côté de lui.

— D'après vous, qui est responsable de l'agression contre votre patronne ?

— Ellec.

La réponse avait fusé sans hésitation.

Les yeux de Dupin survolèrent le premier document.

— Avez-vous quelques indices ?

— Non. Mais il hait madame Quéméneur.

— Il semblerait qu'il ne soit pas le seul. A lui s'ajoutent au moins Cardec et Maïwenn Guillou, déclara-t-il en passant.

Il étudia le plan d'un terrain qui donnait directement sur la mer. Sur la pointe de Ploumanac'h, à seulement trois cents mètres de la plage où ils s'étaient assis plus tôt. Une situation d'exception. A n'en pas douter.

En haut du document on pouvait lire, rédigé d'une écriture tremblée : « Terrain B 7102/12 – Famille Ellec ». Cinq mille trois cents mètres carrés. Des douzaines de signes, d'abréviations que Dupin ne pouvait traduire.

— Qui a trouvé ces documents et les a photocopiés ?

— Moi.

— A l'abri des regards ?

Une hésitation.

— Je pense que oui.

— Donc vous n'en êtes pas tout à fait certain.

— Si.

Cependant, on ne pouvait pas exclure que quelqu'un ait observé Janvier et qu'il ait ensuite fomenté cet attentat contre Viviane Quéméneur.

Dupin examina les autres papiers. Une quinzaine. S'arrêta sur le plan d'un architecte.

— Le document le plus important est le dernier.

Il feuilleta le dossier.

— Celui-là. Le permis exceptionnel que la famille Ellec affirme posséder depuis douze ans. Signé par l'ancien maire, qui est mort depuis longtemps. Il dit, regardez là, fit-il en montrant la feuille du doigt, que « le permis de construire exceptionnel a été délivré en accord avec le préfet ».

Dupin lut les quelques lignes. Au premier regard, tout semblait irréprochable.

— C'est bien fait. Le maire est décédé, le préfet à la retraite. Qui affirme ne plus se souvenir de l'affaire tout en alléguant que c'est tout à fait possible. Je lui ai parlé en personne. Il a fait remarquer que la commune devait beaucoup à la famille. Mais tout restait vague. Cependant, nous savons que l'ancien maire suivait une ligne très dure concernant la protection du littoral non bâti. Délivrer un tel permis ne lui ressemblait pas.

— Vous pensez donc que ce permis est un faux.

— J'en suis convaincu.

— L'ancien préfet, avec qui vous vous êtes entretenu personnellement, a dû se demander pourquoi vous vous intéressiez à cette affaire. Surtout s'il est lui-même impliqué. Du moins sait-il que vous faites des recherches.

— Je suppose que le document original se trouve au cadastre ?

— Oui. A la mairie – hélas je ne pouvais pas prendre l'original. Mais c'est de lui qu'on aurait besoin, ajouta le jeune homme d'un air désespéré. Je crois même que le papier du document est authentique. Il paraissait ancien. Mais ce n'est pas un problème, il arrive que des dossiers comprennent des pages vierges que l'on peut alors utiliser. Et lorsqu'on possède en plus une vieille machine à écrire, tout a l'air crédible. Et bien entendu, on peut sans mal imiter une signature. Mais ça aussi, on pourrait le prouver en faisant expertiser le document original.

— Et ce document n'est apparu que l'année dernière ?

— En mars, soudainement.

— Qu'a dit le maire actuel à ce sujet ?

— Il était extrêmement surpris, paraît-il. Mais n'en a pas fait grand-chose.

— Lui avez-vous parlé personnellement ?

— Non. Cela me paraissait trop risqué.

C'était déjà ça.

Dupin regarda l'heure. Sept heures moins vingt.

— Et les autres recherches ? Sur Cardec ?

— Là, le fait explosif ne se trouve pas dans un document, mais dans son absence. C'est-à-dire qu'il manque le permis d'extension de la carrière. Qu'il s'est approprié petit bout par petit bout. Sur ce plan, vous pouvez voir la dernière autorisation officielle d'extension, datée de 2000. Mais il n'existe aucun autre permis concernant une nouvelle extension qui engloberait les limites réelles de la carrière actuelle.

— Comment avez-vous eu accès à ces documents ?

— Ils se trouvent à la Chambre de commerce. Madame Quéméneur avait indiqué que nous envisagions la possibilité d'agrandir les trois carrières. Et que nous voulions de ce fait connaître l'état des lieux actuel. Elle s'y est rendue en personne.

Une action peu discrète. On pouvait donc imaginer que c'était là que quelqu'un en avait eu vent. Les trois propriétaires des carrières. Le maire, le conseil municipal.

— En avril, nous avons envoyé un drone prendre des photos. Celles-ci prouvent que Cardec a exploité la carrière jusqu'à parfois cent mètres plus à l'ouest que les limites figurant sur le permis de 2000. Il affirme être en possession de toutes les autorisations, mais il ne voit aucune raison de rendre publics des « secrets industriels ». Nous avons l'intention d'adresser bientôt une demande officielle au conseil municipal.

— Vous avez fait voler un drone au-dessus de la carrière ?

Dupin avait sorti des feuilles de la pochette. Il cherchait les photos.

— Ce n'est pas difficile à faire. Aujourd'hui, vous pouvez en obtenir d'une qualité suffisante pour une centaine d'euros.

— Quelqu'un a pu être témoin de cette opération. Peut-être même Cardec en personne.

— Nous l'avons fait au crépuscule, répliqua Janvier avec fierté. On n'avait pas besoin de voir des détails, seulement les limites réelles de l'extension. Et on les voit parfaitement.

Le crépuscule n'était pas non plus une protection suffisante.

— Avez-vous annoncé à quelqu'un que vous comptiez déposer cette demande ?

Madame Quéméneur n'en avait pas soufflé mot à Dupin.

— Bien sûr que non. Sinon d'autres personnes pourraient s'y préparer. Cela doit provoquer un effet de surprise.

— Quand voulez-vous le faire ?

— Après la rentrée, à la fin des vacances d'été. Mi ou fin septembre.

L'ensemble était beaucoup plus concret que Dupin ne l'avait imaginé.

— Bien.

Le commissaire se leva brusquement.

— Je prends la chemise.

Il se mit en mouvement.

Le jeune homme lui emboîta le pas, tout agité.

— Mais madame Quéméneur a dit clairement qu'il n'en était pas question…

— Je lui expliquerai.

Dupin était déjà arrivé à la porte. Il se retourna une dernière fois.

— Ne vous inquiétez pas, dit-il à Janvier visiblement stressé. J'en endosse l'entière responsabilité.

Sur ces mots, il ouvrit la porte et s'avança dans le couloir.

Il avait ce dont il avait besoin.

La gendarmerie se révéla être un bâtiment sans caractère et étriqué, en granit marronnasse, un peu en retrait, coincé entre le bar et une boulangerie-pâtisserie à la devanture magnifique. La plaque d'un gris mat qui annonçait « Gendarmerie de Trégastel » était on ne peut plus discrète. Les vitres étaient opacifiées, si bien que, de la rue, on ne pouvait pas voir à l'intérieur.

En chemin pour la gendarmerie, Dupin avait surtout ruminé au sujet de Nolwenn et de ses recherches cachées. Il avait finalement choisi d'être stratège : il tenterait de retirer de cette situation les plus gros avantages à son bénéfice et à celui de ses propres opérations.

En quittant la maison derrière la Grève blanche, il avait vécu un moment particulier. Assis dans une voiture garée presque en face du bureau de la députée, mais de l'autre côté, un homme était au téléphone ; Dupin n'avait pas pu bien voir son visage, mais il avait l'impression que l'homme l'observait. Somme toute, Dupin avait un flair exceptionnel pour ce genre de situation. Même s'il ne pouvait en être totalement certain. Peut-être était-ce un pur produit de son imagination.

Dupin appuya sur la sonnette qui était du même modèle que celle de son commissariat de Concarneau. Il leva la tête vers la caméra fixée au-dessus de la porte, elle aussi du même modèle.

Il attendit quelques instants avant que le bourdonnement de l'ouverture retentisse.

Il poussa la lourde porte. Un étroit vestibule. En face, une porte portant une plaque « Dames/Hommes ». On était juste devant les toilettes.

A droite, une porte ouverte qui devait déboucher sur un bureau dont les fenêtres opaques donnaient sur la rue. A côté de la porte, il y avait une flèche imprimée sur du papier orange, qu'on ne risquait pas de manquer, indiquant de toute évidence la direction que les administrés devaient suivre.

Dupin pénétra dans une pièce aussi modeste que le bâtiment. Et dont le mobilier devait dater de plusieurs décennies. D'une époque où le formica était à son apogée. L'air stagnait, poussiéreux. Dupin crut bien sentir la même odeur insupportable de produits d'entretien que celle qui imprégnait son commissariat – un produit standard de l'administration française, il en était convaincu, mais peut-être n'était-ce qu'une hallucination olfactive, car en dehors de lui, personne ne sentait rien à Concarneau.

A chaque bout de la pièce se trouvaient des bureaux beiges avec, derrière, un fauteuil de bureau et, devant, deux chaises pour les visiteurs. Le mur de droite était recouvert d'étagères, réalisées elles aussi dans ce lugubre formica beige ; elles croulaient sous des classeurs et des piles de papiers.

A gauche, un grand panneau en liège – certainement de la même époque que le formica – et un long banc on ne peut moins accueillant.

La gendarme Inès Mahé était assise derrière le bureau de gauche, non loin du panneau de liège. Elle tapait sur son clavier. Un écran surdimensionné, un fouillis de câbles.

Inès Mahé ne sembla pas vouloir se lever. Une fois que Dupin se fut avancé, elle le salua d'un bref hochement de tête agacé. Aucun soupçon de la sympathie qu'elle était supposée lui vouer.

Dupin s'assit sur un des sièges réservés aux visiteurs.

— Je vous remercie de bien vouloir m'accorder un peu de votre temps. Je voulais…

La sonnerie de son portable retentit. Encore un numéro masqué. Encore à un moment inopportun.

— Je vous prie de m'excuser, mais je dois répondre.

Ça commençait mal.

La gendarme haussa les épaules et se remit à taper sur le clavier de son ordinateur.

Dupin s'était levé et avait rejoint le petit vestibule devant les toilettes. Il avait pris l'appel en marchant.

— Oui ?

— J'ai reçu une autre menace, chuchota une voix qu'il reconnut immédiatement : madame Quéméneur. Une deuxième lettre. Il y a une demi-heure. Je…

— Que dit-elle ?

— Comme la dernière fois. Quelques mots seulement : « Nous savons que vous avez contacté la police. Ne dites plus rien si vous ne voulez pas en subir les conséquences. »

— C'est peut-être du bluff.

C'était possible. Même si Dupin n'en croyait rien.

— Est-ce votre hypothèse, commissaire ? demanda-t-elle la voix pleine d'espoir.

Il aurait mieux fait de se taire.

— Je ne sais pas. Nous devrions prendre en compte toutes les hypothèses. A-t-elle été elle aussi déposée dans la boîte aux lettres de l'hôpital ?

Dupin partait du principe que le commissaire de Lannion faisait surveiller l'entrée et la boîte aux lettres ; ce serait sinon une faute lourde.

— Non. Celle-ci est arrivée par la poste. Partie hier après-midi au bureau de poste de Trégastel. La police l'a déjà saisie pour analyse.

— Qu'a dit le commissaire de Lannion ?

— J'ai immédiatement appelé le commissaire Le Gourlaouen. Un long silence a suivi. Pas franchement tranquillisant. Mais il a dit qu'ils étaient sur le point de faire une percée.

— Une percée était imminente, c'est ce qu'il a dit ?

— Oui.

— Le commissaire de Lannion mesure-t-il environ un mètre quatre-vingt-dix ? Un homme maigre avec le visage balafré ?

— Oui. Pourquoi ?

C'était donc bien lui. A l'hôpital, rien dans ses propos ne laissait entendre qu'il avait avancé. Soit il bluffait devant la députée, soit un pas décisif avait été franchi en un temps record, supposition improbable.

— A-t-il dit ou laissé entendre en quoi cette percée consistait ?

— Non. Mais je ne devais pas m'inquiéter. Il allait renforcer la surveillance devant ma chambre et l'hôpital. Dans la rue, aussi. Et sur la pelouse devant l'hôpital. Ma chambre est au troisième étage. Il a demandé du renfort. Il veut que je reste hospitalisée jusqu'à ce que la situation s'éclaircisse et qu'aucun danger ne subsiste.

En théorie, une bonne idée. C'était l'endroit le plus sûr.

— Puis-je vous demander où votre… où le mari de madame Guillou se trouve actuellement ?

— Il est toujours à Rennes. Le parc éolien.

Le projet controversé.

— Le Gourlaouen le fait surveiller, l'informa-t-elle d'un ton qui laissait supposer que cela lui était pénible.

— Bien.

Dupin le pensait sincèrement. Il était naturel qu'il soit sous surveillance. Ne serait-ce que pour le rayer de la liste des suspects.

— Vous ne pensez quand même pas qu'il a quelque chose à voir avec le jet de pierre et les lettres de menace ?

— Il vaut toujours mieux ne rien négliger. J'étais à l'instant avec votre assistant. Une chose très importante, madame Quéméneur : d'autres recherches sont-elles en cours en plus de celles dont j'ai pris connaissance ? A l'encontre d'autres personnes ? Si oui, il faudrait que je le sache.

— Non. Je vous le certifie.

— Y a-t-il d'autres sujets concernant ces deux personnes ?

— Je vous le dirais si c'était le cas. En fait, on devrait considérer les « activités » d'Ellec – comment dire ? – comme un tout. Il y a pas mal de choses douteuses. Mais apparemment, ça n'intéresse personne.

— Il n'existe donc aucun document sur d'autres incidents ?

Dupin avait besoin de le savoir avec précision.

— Non, répondit-elle de nouveau sur un ton ferme et définitif.

— Ne laissez personne entrer dans votre chambre à l'exception de la police et des médecins, madame Quéméneur. Personne.

Dupin était conscient que ses mots n'étaient pas très encourageants.

— Même pas mon assistant ?

— Même pas lui. Renoncez à toute visite. Communiquez seulement par téléphone.

— Soupçonnez-vous Aimeric ? Le commissaire Le Gourlaouen m'a dit que je pouvais recevoir les personnes en qui j'avais toute confiance.

— Pour le moment, je ne soupçonne personne en particulier. Pure mesure de précaution.

— Je comprends, répliqua-t-elle, quelque peu rassérénée. Je vous remercie, commissaire.

— Respectez mes recommandations, madame Quéméneur.

— Comptez sur moi.

Elle raccrocha.

Sans tarder, Dupin tourna les talons et regagna le bureau de la gendarme.

Quoi qu'il se passât à Trégastel et quel que fût le nombre d'affaires, les événements s'aggravaient.

Inès Mahé continuait de taper sur son clavier avec une rapidité impressionnante. Elle ne parut pas remarquer le retour de Dupin. Il se rassit.

— Voilà, annonça-t-elle soudain en saisissant un gros classeur de carton gris qu'elle tendit à Dupin. Ce sont les copies de l'enquête sur la femme retrouvée morte dans la carrière il y a sept ans. Mais, ajouta-t-elle d'un air sévère, il ne sort pas d'ici.

— Bien, murmura Dupin.

La gendarme se remit à taper.

— Vous ne croyez pas que je pourrais…

— Non.

Il dépendait beaucoup trop de la gendarme pour risquer une dispute.

— Et vous n'avez rien trouvé de particulier ?

— Non, pas pour l'instant.

— Peut-être puis-je revenir à un autre moment pour regarder tout en détail. Aujourd'hui, je n'ai malheureusement pas le temps, dit-il en jetant un œil sur sa montre. (Il devait être à l'hôtel peu après sept heures.) Demain matin ?

— Comme vous voulez.

Elle se remit à taper.

— Connaissez-vous Aimeric Janvier, l'assistant de madame Quéméneur ?

Elle leva les yeux.

— Un peu, pourquoi ?

— Depuis combien de temps travaille-t-il avec elle ?

— Je vais voir ce qu'on a sur lui.

Le cliquetis des touches reprit.

Le regard de Dupin tomba sur le panneau de liège. Appels à l'aide des citoyens pour les délits locaux. Un chaos de bouts de papier parfois sur deux ou trois couches, imposant, presque une installation artistique. La plupart des avis étaient anciens, d'un orange marronnasse à cause de l'acidité du papier. Certains remontaient aux années 80 ou 90 ; une deux-chevaux avait été incendiée le 2 mars 1983 en plein centre, un an plus tard une grange avait subi le même sort. Personne ne semblait être chargé de faire le ménage sur ce panneau.

Presque au milieu, un avis concernant l'employée retrouvée morte dans la carrière. « La morte rose ». Dupin tendit le cou et lut les quelques lignes. Une photo aux couleurs passées de la victime. Une photo décolorée de la carrière. L'appel à signaler « tout ce qui pourrait être en corrélation avec l'événement ».

La disparition de la statue de sainte Anne avait elle aussi trouvé sa place sur le panneau d'affichage, tout comme, bien sûr, la disparition de madame Durand et l'agression contre madame Quéméneur : ces annonces avaient été punaisées récemment en bas à gauche. De façon concrète et probablement exhaustive, le panneau de liège racontait la chronique de l'histoire criminelle de Trégastel durant les dernières décennies.

Inès Mahé l'arracha à ses pensées :

— Alors, le jeune homme semble sans histoire. Né à Perros, précisa-t-elle sur le même ton que s'il était né en Arctique. A fait Sciences Po, sa thèse avait pour sujet « Les régions européennes et le processus d'unification continue de l'Europe » ; il est ensuite revenu ici. Son poste auprès de madame Quéméneur est son premier emploi. Depuis janvier, cela fait trois ans. Ses parents vivent encore à Perros, le père est employé municipal à l'office du tourisme, sa mère est professeur des écoles.

Dupin était impressionné. Les informations ne se trouvaient nulle part aussi bien résumées ; elle avait dû les rassembler en un temps record.

— Une petite amie ?

— Je l'ai toujours vu seul. Mais ça ne veut rien dire.

— Des liens avec Cardec, Ellec ou bien l'agricultrice ?

Quelqu'un l'aurait probablement déjà mentionné, mais par précaution il préférait poser la question. Surtout ici, où tous étaient liés à quelqu'un d'une manière ou d'une autre, voire parents.

— Pas que l'on sache. Pensez-vous qu'il soit responsable de l'agression dont a été victime madame Quéméneur ? demanda-t-elle en levant légèrement les sourcils. Que c'est lui qui la menace ? Directement ou à la solde d'une autre personne ?

— Vous êtes au courant des lettres de menace ?

Elle eut un imperceptible sourire.

— Comment ?

Le commissaire de Lannion n'avait donc pas réussi à cacher l'information.

De nouveau un sourire. Elle ne dirait rien, mais Dupin en était convaincu : elle était au courant des lettres. Inès Mahé n'était pas née de la dernière pluie, en dépit de son air indifférent. Dupin était incapable de dire si elle l'appréciait vraiment, mais une chose était sûre : lui l'appréciait.

— Que voulez-vous dire ?

— Rien. Il faut seulement que nous gardions tout le monde à l'œil. Sans exception.

— Peut-être ont-ils fomenté ensemble cette mise en scène et sont-ils de mèche ? s'interrogea-t-elle sur un ton impassible tout en continuant de fixer son écran. Et tout n'est qu'une manœuvre de diversion. Pour quelque raison que ce soit. Ou bien elle veut que le soupçon se porte sur Ellec, son adversaire ? Eventuellement évincer sa rivale, tout simplement. C'est Maïwenn Guillou qui est dans la plus mauvaise posture. Peut-être même que madame la députée elle-même est la criminelle ?

— Que faites-vous de ses blessures ?

— Un malheureux dénouement de ses propres manœuvres.

Dupin avait déjà réfléchi à ces possibilités, même s'il n'était pas allé au bout de ses réflexions.

Il voulait savoir une chose :

— Pourquoi pensez-vous que madame Guillou a les plus mauvaises cartes ?

— A cause des traces de terre sur la pierre.

— Quelles traces ? Sur la pierre qui a été lancée dans la fenêtre ?

— Je l'ai appris il y a une heure, répondit-elle. L'analyse de la terre a révélé qu'elle venait d'un sol composé d'un degré inhabituellement élevé d'éléments organiques. Comme le sol le long de la vallée des Traouïero, qui est caractérisé par sa végétation touffue.

— Quoi ? s'étonna Dupin qui ignorait que la pierre avait été soumise à de nouvelles expertises. Ah oui, les champs de Guillou bordent la vallée, murmura-t-il comme s'il se parlait à lui-même.

— A la lisière est de la vallée. Ker Gomar, c'est le nom du hameau où se trouve sa ferme. Mais, nuança-t-elle, l'air pensif, cela pourrait aussi être le fruit d'une manœuvre ourdie contre elle.

— Possible.

Inès Mahé secoua sa souris dans tous les sens. Dupin se demanda pourquoi elle agissait ainsi.

— La carrière est à trois cents mètres à vol d'oiseau de sa ferme.

— Si près ?

Dupin avait glissé le plan derrière la dernière page de son calepin. Il le déplia. Certes, il y avait marqué les différents lieux névralgiques, mais il ne l'avait pas encore mémorisé.

— En effet.

Il avait repéré le hameau ainsi que la carrière de Cardec. La carrière rose. Il était indéniable que les événements étaient tous concentrés dans un mouchoir de poche.

La vallée faisait déjà partie de la liste des excursions indispensables. Il devenait urgent de s'y rendre. Cependant, les chances étaient minces de convaincre Claire de l'entreprendre le lendemain. Elle voudrait aller à la plage. Le temps était au beau fixe et se maintiendrait encore quelques jours, selon la météo. Mais, se rappela Dupin, elle aussi aurait besoin de temps pour elle. Rien n'était perdu.

— Je…

Le portable de Dupin l'interrompit de nouveau.

Claire ! Il était presque dix-neuf heures.

Dupin se leva, jeta un bref coup d'œil à Inès Mahé, laquelle haussa légèrement les épaules. Il se rendit dans le petit vestibule. Théoriquement, il était en route pour reprendre sa carte de crédit.

— Salut, Claire, je suis justement…

— Georges, c'est super ! Les massages sont fantastiques. Une vraie cure de jouvence. (Une expression qu'il ne l'avait jamais entendue utiliser jusqu'ici.) M'en voudrais-tu si je restais encore un peu ici ? Je pourrais m'offrir un soin avec les pierres chaudes. La masseuse me l'a vivement recommandé.

— Bien sûr ! Fais-le. T'en vouloir ? Mais quelle idée ! (Il devait faire attention à ne pas paraître trop euphorique.) Nous nous retrouvons plus tard dans le jardin. Pour le pré-apéritif !

— Tu ne vas pas t'ennuyer ?

— Je suis sur le point de récupérer ma carte bancaire. Puis j'irai peut-être boire une bière dans un bar de la place Sainte-Anne.

— Vas-y. Ne te gêne pas. J'attends le dîner avec impatience. Et de te retrouver.

— Moi aussi.

Ce qui était l'entière vérité.

— A tout à l'heure, Georges.

Parfois – pas souvent, mais quand même de temps en temps – tout allait comme sur des roulettes. Le destin pouvait se montrer magnanime. La plupart du temps la vie allait dans le sens contraire : elle détruisait à l'aveuglette et arbitrairement les moments insouciants en créant des complications soudain inextricables. Mais ce soir-là, il n'y avait rien d'autre que de bonnes étoiles.

Dupin était revenu s'asseoir sur sa chaise.

— A-t-on du nouveau concernant la femme retrouvée morte dans la carrière ? Sa disparition a-t-elle été signalée quelque part ?

— On a fouillé sa chambre d'hôtel de fond en comble. On n'a rien trouvé qui aurait pu avoir le moindre intérêt.

Le mystère restait entier. A ce sujet, Dupin voulait s'entretenir avec Jean, son ami parisien. Il ne devait pas l'oublier.

— Et Cardec ? Où en est-on à son sujet ?

— En rapport avec l'agression ? Ou avec la victime de la carrière ?

— Les deux.

— Rien de neuf.

— Je suppose que vous enquêtez activement dans ces deux affaires ? Je veux dire : indépendamment du commissaire ?

En fait, il connaissait déjà la réponse.

Elle jeta un bref regard sur l'écran.

— Naturellement. Tout concerne Trégastel.

Sous-entendu : tout est à moi.

— Avez-vous une idée des alibis qu'ont présentés Cardec, Guillou et Ellec pour la nuit de mardi ? Pour le laps de temps correspondant au meurtre de Virginie Inard ?

— Non. Hélas, je ne peux pas me renseigner directement. Ma source au commissariat de Lannion ne m'a encore rien rapporté à ce sujet.

Puis elle se remit à taper. En somme, elle était dans la même situation insatisfaisante que lui.

Dupin hésitait, il ne savait pas s'il devait poursuivre tout en se disant qu'il devait lui donner une preuve de sa volonté de coopérer avec elle, qu'il lui faisait confiance, surtout. Aussi lui déclara-t-il :

— Je suis en possession de documents et de photos qui prouvent que Cardec a agrandi sa carrière sans permis.

Il posa la chemise sur le bureau.

— Vous y trouverez aussi la copie du permis de construire exceptionnel, sorti de nulle part, qu'a obtenu la famille Ellec pour le magnifique terrain en bord de plage. Des doutes existent quant à l'authenticité du document original, on…

Elle se tourna vers Dupin.

— Je suis au courant de ce « permis exceptionnel ». Tel que je connais Ellec, je suis certaine que c'est un faux, mais c'est difficile à prouver. Je photocopie le dossier.

Tout en parlant, elle s'était levée. Elle se dirigea vers le mur du fond devant lequel se trouvait un photocopieur, vieux modèle. Le toner toxique de l'appareil, Dupin en était persuadé, contribuait au mélange d'odeurs qui flottait dans le bureau. A peine avait-il perçu le bruit typique de la machine qu'Inès Mahé était de nouveau assise dans son fauteuil. Il entendit un « Merci » au moment où elle reposait le dossier sur le bureau. C'était déjà ça.

— Si l'extension est confirmée, il y aura immédiatement un dépôt de plainte. C'est une affaire sérieuse. Les lois de protection de l'environnement et du littoral sont extrêmement strictes.

Dupin se mit à réfléchir.

— J'agirais d'abord avec circonspection. Il ne faudrait pas faire sortir Cardec trop tôt du bois. Il se sentirait visé et pourrait alors changer son fusil d'épaule. Dès que le bon moment sera venu, nous pourrons encore agir.

Il était toujours préférable de garder un atout dans sa manche.

Elle hocha la tête et parut accepter sans rechigner le « nous » stratégique de Dupin.

— J'ai tenté d'obtenir une commission rogatoire pour fouiller le château de Cardec. En vain.

— Parce que vous vouliez vérifier si madame Durand y était ?

— Entre autres.

Encore une fois, elle avait eu la même idée que lui.

— J'ai vu Cardec dans sa voiture, juste devant son château. Je crois avoir aperçu une silhouette à l'arrière, mais je n'en suis pas certain.

— Vitres teintées, je sais.

— Habituellement, Cardec rentre de Saint-Brieuc le jeudi soir. Or, il était là cet après-midi.

— Je sais. Il a dit qu'il avait un rendez-vous à Trégastel. D'ordre privé. Nous ne pouvons rien faire.

Hélas.

— L'autopsie du corps trouvé dans la carrière n'a révélé aucun indice qui pourrait donner quelque information sur le meurtrier ?

Dupin posait cette question pour parer à toute éventualité et bien qu'Inès Mahé – très probablement – lui en eût déjà parlé. Cependant, tous les renseignements ne lui étaient pas confiés automatiquement, comme l'exemple de la terre retrouvée sur la pierre le lui avait prouvé.

— Non, et on ne sait toujours pas où le meurtre a eu lieu.

Elle fixa, pensive, l'écran de son ordinateur.

— A-t-on pu découvrir le moindre indice pouvant relier la victime à Quéméneur, ou bien Cardec, Guillou, Ellec ?

— Pour l'instant, je ne vois aucun rapport. Le Gourlaouen et son équipe en sont au même point. Mais ce n'est pas une raison.

— Et vous en êtes certaine ? Le commissaire navigue lui aussi à vue dans cette affaire ?

Elle hocha la tête d'un coup bref mais résolu.

Il restait cependant à Dupin encore quelques points à aborder :

— Passons à la disparition de madame Durand. Devant votre oncle, elle a mentionné une « meilleure amie » qui…

— Je me suis déjà entretenue avec monsieur Durand à ce propos. Et j'ai eu l'amie en question au téléphone hier. Ainsi que deux autres amies dont monsieur Durand connaissait l'existence et dont il m'a donné le nom et les coordonnées. Toutes les trois savaient déjà qu'Alizée Durand avait disparu. Mais elles m'ont assuré n'être au courant de rien. Elles n'avaient aucune idée de l'endroit où elle pourrait être.

Aussi bien le coiffeur que les Bellec n'avaient soufflé mot à ce sujet non plus. Le mauvais fonctionnement dans la transmission des informations n'était pas de bon aloi.

— Monsieur Durand a téléphoné aux amies de sa femme dès le lendemain de sa disparition. Ce qu'elles ont confirmé. Elles ont dit qu'il était très préoccupé, ajouta-t-elle, le regard sombre. En soi, leurs déclarations sont inutilisables.

— Et pourquoi donc ?

— Au cas où Alizée Durand serait hébergée par l'une de ses amies, celle-ci le nierait devant monsieur Durand, et même devant moi, s'il le fallait. Ou bien elle se trouve justement dans un lieu auquel son mari ne pouvait penser. Peut-être n'a-t-il pas communiqué le nom de toutes ses amies. Peut-être son souhait le plus vif est-il qu'on ne retrouve surtout pas sa femme, déclara-t-elle sur le même ton neutre. Ou bien encore l'histoire est tout autre.

— Très juste, confirma Dupin. La meilleure amie a-t-elle dit autre chose ?

— Elle a dit qu'elle ne pigeait rien à ce qui se passait, que les chamailleries avec son mari étaient normales, qu'il en avait toujours été ainsi. Mais elle a dû convenir qu'elles s'étaient intensifiées l'année écoulée. Les semaines précédant les vacances, cependant, les disputes s'étaient calmées. Si bien qu'elle a pensé que madame Durand allait quand même passer de bonnes vacances.

Dupin écoutait avec attention.

— C'est exactement ce qu'elle a dit ?

— Oui, au mot près.

— Serait-ce possible d'avoir son numéro de téléphone ?

Inès Mahé fit quelques clics avec sa souris. Soudain, le photocopieur s'ébranla et se mit à pétarader.

— Vous avez ici le nom et le numéro de téléphone, annonça-t-elle en tendant une feuille à Dupin.

— Merci.

Il la plia et la rangea.

— Vous avez certainement demandé à monsieur Durand ce qu'ils avaient fait entre jeudi et lundi.

Elle attrapa un cahier à la couverture marron, posé à côté de l'écran, que Dupin n'avait pas remarqué. Elle le feuilleta.

— Je vous en prie !

Elle glissa vers Dupin le cahier ouvert sur une double page.

On y voyait une sorte d'emploi du temps. En haut, les dates, dessous les activités du couple. C'était écrit si petit que Dupin avait du mal à tout déchiffrer. Ce n'était certes pas de la calligraphie, mais pas non plus les gribouillis incompréhensibles dont Dupin était coutumier.

— Vous pouvez recopier ce que bon vous semble.

Dupin n'allait pas se gêner.

D'après les déclarations de Durand, jeudi et samedi, ils avaient pris leur petit déjeuner dans leur chambre, vendredi, dimanche et lundi sur la terrasse. Jeudi, étant donné le mauvais temps, ils étaient partis à Morlaix vers une heure et demie pour faire les boutiques (« deux jeans pour madame Durand ») et pour dîner ; ils étaient rentrés aux alentours de vingt-trois heures à l'hôtel. Vendredi midi, ils étaient à Saint-Brieuc ; vendredi après-midi, étant donné le brusque changement de temps, la chaleur estivale aidant, ils avaient loué un bateau (bateau à moteur, 6,80 m) et fait leur première sortie. Les jours suivants, ils s'étaient rendus après le petit déjeuner à la Grève blanche et vers une heure et demie ils avaient pris un snack dans divers restaurants. L'après-midi, ils partaient en bateau pour pêcher. Ils rentraient à l'hôtel aux alentours de dix-neuf heures. Monsieur Durand a aussi travaillé, passé de longs appels, consulté sa messagerie électronique, participé à une conférence téléphonique (dimanche en début d'après-midi). Pendant ce temps, madame Durand était livrée à elle-même. Par exemple, dimanche après le déjeuner, elle était allée boire un café sur la plage de Coz Pors (où elle avait fait la connaissance de Cardec). Excepté jeudi et samedi (pique-nique sur le bateau, champagne, homard), ils ont dîné à l'hôtel vers huit heures. Jeudi matin (onze heures trente) et samedi matin (dix heures trente), Alizée Durand était allée chez le coiffeur.

Dupin avait tout noté : une journée par page, et encore, c'était serré !

— Merci beaucoup. Je…

Un boucan de tous les diables éclata. Si strident que Dupin mit du temps à comprendre qu'il venait de la sonnerie du téléphone posé sur le bureau d'Inès Mahé. Un appareil filaire… le même que celui qu'ils avaient au commissariat de Concarneau, mais que Dupin possédait dans la variante téléphone du chef : avec plein de touches qu'il n'utilisait jamais.

— Gendarmerie de Trégastel, j'écoute, annonça-t-elle d'un ton calme.

Une voix de femme. Forte. Mais pas assez pour que Dupin comprenne tout ce qu'elle disait.

Inès Mahé écoutait, impassible.

— Un cambriolage, je comprends.

Une réponse à l'autre bout du fil.

— Bien. J'arrive.

De nouveau la voix de femme.

— Je pars immédiatement, oui.

La gendarme mit fin à l'appel. Dupin la fixa.

— Que s'est-il passé ?

— Amorette Abbott. Un cambriolage. Son mixeur a été volé.

— Vous me faites marcher ?

— Ça arrive régulièrement. Un cambriolage a lieu chez elle et quelque chose disparaît. Elle a quatre-vingt-seize ans. Elle vit dans la vallée des Traouïero. Veuve. Son mari est décédé il y a trois ans.

— Vous voulez dire qu'elle change des objets de place et qu'elle croit que quelqu'un les a volés ?

— Non. Elle sait exactement où sont ses affaires. Rien jusqu'ici n'a jamais été volé. Aucun cambriolage n'a jamais eu lieu non plus.

— C'est-à-dire ?

Dupin était abasourdi.

— Elle n'a plus personne. Elle est isolée. Quand la situation devient intenable, elle appelle et déclare qu'on l'a cambriolée.

— Et ?

— J'y vais et nous bavardons. Elle appelle toujours en début de soirée. Comme ça, j'ai le temps. Généralement, on dîne ensemble. Je repars quand elle va se coucher.

Dupin se massa les tempes. C'était à n'y rien comprendre. Et merveilleux. Une de ces histoires singulières – typiquement bretonnes – qui le rendaient sentimental. Des histoires comme celles qu'on trouve dans les films et les livres.

— Elle n'a pas d'enfants. Elle parle du passé, de son mari. De ses amies et de ses frères et sœurs. Qui sont tous déjà partis.

La gendarme racontait cette histoire profondément touchante sur le même ton sec que tout le reste.

— Il lui arrive d'appeler Le Gourlaouen.

— Quoi ? laissa-t-il échapper. Lui aussi marche dans la combine ? Et passe du temps avec elle ?

— C'est la seule chose qui parle en sa faveur. Et peut-être aussi, ajouta-t-elle en ayant l'air de peser le pour et le contre, les durs moments qu'il a traversés.

— C’est-à-dire ?

— Un divorce. Une terrible guerre des Rose.

Dupin aurait préféré ne rien savoir. Quand on n’aimait pas une personne – et Dupin avait toutes les raisons de ne pas apprécier le commissaire –, il était difficile de trouver chez elle un aspect humain. Surtout quelque chose d’aussi touchant. Et d’aussi triste.

— Qu’en est-il de la statue de sainte Anne ? demanda-t-il pour penser à autre chose.

— Avez-vous déjà entendu parler de la fourgonnette ?

— Non.

Encore une information qui ne lui était pas venue aux oreilles.

— Je l’ai raconté à mon oncle. L’infirmière qui a allumé un cierge pour son cousin s’est rappelé plus tard avoir vu une fourgonnette blanche juste devant l’entrée. Nous lui avons montré plusieurs modèles. Il s’agit sans doute d’une Citroën Jumper ou d’une Renault Kangoo.

— Elle stationnait juste devant la porte ?

— Oui.

— A-t-elle fait part d’un indice pouvant désigner ce véhicule comme appartenant au voleur ?

— Non. Je crois qu’il faut que je m’occupe maintenant du cambriolage.

Inès Mahé tapa encore quelques phrases sur son clavier. Dupin aurait bien aimé savoir ce qu’elle faisait. L’ordinateur – un vieux modèle, lui aussi – émettait des sons bizarres, et le système de refroidissement ronronnait bruyamment. La gendarme se leva.

— N’oubliez pas : les copies du dossier d’instruction ne sortent pas d’ici.

Elle avait aperçu le regard que Dupin avait jeté sur le classeur en même temps qu'il se levait à son tour.

Il envisagea de tenter de la convaincre, avant d'y renoncer.

Somme toute, l'entretien s'était bien déroulé. Une bonne relation de travail s'était installée, il n'allait pas la mettre en péril.

— Comme promis, je reviens demain matin.

— Comme vous voulez, répondit-elle en haussant les épaules. Mon collègue Alan sera là lui aussi.

Il devait passer quelques autres appels importants.

Trente secondes plus tard, il avait déjà parlé à madame Riou. Pour lui annoncer sa venue tôt le lendemain matin. Il y attendrait l'agricultrice. Puis Dupin avait demandé à quelle heure arrivait Ellec. Son désir de faire sa connaissance devenait pressant. Il venait tous les matins à neuf heures tapantes. Dupin était satisfait : il avait son programme du lendemain en début de matinée.

Il décida de longer la côte au lieu de traverser le village. Et de faire un crochet par la presqu'île Renote. De la pointe est, on avait, paraît-il, une bonne vue sur l'île de Costaérès et le château de Cardec. Le panorama fantastique embrassait parfaitement la région tout entière. A huit heures, ou peu après, il serait de retour à l'hôtel. A temps pour le pré-apéritif dans le jardin.

Dupin avait quitté la gendarmerie, changé de trottoir et était déjà arrivé à hauteur de la chapelle Sainte-Anne quand, mû par un pressentiment, il fit volte-face et découvrit la Peugeot blanche miteuse qui stationnait tantôt devant le bureau de Viviane Quéméneur. La voiture roulait au pas vingt à trente mètres derrière Dupin, clignotant à gauche, comme si le conducteur cherchait à se garer.

Dupin s'immobilisa quelques instants aussi discrètement que possible. Aucun doute n'était permis : c'était la même voiture.

Bien sûr, ce pouvait être pure coïncidence. Mais Dupin ne le croyait pas. La chose était claire : on le suivait. L'homme au volant l'avait pour cible, lui et pas un autre.

Dupin pensa bondir sur la chaussée et courir vers lui, pour l'affronter.

Mais, s'il se trompait, ce serait un spectacle pénible. Par ailleurs, il valait mieux observer l'homme en toute discrétion. Et découvrir qui il était et ce qu'il voulait.

Dupin se mit à regarder par terre comme s'il avait perdu quelque chose, se pencha, se retourna et reprit sa route. Il ne se retourna plus avant d'atteindre le sentier qui longeait la baie. Il s'arrêta alors et fit semblant d'admirer le paysage. Il bifurqua à droite, en direction de Ploumanac'h. Ce faisant, il jeta un bref coup d'œil par-dessus son épaule.

Rien.

La Peugeot avait disparu.

Il fouilla les alentours du regard. A la recherche d'une voiture ou d'un homme qui aurait pu être le conducteur. En vain.

Peut-être Dupin s'était-il trompé ? Ou bien le type s'était-il rendu compte que Dupin l'avait repéré, et il avait pris la fuite.

Dupin sortit son portable.

Nolwenn mit beaucoup plus longtemps que d'habitude avant de décrocher.

— Commissaire ! Je pars du principe que vous revenez de la plage et que vous avez eu grand plaisir à vous reposer sur votre serviette.

Quelle façon remarquable elle avait de jouer l'innocente !

La liaison n'était pas excellente.

— Un immense plaisir, Nolwenn. Un immense plaisir.

En arrière-fond, on entendait des coups de klaxon. Les grincements d'un moteur. Nolwenn était en voiture.

— Et où allez-vous en cette splendide soirée d'été ?

— Ne faites pas comme si vous ne vous en souveniez pas ! Cela fait des semaines que j'en parle !

Dupin ne savait absolument pas à quoi elle faisait allusion.

— Le festival.

Cela lui était complètement sorti de la tête.

— Ah oui.

Nolwenn se rendait au festival des Vieilles Charrues, le plus grand festival de musique de Bretagne, et même le plus grand festival de musique de toute la France et un des plus grands en Europe. Trois cent mille visiteurs, et un rejeton à New York. Un festival à la Woodstock en plein désert breton, au milieu de l'été, à Carhaix, tous les ans depuis 1995. Bob Dylan, Sting, The Cure, Neil Young, Phoenix, Santana, Bruce Springsteen, Joan Baez, Blues Brothers, Patti Smith, ZZ Top, Bryan Ferry, Deep Purple : tous y ont participé ! En Bretagne ! Sans oublier les jeunes artistes, les petits nouveaux. Et la fine fleur de la musique celtique.

— « Ah oui » me semble bien faible dans ce contexte, commissaire. Je vais écouter Alan Stivell et The Celtic Social Club ! L'année prochaine, il faudra que vous veniez avec moi !

Nolwenn n'attendait pas de réponse. Aussi changea-t-elle illico de sujet :

— Qu'y a-t-il de succulent au menu de ce soir ?

De toute évidence, elle n'imaginait pas une minute que Dupin ait pu remarquer quoi que ce soit de ses manigances. Pourtant, elle devait bien savoir qu'elle avait fait une erreur. Elle n'aurait jamais dû donner son nom au service du cadastre, mais sans doute était-ce le seul moyen d'accéder aux renseignements. Elle avait certainement mis en avant le fait d'avoir enquêté sur cette même affaire un an auparavant. Elle avait inventé un prétexte intelligent.

Dupin savourait la situation :

— Nolwenn, avez-vous réfléchi à l'idée de nous pencher sur Hugues Ellec ? Tous les deux ? Pour le titiller ? Peut-être est-il possible de contester l'autorisation de détruire la dune ?

— Vous êtes en vacances. Nous n'avons rien à voir là-dedans.

Il devait se mordre les joues pour ne pas laisser échapper une des remarques ironiques qui lui traversaient la tête. C'était l'inconvénient de sa stratégie.

— Je dois me concentrer sur la route, j'ai un tracteur devant moi et la circulation en contresens est dense. Pourtant, il faut bien que je double ce monstre.

Dupin entendit le moteur hurler, elle avait passé une vitesse, prête à la manœuvre. Avant qu'il ne puisse répliquer, elle avait raccroché.

Il avait le sourire aux lèvres.

Et composa le prochain numéro. Jean, son ami policier de Paris, aurait, espérait-il, appris quelque chose.

Un moment s'écoula avant que Jean ne prenne l'appel.

— Georges, je viens d'arriver chez moi. Nous avons eu encore un petit problème dans le métro. Nous avons dû…

— As-tu déjà quelque chose pour moi ?

— Attends, je me déchausse.

Quelques bruits difficiles à interpréter, une sorte de grognement voluptueux, des pieds qui traînent, le parquet qui grince.

Entre-temps, Dupin avait atteint la presqu'île Renote qui, ici au sud-est, en direction de la grande baie dont Claire et lui avaient foulé le sol le jour même, possédait une plage splendide. Ti Al Lia. Les sempiternels géants de granit rose, en de hardis amoncellements, bordaient la plage, protégeant la presqu'île qui, à cet endroit, ne s'élevait qu'à un mètre cinquante, à peine, au-dessus de la mer. Entourés par des buissons secs, des pins, hauts, massifs, échevelés par le vent, se dressaient du côté protégé. Des algues d'un noir profond recouvraient la plupart des blocs arrondis qui parsemaient le fond de la mer – une variante intéressante que Dupin voyait pour la première fois.

— Allô, s'annonça Jean, de retour au téléphone. Je me suis servi une bière et j'ai ouvert une fenêtre. L'air stagne horriblement dans l'appartement. Tu sais quelle chaleur on a à Paris ? Où es-tu en ce moment, Georges ?

— Je me promène.

— Tu te promènes ?

Dupin s'abstint de répondre.

— Donc, l'agence immobilière de Durand s'appelle Visions. Il l'a créée en 2003. Une affaire assez importante. Vingt-quatre employés. Biens immobiliers haut de gamme, dont quelques-uns sont à ranger dans la classe « grand luxe ». Ces dernières années, il s'est spécialisé dans des programmes de logements neufs. Il a créé d'autres filiales pour cette activité ainsi que pour le façadisme de bâtiments anciens. Des montages compliqués, pour ne pas parler d'optimisation fiscale. Il y en a seize, dont la moitié au nom de sa femme. Mais elle n'apparaît nulle part comme ayant une activité professionnelle. Ne me demande pas comment j'ai obtenu tous ces renseignements. Je…

— La plupart de ses sociétés appartiennent donc officiellement à sa femme ?

Un silence – dû à une gorgée de bière, supputa Dupin.

— Des astuces légales. Ça fait partie des combines les plus simples et les plus anciennes.

— Ont-ils un contrat de mariage ?

— Très probablement. A ce niveau de fortune, tous en ont un.

— Depuis combien de temps sont-ils mariés ?

— Aucune idée.

— Où se trouvent ses bureaux ?

— Dans le XVe arrondissement. 33, rue Frémicourt. Le couple habite rue du Théâtre, juste au coin.

— J'ai parlé avec un autre agent immobilier du XVe, qui connaît un peu Durand. Renvoi d'ascenseur.

Le bon vieux système des services rendus ; rien de plus fiable pour le travail de la police.

— As-tu entendu quelque chose sur la situation privée du ménage ?

— Un couple tordu, très querelleur, mais rien de plus.

— Et sur madame Durand en particulier ?

— Rien. La police n'a rien sur elle. Une oie blanche. Sur Hervé Durand non plus il n'y a rien. Il n'a jamais fait parler de lui, que ce soit sur le plan privé ou professionnel. Je n'ai rien de plus pour toi. Et j'ai fini ma bière.

— Pourrais-tu découvrir d'une façon ou d'une autre si les sociétés ont été mises au nom de madame depuis leur création ? Et depuis combien de temps ils sont mariés ?

Inès Mahé le saurait peut-être, mais alors ce serait seulement grâce à monsieur Durand. Dupin préférait obtenir des informations de source sûre.

— Comment veux-tu que je fasse ? Je n'ai aucune légitimité pour poser ce genre de questions ; je suis en dehors des clous.

Dupin n'eut aucune réaction. Un long silence s'abattit.

Jean soupira. Il savait à quel point Dupin pouvait être têtu.

— Bon, d'accord. Te voilà en dette envers moi. Et je sais déjà comment tu peux la rembourser.

— Ce que tu veux !

— Nous avons une de ces affaires absurdes. Une piste conduit jusqu'à vous, à l'autre bout de la terre. Dans la forêt de Brocéliande. Il faudrait mener quelques petites conversations. Je n'ai aucune envie de me déplacer en province juste pour ça.

— Je suis encore en vacances toute la semaine prochaine.

— Aucune urgence, Georges. Vas-y plus tard.

Ce ne serait pas la mer à boire, la forêt légendaire était à mi-chemin entre ici et Rennes.

— Entendu.

— Bien. Je me charge de tes questions. Et je te rappelle.

— Un dernier point. Cette femme qu'on a retrouvée morte dans la carrière, elle s'appelle Virginie Inard et viendrait de Bordeaux. Mais on ne trouve pas sa trace là-bas. J'aimerais savoir si par hasard elle ne serait pas portée disparue à Paris.

Il n'avait pas oublié que d'après la femme de chambre, elle aurait eu l'accent parisien.

— En cherchant sur Internet, tu trouveras son portrait-robot paru en première page d'*Ouest-France* et du *Télégramme*. Trente-cinq, quarante ans, un mètre soixante-dix environ, cheveux longs et châtains.

— D'autres détails ?

— Non.

— En contrepartie il faudra que tu rédiges des rapports sur les entretiens. Et tu seras encore mon débiteur.

Dupin soupira à son tour.

— D'accord.

— Je vais maintenant m'offrir une autre bière. Au revoir, Georges.

Dupin remit son portable dans la poche de son pantalon.

La bande de sable rose de Ti Al Lia, qu'il avait parcourue, était allée en s'amincissant. Il était arrivé au bout.

Dupin devait trouver un chemin passant entre les géants de pierre rose pour atteindre le faîte de l'île, qui ici s'élevait à trois ou quatre mètres de hauteur. Très serrés, ils formaient un large mur jusqu'à la berge. En fait, les rochers semblaient inoffensifs, mais depuis qu'il avait tourné en rond dans l'aquarium l'après-midi même, Dupin restait sur ses gardes. A l'ouest, le soleil était encore bien au-dessus de l'horizon, mais de longues ombres recouvraient déjà les géants de granit. Les côtés ensoleillés scintillaient et étincelaient de millions de cristaux tel un diamant brillant de tous ses feux.

Dupin chercha le chemin le plus facile. Il marcha le long d'un colosse rose. Arrivé au bout, on ne pouvait que tourner à droite. Dupin s'avançait vers un haut rocher dont une des extrémités possédait une sorte de toit rejoignant un autre rocher aux arêtes vives, ouvrant un passage bas de plafond. Il hésita avant de s'en approcher. Il se courba. On aurait dit un porche. Qui lui permettait de poursuivre sa route.

Il s'y glissa. Il déboucha au milieu d'une grande salle en pierre, invisible de l'endroit où il s'était tenu, de l'autre côté. Il ne pouvait pas aller plus loin.

Dupin s'immobilisa. Un étrange frisson lui parcourut le corps. Tout à coup, ce dédale de pierre ne lui semblait plus si inoffensif. Il se secoua. C'était totalement absurde. Quel scénario était-il en train d'imaginer ! Il se trouvait au cœur du monde réel et n'avait rien d'autre à faire que de contourner quelques blocs de granit. Aussi imposants fussent-ils, ce n'étaient que de simples rochers sur une plage.

Soudain, il aperçut un étroit passage, presque en face de lui – il aurait mis sa main à couper qu'il n'y était pas quelques instants plus tôt. Sans l'ombre d'une hésitation, il s'y faufila en se faisant tout mince et se retrouva sur un sentier de terre qui montait vers le mamelon de l'île à travers d'épais fourrés. Encore dix mètres et il était arrivé.

Sur le flanc nord de l'île, il y avait d'épaisses broussailles aux feuilles blanchâtres, mais surtout de vastes étendues de fougères qui montaient à hauteur de poitrine. En leur sein s'épanouissaient des graminées vert clair et de mystérieuses mares vertes où vivaient peut-être des elfes lilliputiens. Des pierres roses émergeaient ici et là de tout ce vert.

Arrivé en haut, Dupin regarda les blocs de granit à travers lesquels il avait réussi à se frayer un chemin.

Il inspira.

Tout à coup il marqua un temps d'arrêt. Il avait entraperçu quelque chose entre les rochers. Un mouvement. Quelque chose de blanc. Qui avait vite filé derrière un énorme bloc. Il avait aussi entendu un son, bien que faible.

Instinctivement, il mit sa main à sa hanche droite. Pour rien. Il était en vacances. Sans son arme de service.

Dupin resta cloué sur place et fixa du regard le bloc de granit sur la plage.

Trente secondes passèrent. Une minute. Deux. Trois. Il en était certain : quelqu'un se cachait là-bas. Ce n'était pas un mirage.

Peut-être le conducteur de la Peugeot. Il portait un vêtement blanc, une chemise ou bien un tee-shirt.

Plusieurs minutes s'écoulèrent. S'il s'agissait de savoir qui tiendrait le plus longtemps, Dupin gagnerait. Mais la personne, un homme, était peut-être déjà partie, obliquant vers la gauche. Dupin allait rester là comme un idiot, changé en statue de sel fixant un rocher – pendant que son poursuivant se rapprocherait par un autre côté. Peut-être pataugeait-il dans l'eau qui arrivait aux genoux, se dirigeant vers la pointe de l'île, et grimperait-il ensuite sur les rochers.

Il scruta minutieusement la côte en direction de la pointe, uniquement constituée d'un âpre chaos de pierre. Une des formations ressemblait à une énorme tête de dragon.

Il attendit encore quelques minutes.

Puis il reprit son chemin, tendu. La sensation bizarre n'avait pas disparu. Si quelqu'un lui voulait du mal, et était même armé, il serait livré à lui-même, il n'y avait pas âme qui vive à des kilomètres à la ronde. Mais peut-être tout cela n'était-il que le fruit de son imagination.

Dupin suivait le sentier. On aurait dit que celui-ci contournait le chaos de pierre à l'extrémité de l'îlot avant de déboucher sur le chemin menant à leur plage.

Il marcha d'un pas décidé. Il ne voulait pas donner l'impression de se sentir en danger. De toute façon, il était capable de sortir vainqueur d'un combat. Il était bien bâti, rapide et adroit.

Dupin se sentait à chaque pas plus libéré. Bientôt il serait assis à côté de Claire dans le jardin.

Il sortit son portable et le papier plié où était noté le numéro de l'amie de madame Durand.

Il tenta de se concentrer sur les questions qu'il voulait lui poser tout en observant les alentours.

On décrocha immédiatement.

— Allô ?

— Bonjour, madame, vous vous êtes déjà entretenue hier avec madame Mahé de la gendarmerie ; je sors de son bureau où je viens de parler avec elle.

Une entrée en matière quelque peu alambiquée pour lui faire savoir qu'il était de la police sans avoir à lui donner son nom.

— J'aimerais savoir quelques petites choses sur madame Durand, poursuivit-il sur un ton un peu brusque dans l'espoir qu'elle renoncerait ainsi à lui poser des questions.

— De moi ? s'étonna-t-elle, confuse. Mais j'ai tout dit à la police. Que voulez-vous savoir de plus ?

La tactique de Dupin avait fonctionné.

— Seulement quelques détails. Nous savons que votre amie et son mari se disputaient souvent.

Dupin s'était immobilisé et avait tourné sur lui-même. Rien de suspect.

— J'en ai déjà parlé à votre collègue. Cela fait partie de leur relation depuis les premiers jours. Mais cela ne veut pas dire qu'ils ne s'aiment pas.

— Diriez-vous qu'Alizée aime son mari ?

— Même si c'est un abruti et que je ne comprends pas pourquoi, elle l'aime, oui.

— Vous ne paraissez pas avoir une bonne opinion de monsieur Durand.

— Je ne peux pas le supporter.

— Pensez-vous qu'il aime votre amie ?

— Aucune idée. Je répète à Alizée qu'il ne pense qu'à lui.

— Vous avez dit à ma collègue qu'ils s'étaient moins disputés ces dernières semaines. Bien que la situation ait empiré pendant l'année.

— Possible.

— Que vouliez-vous dire ?

— Nous avons dîné ensemble deux fois ces derniers temps. Une fois à trois il y a environ six semaines, une fois à quatre il y a deux semaines. C'est comme ça que je m'en suis aperçue.

— Pendant ces soirées, les disputes vous ont semblé moins nombreuses ?

Cette question taraudait Dupin sans qu'il sache pourquoi.

— En quelque sorte, oui.

— Vous a-t-elle confié quelque chose à ce propos ?

— Non. Qui est à l'appareil, s'il vous plaît ?

Cela n'avait donc pas fonctionné. Dupin devait improviser.

— Je suis un collègue d'Inès Mahé.

— Et quel est votre nom ?

Pourquoi était-elle devenue soudain si méfiante ? Il se dépêcha de sortir son carnet et le feuilleta.

— Alan Le Besco. Gendarmerie nationale de Trégastel.

Dupin avait parlé sur le ton le plus officiel qui soit. Et très vite afin qu'au mieux, elle ne se souvienne pas du nom. Il embraya, voulant éviter qu'un silence ne s'instaure.

— Est-ce qu'Alizée Durand a déjà trompé son mari ? Eu une liaison ?

Se présenter comme le collègue de Mahé c'était une manœuvre à haut risque. Mais il n'avait pas eu d'autre idée.

— Ça aussi, je l'ai déjà dit à votre collègue, s'emporta-t-elle tout en paraissant se satisfaire de l'identité que Dupin lui avait donnée. Non ! Elle n'est pas comme ça. (Elle eut un moment d'hésitation.) Même si elle donne une autre image d'elle, je veux dire par son allure. A cause de la façon dont elle s'habille. Elle a toujours été fidèle. C'est une femme sérieuse.

— Est-ce qu'il lui arrive de flirter ? Comme ça, par jeu ?

— Non.

— Vous devez nous dire la vérité, madame, insista Dupin sur un ton grave et pressant. Un éventuel amant a-t-il pu jouer un rôle dans la disparition de votre amie ?

— Non, répondit-elle sur un ton désespérément ferme sans, toutefois, pouvoir cacher une certaine inquiétude.

— C'est une affaire d'une extrême gravité. Un meurtre est même envisageable. Vous vous rendez complice si vous dissimulez des informations ou si vous faites de fausses déclarations.

Il était conscient qu'il recourait à des moyens extrêmes. Mais l'enjeu était trop important. Peut-être voulait-elle juste protéger son amie.

Dupin avait entre-temps rejoint le chemin circulaire. Il verrait bientôt, à droite, la plage où Claire et lui se rendaient tous les jours.

— Alizée n'a pas d'autre homme dans sa vie. Et cela ne l'intéresse pas.

— Elle a été vue avec un play-boy dans un bar, la nuit avant sa disparition. Et ils roucoulaient à qui mieux mieux.

Un long silence.

— Elle n'a pas de liaison, répliqua-t-elle d'une voix ferme.

— Savez-vous depuis combien de temps ils sont mariés ?

— Depuis cinq ans. Ils se sont mariés du jour au lendemain, ils s'étaient rencontrés quelques mois plus tôt. Il l'a soufflée à la barbe de son concurrent le plus coriace. Un type douteux dans l'immobilier du VIIe arrondissement, avec qui Alizée est sortie un temps. Pour Durand, elle était une sorte de trophée.

— Savez-vous qu'une bonne partie des sociétés d'Hervé Durand sont au nom de sa femme ?

— Je ne m'intéresse pas à ce genre de choses.

— Le saviez-vous ?

— Nous ne parlons jamais des affaires de son mari. Cela n'intéresse pas Alizée. Et moi encore moins.

— Elle n'en a jamais dit un mot ?

— Non, répliqua-t-elle, énervée cette fois-ci.

Dupin allait arriver à l'hôtel dans quelques minutes. Ce soir-là, l'univers de granit flamboyait dans les tons orangés.

— Et monsieur Durand, a-t-il une liaison ? (Une éventualité à ne pas négliger.) Avez-vous entendu parler d'autres femmes ?

— Alizée n'a jamais rien dit à ce sujet. Et, croyez-moi, elle l'aurait fait. Et si cela était le cas, elle n'en a rien su. Car sinon, elle l'aurait tué.

— Bien, conclut Dupin. Est-ce qu'un détail vous est revenu en mémoire depuis que vous avez parlé avec madame Mahé ? Même un petit détail à première vue anodin pourrait avoir de l'importance.

— Non.

— Alors, je vous remercie, madame. Une dernière question. Quelle serait, d'après vous, la raison pour laquelle ils se disputaient moins ces dernières semaines ? A partir de vos observations lors de ces deux soirées.

Elle parut réfléchir. Un moment s'écoula avant qu'elle ne réponde :

— Peut-être était-ce de son fait. Il est possible qu'il ait fait en sorte que cela n'arrive pas. Mais je n'en suis pas sûre.

— Et au sujet du lieu où Alizée Durand pourrait se trouver, rien de neuf ne vous est venu à l'esprit ?

— Non, rien du tout.

— Je vous remercie encore une fois. Bonsoir, madame.

— Bonsoir.

Dupin attaqua la dune en pente douce qui séparait leur plage de la suivante. Au sommet, le mamelon formait une sorte de mur de sable à travers lequel on avait creusé le sentier. L'anse de fin sable blanc était quasi vierge de rochers roses mais bornée par des formations plus imposantes : *le tas de crêpes*, par exemple – un vrai tas de crêpes, Claire en avait même compté six.

Il était presque vingt heures. Dupin serait à l'heure.

Il pressa le pas. Il avait hâte de boire un verre de ce merveilleux quincy. Mais il avait surtout faim. Il en serait de même pour Claire, certainement.

Dupin était sur le point de quitter la belle plage lorsqu'une pensée lui vint à l'esprit. Le terrain se prêtait à merveille à une telle manœuvre.

Il voulait vérifier si ses sens lui avaient joué un tour ou si quelqu'un le suivait. Ainsi saurait-il à quoi s'en tenir.

D'un bond, il se mit à courir à grandes foulées jusqu'au tas de crêpes.

Il l'atteignit hors d'haleine. Et se cacha derrière. L'endroit lui offrait un excellent poste d'observation.

Il scrutait le chemin creux qui serpentait dans la dune.

Bingo ! Très vite, il le vit. A quelque soixante-dix mètres de lui.

Un homme vêtu d'un tee-shirt blanc, grand et sec, cheveux coupés ras. Il fouillait du regard le chemin et, comme il n'y voyait plus personne, se mit à accélérer le pas. Les derniers doutes de Dupin s'envolèrent : l'homme était bien à sa poursuite.

Dupin ne tergiversa pas, il partit comme une flèche vers l'homme.

Celui-ci mit quelque temps avant de l'apercevoir et de piquer un sprint à son tour. Dupin se donna à fond. Il devait le rattraper.

Mais la distance était trop grande.

A présent, l'homme courait le long de la promenade de Coz Pors. Les hôtels, les bars, les restaurants, le centre de thalassothérapie.

Dupin était à bout de souffle.

Peu après les quatre cahutes de vente de billets, Dupin s'arrêta. Il avait perdu sa trace. Les terrasses ainsi que la promenade étaient bondées. Le terrain était sans visibilité. Il y avait des dizaines de cachettes possibles.

Dupin n'avait aucune chance.

— Merde !

Il avait juré sans retenue. Deux couples distingués qui flânaient le long de la promenade, plongés dans la merveilleuse atmosphère du soir, sursautèrent et le dévisagèrent, indignés.

Quelqu'un le filait vraiment, ce n'était pas une vue de l'esprit.

Marmonnant des jurons, Dupin rebroussa chemin.

Il voyait déjà le portail qui s'ouvrait sur le jardin de l'hôtel quand deux hommes surgirent devant lui. Tenue en gore-tex beige, affublés de casquettes multicolores et sacs au dos, l'un grand et un petit trapu, tous deux avec des jumelles autour du cou.

— Ah, quelle joie de vous rencontrer, cher collègue ornithologue ! Ainsi en va-t-il de notre petit monde de passionnés, on se croise obligatoirement dans les paradis pour ornithologues !

La sueur perlait au front de Dupin, il respirait bruyamment. Il ne savait pas de quoi parlait l'homme – le plus petit, qui semblait victime d'une insolation. Mais Dupin avait l'impression d'avoir déjà rencontré les deux marcheurs. L'homme ne se tenait pas de joie.

— Etes-vous déjà allé voir les fous de Bassan ? C'est incroyable : 16 745 couples ! Tout le monde veut voir les macareux, mais ici les vraies stars sont les fous de Bassan ! Une île entière en est remplie ! Ils sont monogames. N'est-ce pas étonnant ? Grâce à leur envergure mesurant jusqu'à deux mètres, ils peuvent se jeter dans la mer d'une hauteur vertigineuse et plonger jusqu'à quinze mètres pour attraper des harengs qui nagent dans le fond ! Nous vous recommandons le *Fanfan*, un petit bateau qui est réservé à notre usage exclusif, dingues que nous sommes. Il nous prend au coucher du soleil, précisa-t-il en clignant de l'œil d'un air de conspirateur. Et il attend le temps qu'on veut. Mais vous le savez, bien sûr, dit-il avec un rire étrangement grave.

Un plein d'informations d'une absurdité sans nom.

Tout à coup, Dupin comprit : l'affaire du sel. Il les avait rencontrés pendant son enquête dans le golfe du Morbihan. Déjà à cette époque, les deux ornithologues lui avaient rebattu les oreilles avec leurs pluviers et alcidés. Sans prendre le temps de respirer, exactement comme aujourd'hui. C'était bien eux, aucun doute.

Le plus petit se gratta le front.

— Vous étiez accro aux « petits pingouins » ! Je m'en souviens ! Vous avez déjà dû rendre visite depuis longtemps à vos chouchous sur les Sept-Iles.

Puis, affichant une mine sérieuse, il poursuivit :

— Si on ne savait pas que les amateurs d'oiseaux étaient des êtres doux et pacifiques, il y aurait de quoi se poser des questions ! Vous êtes toujours là où se passent les crimes les plus terribles ! Hautement suspect !

Il éclata de rire, imité par son compagnon.

— Ce serait une bien belle affaire. Un ornithologue se sert de ses escapades pour commettre des crimes ! Une couverture parfaite !

Tout à coup, l'homme ouvrit de grands yeux, comme si ses propres pensées l'avaient effrayé.

— Bon, eh bien, nous devons poursuivre notre chemin, conclut-il en tentant de retrouver son rire. Au programme d'aujourd'hui, nous avons encore les cormorans huppés !

Le grand hocha la tête frénétiquement, il n'avait pas encore fait entendre le son de sa voix.

Ils avaient maintenant l'air pressés.

— A la revoyure !

En un clin d'œil, ils disparurent.

Dupin s'ébroua. Puis il se mit lentement en route, respirant à grands traits, franchit le portail d'un pas mesuré et suivit le chemin qui menait à l'hôtel.

Depuis sa conversation avec Nolwenn, un petit quelque chose n'avait cessé de le titiller. Cela lui revint à la conscience : l'avait-elle mené en bateau ? Etait-il si naïf ?

Il n'aurait pas besoin de plus d'une minute.

Il sortit son portable et s'adossa à un des gros rochers de granit du jardin.

Le téléphone sonna plusieurs fois avant que le lieutenant ne prenne l'appel.

— Patron, commença-t-il sur un ton contrit, vous savez bien que je ne peux rien faire pour vous.

— Le Ber, où se trouve Nolwenn ?

— Nolwenn ?

— Oui, elle a dû partir il y a quelque temps. En voiture. Où se rend-elle ?

— Mais vous le savez bien ! Elle va au festival où se produisent ses groupes préférés…

— Elle y va vraiment ? Vous en êtes certain ?

— Parce que vous croyez qu'elle raterait ça ? Qu'est-ce qui vous fait croire une chose pareille ?

Le Ber paraissait désorienté.

— Le Ber, je parle sérieusement ! Dites-moi la vérité !

En fait, son lieutenant lui avait paru tout à fait sincère, mais…

— Je… je vous dis la vérité. C'est tout ce que je sais.

— Ah, triompha Dupin. Alors vous ne savez peut-être pas ce qui se trame !

— Je vous jure, s'écria Le Ber en proie à un véritable désarroi, je sais seulement qu'elle est partie pour Carhaix.

Dupin se mit à réfléchir. Il croyait Le Ber. Nolwenn agissait de son propre chef, il n'y avait pas d'autre explication. Elle avait pris la route de Trégastel sans en avoir parlé à personne, pour se lancer dans ses propres investigations. Elle avait une mission. Dans un tel cas, elle était capable de tout. Ou bien, se dit aussi Dupin, il exagérait et était victime d'hallucinations. Cependant, il n'avait pas inventé l'homme qui le filait !

— Comment se passent vos vacances, patron ? Avez-vous déjà eu le temps de tout apprendre sur les particularités de la roche de la région ? Il y a des choses passionnantes à son sujet.

Un saut du coq à l'âne typique, pensa Dupin. Le Ber ne savait pas quoi dire. Alors il retrouvait son réflexe très personnel – et très breton : raconter des histoires.

— Je ne parle pas seulement du granit rose. Non. Certaines parties du sol que vous foulez appartiennent aux plus anciennes roches de France, et de loin : elles ont plus de deux milliards d'années. Le premier morceau de terre française était breton ! C'est avec la Bretagne que tout a commencé.

Dupin ne put empêcher que des émotions quasi sentimentales le submergent pendant qu'il écoutait ; alors qu'il était au milieu d'un sac de nœuds, son lieutenant lui manquait, pour son soutien et ses longues digressions – aussi bizarre cela puisse-t-il paraître.

— La terre originelle affleure à cinq endroits au nord, dont Trébeurden-Trégastel. Mais là, tout remonte à la nuit des temps. Le Massif armoricain, qui s'étend de la Normandie jusqu'au-delà de la Bretagne et qui avec ses neuf mille mètres dépasse l'Himalaya, est apparu il y a six cents millions d'années ! Sans doute représente-t-il la chaîne de montagnes la plus haute de tous les temps ! Et elle est bretonne ! Sans oublier les phénomènes les plus spectaculaires qui se sont déroulés le long de la côte il y a trois cents millions d'années, lorsque les puissants cycles géologiques ont fait remonter à la surface trois énormes roches magmatiques de granit rose. Elles sont apparues une fois que les monts du massif ont été exposés à l'érosion. C'est là qu'elles sont encore. Le bloc de granit de Ploumanac'h, qui s'étire sur plus de huit kilomètres, est le plus impressionnant.

Le Ber fit une pause comme s'il attendait que Dupin s'immisce dans la conversation, sa voix avait semblé hésitante, son enthousiasme quelque peu factice.

En revanche, Dupin n'avait pas écouté grand-chose de l'exposé. Il s'interrogeait encore au sujet de

Nolwenn. Ses suppositions avaient-elles lieu d'être ? Que pouvait-il entreprendre pour en avoir le cœur net ?

— La couleur exceptionnelle, continuait de débiter Le Ber, est due en grande partie (plus de 50 %) à la présence d'oxyde de fer (hématite) dans le réseau cristallin du feldspath alcalin dont le grain est plurimétrique ; le reste est composé de quartz gris clair ou gris foncé, de mica sombre, un minéral mafique, qui rehausse par contraste l'effet du rose. Observez bien cette géologie lors de vos promenades, regardez…

Le Ber s'interrompit de lui-même.

— Nolwenn m'a demandé de vous raconter de longues histoires, patron, au cas où vous me téléphoneriez, afin que je ne cède pas à votre pression, expliqua-t-il sur un ton navré, suivi d'un soupir contrit. Mais je n'ai pas le cœur à ça. Au fait : le commissaire de Lannion a appelé Nolwenn pour lui dire que vous faisiez votre propre enquête en dépit de l'interdiction. Et qu'il s'en plaindrait auprès du préfet.

Le pouls de Dupin s'accéléra.

— Il s'est plaint seulement de moi ? Pas de Nolwenn ? C'est elle qui vous l'a dit ? Qu'il ne s'était plaint que de moi ?

Le Ber ne risquait pas de comprendre un traître mot de ce que racontait Dupin.

— Oui. Si je vous aidais, je vous mettrais encore plus en difficulté, c'est ce qu'elle a dit. A la fin, nous vous perdrions, car cela pourrait vous valoir une mise à pied.

On avait sorti l'artillerie lourde. La façon dont Nolwenn mettait le lieutenant sous pression était monstrueuse. En revanche, elle n'avait pas tort en rappelant la menace qui pesait sur lui.

— D'accord, Le Ber, je comprends.

Il n'allait pas fourrer son subordonné dans le pétrin.

— Alors, à plus tard.

— A bientôt, patron. Soyez prudent.

Dupin se détacha du rocher contre lequel il était adossé. Cinquante pour cent feldspath, comme il le savait désormais.

Il regarda l'heure. Vingt heures vingt.

Il avait fini par être en retard.

— Alors, chérie, ces pierres chaudes, c'était comment ?

Claire était allongée sur le transat jaune. A côté, posé sur un petit tabouret, un verre à cocktail vide. Et deux coupelles avec des miettes de chips.

Les yeux fermés, elle respirait profondément.

Elle eut un léger sursaut quand Dupin lui adressa la parole.

— Sensationnel. Des pierres chaudes après le massage, il n'y a pas meilleur. Ma nuque n'a jamais été aussi souple.

Ostensiblement, elle remua la tête dans un sens et dans l'autre. Dupin vit des taches rouge vif à gauche et à droite de sa nuque. De toute évidence, elle avait réellement reçu ce soin, mais rien ne disait qu'elle n'avait pas eu la clinique au téléphone dans le même temps.

— Que puis-je vous servir, monsieur ?

Une des sympathiques serveuses était apparue, débarrassant le verre vide et les coupelles.

— Une bouteille de quincy bien frais. Et encore deux coupelles de chips, s'il vous plaît, ainsi que des olives, ajouta-t-il en jetant un œil sur le tabouret.

— Bien, monsieur.

— Avec quelques morceaux de baguette, s'il vous plaît.

— Je vais reprendre un Manhattan, s'empressa d'ajouter Claire. Puis nous irons dîner.

Elle regarda Dupin et lui sourit.

— Je meurs de faim. Tu as récupéré ta carte de crédit ?

— Ma… commença Dupin. Oui, bien sûr. Ma carte est de nouveau dans mon portefeuille.

Un dangereux faux pas. Comment pouvait-il être aussi stupide ?

— Et tu es allé aussi boire un verre dans le bar ?

— Oui. Le bar est fantastique. J'ai bu un petit café, déclara-t-il en regardant Claire droit dans les yeux. Et une petite bière. Puis je suis rentré en passant par la presqu'île Renote. Un rêve.

Détail intéressant et révélateur : Claire ne poussa pas ses investigations plus loin.

— En attendant mon massage, j'ai lu dans une revue un article sur la disparition des cocktails classiques. Cela m'a rappelé le Manhattan qu'autrefois j'aimais tant boire, raconta-t-elle en s'étirant. C'était une journée splendide, tu ne trouves pas ? Nous avons vu beaucoup de choses. Quelle région fantastique !

Claire laissa sa phrase en suspens quelques instants. Puis elle poursuivit :

— Mais j'ai besoin que demain soit de nouveau une journée d'oisiveté à la plage. Sinon, les vacances risquent de dégénérer en grosse fatigue.

Raffiné. Claire savait pertinemment qu'il ne tenait pas longtemps allongé sur la serviette de plage, et qu'elle bénéficierait ainsi de longues heures tranquilles. Et d'une excellente réception.

— Ça m'a l'air parfait, répliqua-t-il en entrant dans son jeu.

— Tu pourras alors reprendre tes petites balades, t'occuper de tes affaires, dit-elle avec un sourire que Dupin trouva perfide.

Que savait-elle réellement des affaires dont il s'occupait ? Avait-elle lancé ces mots pour qu'ils mettent tous deux cartes sur table ?

— Vos consommations !

La serveuse n'avait pas traîné. Elle posa habilement un petit plateau avec leurs verres.

D'un geste d'une rare rapidité, Claire se saisit de son cocktail.

— A nous ! A nos vacances ! Au farniente, Georges.

Le verre était frappé. Il avait hâte d'avaler la première gorgée.

— A nous ! A nos vacances ! Au farniente, répéta-t-il mot pour mot sur un ton neutre.

Claire avait donc décidé de laisser la situation en suspens. Cela lui convenait parfaitement.

Les verres tintèrent doucement lorsqu'ils les entrechoquèrent. Un léger tintement plein de promesses.

Claire s'allongea, sirota son verre.

Dupin l'imita, s'installant confortablement sur sa chaise longue. Le quincy était à se damner. Merveilleusement frais, avec un soupçon de mandarine et de pistache.

Il ferma les yeux en avalant une deuxième longue gorgée.

Claire, le vin, le jardin paradisiaque, à ce moment précis, tout lui parut très loin de lui.

Douze minutes plus tard exactement – ou plutôt : deux coupelles de chips, une coupelle d'olives, quelques morceaux de baguette et un autre verre de quincy plus tard –, Claire et lui étaient à leur table sur la terrasse. Si, lors de la course-poursuite, l'infini chaos de rochers roses avait exercé comme une lourde menace, ils formaient dorénavant une protection rassurante, une forteresse lumineuse, un décor spectaculaire. Dupin avait déjà vécu à plusieurs reprises ce retournement soudain des sensations – une force mystérieuse semblait sourdre de cette roche si singulière.

L'annonce du menu offrait elle aussi des visions de rêve : crème de chou-fleur au foie gras en entrée, puis des crevettes du littoral avec une mayonnaise maison, suivies d'un magret de canard grillé. Et l'apothéose : des profiteroles aux framboises.

La pensée lui vint subitement à l'esprit :

— Est-ce que Nolwenn t'a appelée ces jours derniers ?

Peut-être Nolwenn avait-elle mis Claire dans la confidence, même si c'était hautement improbable.

— Et voilà !

La serveuse se tenait devant eux, prête à servir l'entrée.

Sans attendre, Dupin plongea la fourchette dans la crème mousseuse. Il ne se rappelait pas avoir jamais eu un tel appétit.

— Nous parlerons plus tard de cette maison que tu as trouvée, Georges. Quand ce sera le bon moment.

Claire n'avait pas répondu à sa question sur Nolwenn mais elle avait évoqué comme en passant ce sujet qui tenait tant au cœur de Dupin. Le message était équivoque, toutes les interprétations étaient possibles. Il reposa sa fourchette.

— D'accord, nous verrons, commenta-t-il en scrutant Claire droit dans les yeux. Je voulais seulement…

— Monsieur Dupin ! Monsieur Dupin !

Bellec. Qui essayait de rester calme et maître de lui. Un demi-mètre le séparait de leur table. Une impression de déjà-vu.

Claire le regardait comme une apparition.

— Un appel pour vous ! annonça Bellec, qui avait du mal à se maîtriser. Votre mère, de Tahiti.

— Ma mère ? A Tahiti ? Vous voulez dire à la Jamaïque, j'espère !

C'était au tour de Bellec de regarder Dupin, l'air déconcerté.

— La Jamaïque ?

Dupin devait couper court sans tarder. Il se leva d'un bond.

— J'arrive. J'ai éteint mon portable, c'est pour ça qu'elle a appelé sur votre numéro de fixe.

Claire n'avait pas l'air de s'intéresser aux explications de Dupin.

— Vas-y ! Elle appelle de la Jamaïque, cela doit lui coûter une fortune !

Alors qu'il quittait la table, Dupin lança un regard de regret à son entrée ; quelques instants plus tard, il se trouvait en compagnie de Bellec dans l'étroit vestibule. L'hôtelier le tira littéralement dans la pièce de réception.

— Tahiti, Jamaïque, quelle importance ! La police a arrêté Maïwenn Guillou ! explosa-t-il. Il y a une demi-heure.

— Guillou, murmura Dupin.

La nouvelle ne le surprit pas. Si l'enquête du commissaire lannionnais n'était pas plus avancée que cet après-midi et eu égard à la menace grandissante qui planait au-dessus de Viviane Quéméneur, cette arrestation était une des rares options dont disposait la police. Une mesure primaire, c'était indubitable, mais néanmoins une mesure. Le commissaire s'octroyait ainsi un peu de répit, car tout le monde attendait de lui des résultats. Qu'il agisse vite. Dupin connaissait la chanson. Il était également possible que le commissaire possède une information qui l'avait amené à prendre une décision aussi radicale.

— Où l'emmène-t-on ? A Lannion ?

— Elle y est sûrement déjà. Inès a appelé son oncle et lui m'a appelé, afin que je vous mette au courant.

— Elle l'a formulé comme ça ? Afin de me mettre au courant ?

— Oui.

Dupin était satisfait.

— Qu'en pensez-vous, commissaire ?

Dans la question de Bellec vibrait une indéniable curiosité.

— Je n'en pense rien du tout.

Il n'était pas question qu'il s'adonne à des spéculations.

— Inès Mahé n'a pas dit que la situation avait changé ?

— Non.

Cette communication par la bande laissait toujours une marge d'erreur.

— Hum. C'est tout ? C'était là tout l'appel de ma mère ?

— Oui.

Bellec avait l'air déçu. Il semblait avoir escompté une autre réaction.

— C'est quand même un tournant spectaculaire, vous ne trouvez pas ? J'ai aussi parlé avec nos amis du Castel Beau Site. Ça n'a pas été une mince affaire de les avoir au téléphone. La victime, madame Inard, avait réservé la chambre pour huit nuits. Pas pour sept. Même si on parle d'« une semaine ».

— Tout était donc dans les règles.

— Oui. Elle devait partir mercredi. Hier. Pour répondre à votre deuxième question à propos des fréquentations de l'hôtel : ni monsieur Ellec, ni Maïwenn Guillou, ni Jérôme Cardec n'y ont été vus ces dernières semaines. Madame Quéméneur non plus. Et aucun n'est entré en contact avec madame Inard, m'ont dit les propriétaires. Donc rien d'inhabituel ne leur a sauté aux yeux.

— Je retourne à mon entrée, grommela Dupin.

Il n'avait pas voulu être aussi brusque. Mais la faim le taraudait et le rendait grincheux.

— C'est vraiment dommage que vous ne puissiez pas voir Maïwenn Guillou demain matin, s'inquiéta Bellec.

L'appel que Dupin avait passé à la marchande de journaux avait fait le tour… Il avait cessé depuis belle lurette de s'en étonner.

Trente secondes après, il était de nouveau attablé.

— Qu'est-ce que ta mère a dit ? Il s'est passé quelque chose ?

— Tout va bien. Elle se porte à merveille.

Dupin pouvait enfin savourer son entrée. Bien qu'il ne fût pas un amateur inconditionnel de chou-fleur, il trouvait l'émulsion succulente.

— Pourquoi a-t-elle appelé ?

— Pour dire qu'elle allait bien.

— Elle avait pourtant dit qu'elle n'avait pas l'intention de téléphoner.

Flûte. Encore une bourde. Dupin avala une longue rasade de vin et fit signe à la serveuse pour qu'elle apporte une autre bouteille.

— Qu'importe ! Le principal est que tout aille bien ! conclut Claire, à son grand étonnement.

Dupin s'adossa. Il s'était assis au bord de la chaise pour avaler les premières bouchées. Son visage se détendit, et il ressentit les effets du vin.

— Un certain monsieur Quilcuff t'a demandé ce soir, déclara soudain Claire. Madame Bellec vient de me le dire. Il est passé exprès pour voir « le commissaire ». A cause des baguettes de la boulangerie située à côté de la caserne des pompiers. Elles raccourcissent d'année en année alors que les prix augmentent, ce que dément le boulanger. C'est pourquoi monsieur Quilcuff veut porter plainte pour escroquerie. Il faut que tu te charges de l'affaire.

Elle se mit à rire. Au début, elle s'était efforcée de garder son sérieux.

— Il a dit qu'il repasserait.

Dupin aussi se mit à rire.

— Monsieur Dupin ! s'écria de nouveau Bellec qui se matérialisa devant leur table. C'est encore votre mère !

Cela devenait un peu trop gros.

— Très étrange, commenta Dupin, déjà debout.

Claire l'interrogea du regard.

Ils n'étaient pas encore parvenus à la réception que Bellec lui chuchota d'une voix excitée :

— Ils ne vont pas mettre Maïwenn Guillou en garde à vue. La première information qu'Inès Mahé a reçue était une fausse alerte. Ils ne l'ont pas arrêtée mais seulement emmenée au poste pour l'interroger officiellement.

— Je vois.

Ils avaient atteint la réception.

— C'est tout ?

— C'est une information importante, non ?

— Tout à fait, monsieur Bellec.

Bien sûr, il n'y avait pas de commune mesure entre un interrogatoire au poste et une arrestation.

— Ne croyez pas que je vous transmets des informations peu fiables, commissaire. Inès Mahé elle-même avait déduit qu'une arrestation suivrait, étant donné l'information qu'elle avait reçue. Mais elle vient d'apprendre que l'agricultrice serait relâchée dès la fin de l'interrogatoire.

— Compris.

— Il faut voir le côté positif : vous allez pouvoir rencontrer Maïwenn Guillou demain matin !

De retour à sa table, Dupin s'assit sans un mot et, d'un geste aussi décontracté que possible, se saisit de son verre.

— Tu ne veux rien savoir, murmura-t-il.

Rien ne lui avait traversé l'esprit, aucune histoire digne d'être racontée. Seulement des idées bizarres, maintenant que le vin lui était monté à la tête. Quelques semaines plus tôt, il avait vu un documentaire sur la jungle jamaïcaine, avec ses perroquets effrontés et ses singes turbulents. Il les imaginait faisant des pirouettes sur les épaules de sa mère qui le leur interdisait d'un ton ferme.

Claire leva son verre.

— A nos vacances, Georges ! A une autre journée aussi détendue !

Elle sourit.

Dupin fit de gros efforts :

— A une autre journée aussi détendue !

Il n'en revenait pas de voir comment Claire réagissait. On aurait pu croire que rien ne s'était passé. Cela forçait l'admiration.

— Au fait, dimanche soir a lieu la trente-septième Nuit de la saucisse. A Plestin-les-Grèves, dans les environs. Une Nuit de la saucisse ! Ils présentent les spécialités charcutières des Côtes-d'Armor. On peut goûter à tout. Il y aura aussi de la musique.

Ça avait l'air très intéressant.

— Et tu sais, ce whisky breton que nous avons bu avant-hier ? Armorik, il s'appelle. Tu te souviens ? Il était vraiment bon. L'eau-de-vie des Celtes.

— Oui, tout à fait.

— La distillerie se trouve à Lannion. C'est le premier whisky qui est distillé en Bretagne ; il y a quelques années, il a obtenu le label Best European Single Malt aux World Whiskies Awards.

Dupin se demandait à quel point Claire s'intéressait au whisky. Mais elle ne posait plus de questions sur le deuxième appel de sa mère. C'était le principal.

— La distillerie s'appelle Warenghem ; j'ai trouvé le dépliant à la thalasso. Ils n'utilisent que de l'eau pure de leur propre source. Ils fabriquent aussi l'Elixir de Bretagne et le chouchen traditionnel. Tu ne m'en as jamais fait goûter ! Quel mauvais Breton tu fais ! De l'eau, du miel et beaucoup de temps, tels sont les ingrédients, peut-on y lire. Ils distillent cette boisson selon une recette qui n'a pas changé depuis mille cinq cents ans. C'est la boisson bretonne par excellence, inventée par les druides !

Dupin devait avouer qu'il n'avait jamais goûté au chouchen, une tare aussi aux yeux de Nolwenn. Une fermentation d'eau et de miel : il fallait se faire à l'idée. Mais l'exposé de Claire donnait presque envie d'y goûter.

— On ferait bien de commencer dès ce soir. Et de goûter à tout !

Claire était lancée…

La soirée allait se terminer de façon aussi absurde que merveilleuse. Dupin était tout à fait d'accord. Cela leur ferait du bien. Ils avaient tous les deux travaillé dur, aujourd'hui.

Vendredi

Six heures dix-sept.

Epuisés mais heureux, ils s'étaient laissés choir sur leur lit à une heure et demie. La tête à peine posée sur l'oreiller, Dupin avait plongé dans un profond sommeil. A la fin de la soirée, ils avaient bu trois bouteilles de quincy, quelques verres de Fine d'Armorique et d'Elixir de Bretagne… Néanmoins, il s'était réveillé à trois heures et n'avait pas arrêté de se tourner et de se retourner. Vers cinq heures, il s'était demandé s'il ne valait pas mieux se lever, mais il avait fini par se rendormir.

Des sons indistincts l'avaient réveillé.

Il s'assit dans son lit et tenta de retrouver le sens de l'orientation. Le jour se levait timidement.

On frappait à la porte. Il n'y avait pas à se tromper. Dupin crut entendre un « Hello, hello » sourd.

De nouveau.

Rêvait-il ?

— Commissaire ! entendit-il un peu plus fort.

Ce n'était pas un rêve. Mais Bellec. Dupin avait reconnu sa voix.

Il sortit du lit avec précaution. Claire remua imperceptiblement. Il traversa la chambre sur la pointe des pieds.

Il espérait que Bellec avait une bonne raison de le réveiller à une heure aussi matinale. Entrouvrant la porte sans faire de bruit, il vit que le couloir était plongé dans l'obscurité. Bellec avait au moins eu la présence d'esprit de ne pas allumer.

— Qu'y a-t-il de si urgent ? grommela Dupin.

— Encore un meurtre.

— Quoi ?

Dupin était à présent tout à fait réveillé. Il s'était exclamé beaucoup trop fort. Il se retourna vers Claire. Qui n'avait pas bougé.

— Un homme. Chauffeur de taxi.

— Un chauffeur de taxi ?

— On l'a retrouvé à côté de son véhicule.

— Où ?

— Sur un chemin forestier désert qui part du chemin des Kergoumar. Au fond de la vallée des Traouïero. C'est un paysan qui l'a découvert alors qu'il se rendait en tracteur à son champ qui se trouve à la lisière de la vallée. Au point du jour. Il a aussitôt appelé la police.

Encore cette vallée des Traouïero.

— De quelle façon a-t-il été assassiné ?

Par discrétion, Bellec se tenait du côté du mur et ne regardait pas Dupin qui était en petite tenue.

— Il a été frappé avec une pierre qu'on a retrouvée à côté de lui.

C'était la deuxième fois qu'une pierre jouait un rôle capital. Ce qui n'avait rien d'extraordinaire dans cette région.

— Quand cela a-t-il eu lieu ?

Une question à laquelle personne ne pouvait répondre, Dupin le savait pertinemment, mais elle lui avait échappé.

— Je ne sais pas. Je pense que la police l'ignore encore. Inès m'a appelé il y a deux minutes. Elle venait d'arriver sur les lieux, mais Le Gourlaouen pas encore.

— Je voudrais lui parler en personne.

— Faites donc ! répliqua Bellec visiblement vexé.

— Je vous remercie de m'avoir informé si vite.

— Mais c'est tout naturel, répondit l'hôtelier, déjà radouci.

— Je m'habille en vitesse.

Dupin referma doucement la porte puis enfila un polo et un jean.

Une minute n'avait pas passé qu'il avait rejoint Bellec dans le couloir.

— Vous avez son numéro de portable.

— Oui, je l'ai, confirma Dupin qui s'avança vers l'escalier, Bellec sur les talons.

En un rien de temps, il avait atteint la terrasse et descendait l'escalier menant au jardin. Bellec le talonnait.

En fait, Dupin aurait aimé pouvoir passer son appel seul. Mais il ne fallait pas prendre l'hôtelier à rebrousse-poil, il avait encore besoin de lui. Bellec, de son côté, avait l'air de penser que cette affaire leur appartenait à tous les deux.

Dupin s'arrêta devant le massif d'hortensias. Appuya sur le numéro enregistré.

— Oui, répondit sèchement Inès Mahé.

— Dupin à l'appareil. Je voudrais juste savoir si vous avez du nouveau.

— Au cours des douze dernières minutes ?

— Mort depuis peu ?
— Non.
— D'après vous ?
— C'est la première fois que je vois un cadavre.
— Et ?
— Je dirais qu'il est là depuis un moment.
— A quoi voyez-vous ça ?
— La couleur de la peau. L'aspect général. Tout ce que j'ai appris à ce sujet. Le meurtre n'est sûrement pas récent.
— Est-ce qu'entre-temps le commissaire est arrivé sur les lieux ?
— Oui. Ainsi que la police scientifique. Et le médecin légiste.
— A-t-il dit quelque chose ?
Une question superfétatoire. Ils ne disaient pratiquement jamais rien. Le légiste du coin ne dérogeait certainement pas à la règle.
— Rien du tout. Il est en train de procéder à quelques analyses. Il a l'intention de transférer le corps aussi vite que possible à la morgue de Morlaix.
— Le commissaire est chargé de l'enquête ?
— Bien sûr. Je l'ai informé par ailleurs que je possédais des preuves démontrant que Cardec avait agrandi sa carrière en toute illégalité. Le Gourlaouen m'a demandé de lui fournir les preuves.
Même si cela déplaisait à Dupin, Inès Mahé avait agi à bon escient.
— Connaissiez-vous le chauffeur de taxi ?
— Pas personnellement. Pierre Le Gall. Célibataire. Petite soixantaine. Un peu excentrique sur les bords. Il vivait dans un coin isolé, du côté de Guingamp.

— Et personne n'a déclaré sa disparition ?

— Il faut croire que non.

— Que savez-vous d'autre à son sujet ?

— Rien, en fait. On l'apercevait de temps à autre à Trégastel.

— Je suppose que Trégastel a sa propre compagnie de taxis ?

— Même deux. Avec une voiture chacune.

A moins d'un mètre de lui, Bellec n'en perdait pas une miette, ce qui épargnerait un résumé à Dupin.

— A quelle distance de la carrière se trouve la scène de crime ?

— Quatre cents ou cinq cents mètres à vol d'oiseau.

— Alors, elle n'est pas loin non plus de la ferme de Maïwenn Guillou ?

— Non.

Ce n'était sûrement pas une coïncidence. La proximité de la carrière non plus. Il faudrait qu'il arpente les environs ainsi que la nouvelle scène de crime, autant qu'il serait possible. Il trouverait bien un moyen malgré la présence de la police.

— Nous devons surtout connaître l'heure du décès.

— Je vous appelle dès que j'ai du nouveau.

— Même si le légiste ne vous donne qu'une vague estimation, appelez-moi sans faute.

— On verra.

La gendarme avait alors mis fin à la conversation.

— Cela prend des proportions incroyables, déclara Bellec en hochant la tête d'un air approbateur. Tout a commencé d'une façon si anodine. Et maintenant, ça !

Si on faisait fi du côté macabre, Bellec avait raison. C'était monstrueux.

— Connaissiez-vous le chauffeur de taxi, monsieur Bellec ?

L'hôtelier haussa les épaules :

— Il n'est pas d'ici… Qu'allez-vous faire maintenant ?

Dupin jeta un œil à sa montre.

— Retourner me coucher.

— Vous ne pouvez quand même pas retourner au lit après ce nouveau meurtre !

— J'ai mal à la tête.

Il avait vraiment la migraine, il venait de s'en rendre compte. Certes, le vin était bon, mais la quantité par trop généreuse.

— Il faut que je prenne un comprimé.

Dupin n'avait pas l'intention de retourner se coucher. Mais il voulait être seul. Et avant tout il avait besoin d'un café.

Il se dirigea vers l'escalier menant à la terrasse.

— D'accord, se résigna Bellec qui l'avait aussitôt rejoint. Votre premier rendez-vous est à huit heures et demie. Au fait, pourquoi est-ce que je devais veiller à bien fermer les portes hier soir ? Je l'ai fait, bien sûr, j'ai fermé à double tour, mais pourquoi ? Aviez-vous une raison concrète de vous alarmer ? Sommes-nous en danger ? J'ai préféré ne rien dire à ma femme. Elle n'aurait pas fermé l'œil de la nuit. (Puis après un silence :) *Je* n'ai pas fermé l'œil.

— Vous avez fait tout ce qu'il fallait. Il ne s'est rien passé, vous voyez bien !

Ils avaient atteint la terrasse. Le vestibule.

Dupin grimpa les marches d'un pas énergique.

— A plus tard !

— Je vous préviens s'il y a du nouveau.

— Oui, faites-le.

Bellec semblait encore décontenancé.

Dupin s'immobilisa devant la porte de sa chambre. Il allait passer les deux heures suivantes à réfléchir aux derniers développements de l'affaire et passer ses notes au crible. Ce faisant, il établirait une chronologie précise des événements. Il avait voulu le faire la veille mais n'en avait pas eu le temps. La chronologie remonterait au premier « incident » qui s'était déroulé à Trégastel. Mais où pourrait-il avoir un café à cette heure ?

La machine à expresso qui se trouvait dans leur chambre réveillerait Claire, et Bellec voudrait lui tenir compagnie s'il prenait son café à l'hôtel.

Le Ty Breizh ! Le bar dont il avait parlé la veille à Claire. En plus, seuls quelques mètres le séparaient de la maison de la presse.

Dupin se faufila dans la chambre, prit son portefeuille, son calepin et en ressortit.

Claire dormait toujours à poings fermés.

— Un café, un grand crème et deux pains au chocolat, s'il vous plaît.

Un homme se tenait devant Dupin, les cheveux en bataille, sentant le tabac froid, vêtu d'un jean usé et d'un tee-shirt noir. Il lui avait jeté un regard teinté d'un très léger étonnement.

Dupin boirait d'abord le café d'un trait, puis il tremperait les pains au chocolat dans son crème. Cette habitude remontait à son enfance, il continuait à le faire quand il se sentait à l'abri des regards : il trempait son pain au chocolat jusqu'à ce que les deux barres de chocolat commencent à fondre. Le mélange de café, de lait, de la pâte ramollie pleine de beurre et du chocolat noir était un pur délice.

Dupin aimait l'ambiance des petits matins. L'air était frais et doux à la fois. La température était de dix-sept degrés environ, elle n'était pas descendue plus bas pendant la nuit. Les premiers rayons du soleil réchauffaient doucement l'atmosphère. De partout montaient les bruits du jour commençant. A l'intérieur du café, une dizaine de personnes se tenaient déjà au comptoir, il y régnait un va-et-vient intense, les clients venaient boire un café avant de se rendre à leur travail ou de s'adonner à leurs activités quotidiennes. La plupart prenaient un journal et posaient la monnaie sur le comptoir. Dupin avait lui aussi acheté *Ouest-France* et *Le Télégramme*. Dehors, seules deux tables étaient occupées – une femme âgée et un jeune couple endormi. C'était des lieux comme ça que Dupin aimait. Des lieux où la vraie vie palpitait.

Il avait sorti son calepin et l'avait posé sur la table, à côté des journaux. Il l'ouvrit. Il en avait déjà noirci la moitié avec ses pattes de mouche. Il commença à prendre quelques notes au sujet du deuxième meurtre, un événement qui donnait à l'ensemble une autre dimension.

Le serveur débraillé n'était certes pas disert, mais il était rapide, qualité beaucoup plus précieuse. Sans un mot, il plaça sur la table la commande de Dupin et une petite coupelle usée avec l'addition. Puis il s'en alla.

Le café était savoureux. Dupin mit le calepin de côté et ouvrit le journal.

Ce jour-là, le quiz « Tu sais que tu es breton quand… » était très ambitieux : « Tu sais que tu es breton quand : tu connais les trois mots bretons les plus importants : *Bara*, pain, *Gwin*, vin et *Bizh*, bisou / tu sais ce qu'est un "chemin des lapins" : la route que l'on prend de nuit une fois qu'on a quitté un bar et où la police n'effectue jamais de contrôle / tu connais le nombre de villages bretons qui commencent par "plou" (qui veut dire "commune") : 179. »

Dupin tenait son premier pain au chocolat dans la main quand le téléphone sonna.

Inès Mahé.

— Oui ?

— Au moins quarante-huit heures. (Dupin sut immédiatement de quoi elle parlait.) Cela fait au moins quarante-huit heures qu'il s'est écroulé devant son taxi. Bien sûr, ce n'est, je cite, qu'« une information provisoire et sans garantie ». Le corps est en route pour la morgue. Si le légiste n'avait pas lâché son estimation, Le Gourlaouen ne l'aurait pas laissé partir.

Le commissaire de Lannion avait bien fait.

— Et quelle est l'estimation maximale ?

— Il n'a rien indiqué de plus.

— La police scientifique a-t-elle trouvé des indices ?

— Les techniciens vont passer au crible la pierre qui a servi à le tuer. Le chemin où est stationné le taxi est plein de pierres et d'herbe. Tout est sec. Jusqu'ici on n'a trouvé aucune trace tangible. Dans le taxi non plus. Deux collègues sont déjà partis à son domicile pour le fouiller.

— Que faisait l'homme à l'autre bout de la vallée ? Y a-t-il amené quelqu'un ? Ou devait-il y charger une personne ? s'interrogeait Dupin à voix haute. Et pourquoi diantre est-il encore question de cette vallée ?

— Je ne sais pas, mais je pense qu'il est là depuis la nuit de mardi.

C'était aussi la première pensée qu'avait eue Dupin. Inès Mahé déroula le scénario :

— Virginie Inard quitte l'hôtel vers dix heures. Personne ne sait où elle se rend. Elle est assassinée vers vingt-deux heures trente puis jetée dans la carrière qui est à moins d'un kilomètre de l'endroit où se trouve le corps du chauffeur de taxi. Elle peut avoir appelé le taxi, qui l'a amenée à un rendez-vous qui lui aura été fatal.

La gendarme exposa sa reconstitution avec une sobriété sans faille. Tout semblait très convaincant. La chute arriva :

— Pour une raison inconnue, le meurtrier a aussi assassiné le chauffeur de taxi. Peut-être parce qu'il avait été témoin ?

— Ou bien c'est l'assassin qui est venu en taxi. Parce qu'il ne voulait pas qu'on le voie avec sa propre voiture.

— Et Virginie Inard ?

— A pied, peut-être. Ou bien avec un véhicule que l'assassin a fait disparaître après le meurtre.

— Elle n'avait pas de voiture, selon nos informations. Du moins personne de l'hôtel n'en a vu une. Et aucune agence de location de la région ne lui a loué un véhicule ; je les ai toutes contactées. Elle aurait fait tout le chemin à pied ? En théorie, c'est possible. Une trentaine de minutes. Mais dans le noir ? Les chemins ne sont pas éclairés.

Comment Virginie Inard s'était-elle déplacée ? Comment était-elle arrivée à Trégastel ? Dupin s'était bien sûr déjà posé ces questions à maintes reprises.

— Et si le chauffeur était impliqué dans l'histoire d'une façon ou d'une autre ?

En tout état de cause, ils ne devaient pas éliminer cette possibilité.

— Pourquoi pas ? Mais nous ne devons pas non plus négliger la possibilité que Virginie Inard ait assassiné le chauffeur de taxi.

Dupin l'avait envisagé brièvement mais cette hypothèse lui semblait peu crédible.

— Bien. A plus tard, alors.

La gendarme mettait fin à la conversation d'une façon très brusque, estima Dupin.

Il croisa les doigts derrière la nuque.

— Et merde.

Tout paraissait énigmatique.

Le dernier meurtre était lié à une de leurs affaires, de cela il était certain, mais avec quelle affaire et en quoi ? Dupin n'aurait su dire combien d'affaires ils avaient. Ou bien s'agissait-il d'une seule et même affaire ? Cela signifierait alors que la disparition de madame Durand n'était pas seulement liée à l'agression contre la députée et à la victime retrouvée dans la carrière mais aussi au chauffeur de taxi assassiné. Cela semblait grotesque et plaidait pour plusieurs événements indépendants.

Quoi qu'il en soit, il était indubitable qu'une nouvelle victime s'ajoutait à la liste. Le bilan était de plus en plus accablant. Deux meurtres : celui d'une inconnue venue d'ailleurs et celui d'un chauffeur de taxi de la région ; une agression – éventuellement une tentative de meurtre – contre une députée, deux lettres anonymes à son adresse ; une femme disparue alors qu'elle passait ses vacances dans un hôtel ; un soupçon de falsification de documents administratifs ; une liaison tragique suivie d'une séparation tragique ; l'extension illégale d'une carrière ; le vol d'une statue historique dans une chapelle ; un poursuivant qui talonnait Dupin depuis l'après-midi de la veille – pour ne résumer que les événements les plus importants.

Il y avait au moins une bonne chose dans tout cela : il n'avait pas vu son poursuivant ce matin. Pendant qu'il se rendait au bar, il avait vérifié d'une manière toute professionnelle à certains points stratégiques qu'il n'était pas suivi. Soit l'homme avait abandonné sa filature, soit il avait pris encore plus de précautions après ce qui s'était passé la veille, se rendant invisible au commissaire.

Dupin trempa son pain au chocolat dans son crème, même s'il ne pouvait pas lui vouer toute l'attention qu'il méritait.

Il était encore très tôt. Il avait le temps de passer à la gendarmerie avant de se rendre chez la marchande de journaux, bien qu'il eût planifié cette visite pour la fin d'après-midi. Alan Le Besco devait garder la boutique, Dupin aurait tout son temps pour se plonger dans le dossier de la « morte rose ». C'était une bonne idée. Il ne fallait pas qu'il oublie de se manifester auprès de Claire au moment opportun – difficile à déterminer, cependant. L'heureux hasard qui, la veille, lui avait permis de vaquer à son enquête en toute liberté pendant plusieurs heures était sur le point de lui donner l'impression de mener une enquête normale. Ce n'était pas le cas, il ne devait pas devenir téméraire et pousser trop loin. Ils étaient en vacances, ensemble, il ne devait en aucun cas l'oublier.

Un quart d'heure plus tard, il avait terminé : il avait reporté sur une double page le déroulement des faits, qui avait commencé avec l'arrivée des Durand. Dans un ordre chronologique strict, indépendamment de tout lien entre les faits, un événement après l'autre. Il avait utilisé des abréviations, tout noté avec ses pattes de mouche indéchiffrables.

Il se sentait mieux, même si cet exercice n'avait débouché sur aucun résultat palpable et qu'il n'était pas plus avancé.

Entre-temps, il avait commandé un troisième café, qu'on venait de lui apporter.

Dupin s'adossa à sa chaise et avala une gorgée.

La circulation était devenue plus dense au cours de la dernière demi-heure. La place Sainte-Anne était le centre névralgique de la localité.

Soudain, Dupin hésita.

Cette voiture, la petite C3 bleue avec son aile cabossée, il la connaissait !

Il se leva d'un bond. La voiture approchait du rond-point d'où partait la route principale permettant de quitter le bourg. A vingt mètres de lui. Il ne pouvait pas voir qui était au volant.

D'un bond, il partit comme une flèche. Juste au moment où la voiture prenait le rond-point pour en sortir immédiatement.

S'il en était ainsi que Dupin le supposait, c'était monstrueux.

Cela n'avait aucun sens de continuer à courir, c'était puéril. Dupin s'immobilisa. Le véhicule accéléra. Il revint au bar, prit son portable et appuya sur une touche.

Cela dura un moment.

— Bonjour, mon…

— Attention ! Vous allez arriver au deuxième rond-point. Ne prenez pas la route de Perros-Guirec par inadvertance.

Le silence régna pendant un temps. Puis :

— Bien. Vous êtes au courant maintenant. Et alors ?

Incroyable : le ton était dénué de toute trace de culpabilité !

— Monsieur Bellec m'a dit que vous étiez reparti vous coucher.

— Vous venez de passer devant moi.

— Alors vous êtes dans le bar sur la place principale et vous vous adonnez à votre drogue favorite.

Peut-être cette petite attaque était-elle le signe qu'elle ressentait un soupçon de culpabilité.

— Racontez-moi, Nolwenn.

Dupin avait un mauvais pressentiment.

— Je vais confondre un infâme politicien qui ne mérite rien d'autre. Cela fait longtemps que cela aurait dû être fait. Il est de mon devoir de…

— Qu'avez-vous fait ?

— Après la prestation d'Alan Stivell, je suis partie de Carhaix pour me rendre à Perros-Guirec. J'ai passé la nuit aux Costans, un hôtel formidable. Je vous le conseille. Il faudra que vous y alliez un jour avec Claire…

— Continuez, Nolwenn.

— Un ami de Bellec est le gardien de la mairie. Lorsque ce matin, peu avant sept heures, il a entamé son premier tour, je suis… comment dire ? je me suis faufilée dans le bâtiment puis dans le service du cadastre. En un rien de temps, le document prétendument original du permis de construire exceptionnel d'Ellec se retrouvait dans mon sac à main. J'ai trouvé à Concarneau un expert indépendant qui va l'analyser.

A plusieurs reprises au cours de ce résumé, Dupin avait eu envie d'intervenir avec véhémence, mais cela lui avait été impossible – d'une part, c'était *trop* inconcevable, d'autre part il voulait entendre l'histoire jusqu'au bout. De toutes les actions « non conventionnelles » que Nolwenn avait entreprises jusqu'alors – et il y en avait –, celle-ci atteignait des sommets. Mais pourquoi s'étonner ? C'était Nolwenn tout craché. Sans oublier que c'était lui qui lui avait donné le feu vert. Par ailleurs, il ressentait une grande satisfaction : il avait eu raison. Elle avait mordu à l'hameçon. L'appât était trop tentant.

— Quelqu'un vous a-t-il vue, Nolwenn ?

C'était la question cardinale. Si oui, toute réflexion au sujet de la suite devenait caduque.

— Personne. Tout est allé comme sur des roulettes, triompha-t-elle, euphorique.

Et Bellec – le traître – était non seulement au courant, mais il avait rendu l'entreprise possible. Il avait été co-initiateur de cette opération complètement illégale. Le gardien aussi. S'ils étaient découverts, cela aurait des conséquences désastreuses. Dupin préférait ne pas y penser.

— Quelqu'un a dû vous apercevoir.

— J'ai garé ma voiture très loin, le long de la plage. Je portais un manteau long, une perruque et des lunettes de soleil. Je suis entrée puis ressortie par la porte de derrière. Personne ne m'a remarquée.

Dupin était impressionné.

— Par ailleurs, je m'étais arrangée avec le gardien pour me charger toute seule de l'opération dans les moindres détails. Et j'ai réussi à me faufiler sans être remarquée.

Dupin doutait que cela suffise à rattraper le coup.

— Tout va pour le mieux, conclut Nolwenn. Nous avons le document. Et nous allons coincer Ellec. Peut-être a-t-il même d'autres choses sur la conscience. Qui sait ?

— Je… (Que pouvait-il dire ? C'était une opération fantastique.) Formidable !

Pour être franc, ils n'auraient jamais pu obtenir ce document autrement. En outre, Dupin était le dernier à pouvoir sermonner Nolwenn pour ses investigations en zone grise.

— Merci ! s'exclama-t-elle, la voix vibrant de fierté.

— Pourquoi ne m'avez-vous pas mis dans la confidence ? demanda Dupin, à qui cela restait en travers de la gorge.

— Mais vous êtes en vacances ! s'écria Nolwenn, effarée.

C'était ridicule. Il fallait mettre fin à cette mascarade.

— Je vous propose un marché : je ferme les yeux sur la manière préoccupante dont vous avez accédé au document et en contrepartie nous travaillons dorénavant main dans la main. Je vous donne toutes les informations que j'ai déjà et celles que j'obtiendrai sur Ellec. Et même, si le cœur vous en dit, sur tout ce qui se passe ici.

Le terrain était un peu glissant. On aurait dit deux détectives privés concurrents qui d'ordinaire se marchaient sur les pieds mais qui, maintenant, faisaient cause commune.

Un long silence… très inhabituel chez Nolwenn. Elle semblait en proie à une lutte interne.

— Marché conclu.

Elle s'était exprimée sans émotion. Alors que pour Dupin le moment était quasi historique.

— Mais (évidemment, Nolwenn posait ses conditions) tout doit rester entre nous. Vous ne le racontez à personne. Ni à Le Ber et Labat, ni à Bellec, ni au docteur Pelliet. Ni même à Claire ! A personne. Je me suis portée garante que pendant vos vacances, vous ne feriez rien d'autre que vous reposer.

— Je ne fais rien d'autre que passer des vacances, rétorqua Dupin, ravi.

— D'accord. Donc, racontez-moi, commissaire. J'ai mon dispositif mains-libres et deux heures devant moi. J'arriverai au bureau plus tard que d'habitude. Mais il faut dire que j'étais aux Vieilles Charrues.

Bellec ne lui avait apporté son aide que pour cette opération-là. Il ne lui avait rien révélé d'autre. C'était toujours ça.

— Je dois être à huit heures et demie chez la marchande de journaux pour parler à madame Guillou, l'agricultrice dont le mari a une liaison avec la députée. Avant, je dois passer à la gendarmerie pour y consulter un dossier sur un accident qui a eu lieu il y a sept ans.

Une employée de Cardec avait fait une chute dans la carrière.

Mieux valait s'abstenir de mentionner qu'il avait aussi l'intention de rencontrer Ellec. Nolwenn s'ingénierait à l'accompagner.

— Bien. Alors dressez-moi un état des lieux. Les faits les plus marquants. Notamment tout ce que vous savez sur Ellec.

Un large sourire apparut sur le visage de Dupin. Il jubilait. Tout était redevenu comme avant. Comme cela devait être. Nolwenn était dans le coup. Dans de telles conditions, les vacances pouvaient durer encore longtemps.

Le résumé de Dupin avait duré quatorze minutes. Nolwenn s'était contentée d'écouter (enfin presque). Il y avait encore beaucoup de choses à dire, mais Dupin devait partir et ils étaient convenus d'un rendez-vous téléphonique un peu plus tard.

Le dossier sur la « morte rose » s'était révélé d'un ennui insondable. Il contenait d'innombrables documents, que Dupin avait pour la plupart survolés. Il aurait surtout aimé parler en personne avec le mari de la victime. Et bien sûr avec Cardec. Bien qu'il n'y eût aucun indice indiquant que la victime s'était intéressée aux affaires de Cardec, telle l'extension illégale de la carrière.

Dupin s'était mis en chemin à temps pour arriver juste avant huit heures et demie à la maison de la presse. Inès Mahé l'avait rappelé. Les collègues de Perros avaient fouillé une première fois le taxi et analysé les derniers appels de son portable et de son fixe. Mardi, à vingt et une heures trente, un appel avait été passé sur sa ligne professionnelle. Numéro masqué. C'était le dernier appel, ce qui confortait l'hypothèse selon laquelle le meurtre de Virginie Inard et celui du chauffeur de taxi avaient eu lieu mardi soir. On ne savait pas encore qui avait appelé le taxi : la victime ou l'assassin, mais une chose était importante : ni sur la ligne fixe ni sur le portable n'avait été enregistré un appel d'Ellec, de Cardec, de Guillou ou de Quéméneur.

Dupin poussa la porte de la maison de la presse. Il salua madame Riou qui lui lança un regard complice avant de disparaître dans l'arrière-boutique. Il s'immobilisa devant un rayon, prit une revue. *La Pêche et les poissons*.

Il était huit heures trente pile.

Huit heures trente-cinq.

Huit heures quarante.

Il se tenait à présent devant la sixième revue sur la pêche : *Toute la pêche*. A côté, *Pêche record* et *Partir pêcher*. Il lui resterait peu de temps pour s'entretenir avec Maïwenn Guillou, si Ellec arrivait à neuf heures.

Huit heures quarante-cinq.

Madame Riou s'approcha et lui fit signe de la suivre. Elle ouvrit une porte étroite menant à une réserve, dont les murs étaient tapissés d'étagères métalliques. Sur le sol s'empilaient des cartons.

— Je viens d'appeler chez madame Guillou. Je lui ai demandé si je devais mettre ses journaux de côté. Si elle viendrait plus tard. Elle ne viendra pas aujourd'hui. Elle a dit. (Les phrases courtes typiques de madame Riou.) L'interrogatoire d'hier lui a donné un coup.

Mon impression. C'est pas de chance. Mais Ellec va venir, c'est sûr. Et Bellec a appelé pour vous : monsieur Durand a annoncé qu'il rentrait à Paris aujourd'hui. Il y a eu un incident à l'hôpital, la députée…

Dupin sursauta.

— Madame Quéméneur ? Que s'est-il passé ?

— Inès a essayé de vous appeler, mais ça sonnait toujours occupé. Rien de grave. Au moins peut-être rien de grave, a dit Inès.

— Qu'est-ce que cela veut dire ?

— Il semblerait qu'on ait jeté quelque chose contre la fenêtre.

— Quoi exactement ? Est-elle blessée ?

— Elle va bien. On ne sait pas encore quoi. Peut-être une pierre. Ou bien c'était juste un oiseau. Ce sont des choses qui arrivent. Une aide-soignante était dans la chambre quand ça s'est passé. Madame Quéméneur n'a donc pas été victime d'une hallucination.

Il fallait lancer la pierre de toutes ses forces et d'un geste sûr pour atteindre une fenêtre précise située au troisième étage.

— La fenêtre n'a pas été cassée ?

— On ne voit même pas une éraflure. Mais le commissaire a aussitôt ordonné que la députée change de chambre, et appelé la scientifique. Je n'en sais pas plus.

Madame Riou avait l'air contente.

— Je dois y retourner, dit-elle avant de disparaître en un clin d'œil.

Dupin reprit ses esprits puis sortit de la réserve.

Il se cogna à un homme qui arrivait d'un pas pressé de la droite.

— Pardon, monsieur. Je suis…

Dupin s'interrompit.

Cardec. Le maître de l'île, l'héritier de la carrière, le chef d'entreprise. Le compagnon de madame Durand la nuit de sa disparition. Et celui qui avait agrandi son domaine en toute illégalité. Qui, paraît-il, ne venait acheter ses journaux que le samedi.

— Ah, le chicaneur d'hier, mais sans sa jolie compagne, quel dommage, déclara Cardec en affichant un sourire condescendant. Je sais bien que les touristes pensent avoir tous les droits, mais il faudrait qu'ils aient un peu de respect pour les gens d'ici. Ils devraient faire attention à ce que…

— Faire attention est le mot qui convient : vous devriez, vous, faire attention, l'interrompit Dupin d'une voix basse et acérée, à ne pas plonger à cause de l'extension illégale de votre carrière. Les preuves existent, les photos aussi.

Cardec avait tour à tour rougi et blêmi. Il serra les mâchoires, les veines à ses tempes enflèrent. Mais il paraissait tout autant déboussolé et stupéfait qu'un inconnu sorti de nulle part aborde un tel sujet au vu et au su de tous.

Dupin enfonça le clou :

— En vous rendant coupable d'un méfait d'une telle gravité, vous vous placez en tête des suspects de l'agression contre madame Quéméneur. Vous savez pertinemment qu'elle était au courant de l'extension. Par ailleurs, vous faites partie des suspects dans les deux meurtres. On a trouvé une victime dans votre carrière, comme la première victime il y a sept ans, et un deuxième cadavre dans les alentours immédiats. Sans oublier madame Durand : la nuit de sa disparition, vous étiez avec elle dans un bar à lui conter fleurette. Il est même possible qu'elle soit encore chez vous, non ?

— Mais qui diable êtes-vous donc ?

Plusieurs émotions s'entremêlaient dans cette question : rage, colère, désespoir, stupeur et – ce à quoi tenait Dupin – peur.

— Vous êtes de la police ?

La morgue de Cardec était terrassée.

Dupin agissait ainsi, parfois : il allait droit au but, sans prendre de gants et sans la plus petite once de diplomatie – mais avec la froideur calculatrice de l'enquêteur –, et appuyait là où le bât blessait. Toutefois, d'ordinaire, il était le commissaire officiellement en charge d'une affaire, qui était la sienne sans partage. Or, la situation présente était différente. Même si cette technique l'avait conduit à quelques succès marquants, il se demanda soudain si elle avait été un bon choix. Mais puisqu'il avait commencé, autant continuer et provoquer une inquiétude maximale. Si Cardec était le personnage principal – éventuellement à plusieurs titres –, il s'alarmerait. Et même mieux, paniquerait et commettrait des erreurs. Plus Dupin était offensif et incisif, moins il courait le risque que Cardec aille au commissariat porter plainte contre un infâme touriste.

— En ce qui concerne ma personne, murmura Dupin d'une voix si ténue que Cardec était obligé d'écouter sans bouger un cil, plus vous vous intéresserez à moi et plus vous serez en danger.

De toutes les émotions qui avaient traversé Cardec, il n'en restait plus qu'une : l'hébétude la plus totale.

Dupin avait encore quelques répliques sur le bout de la langue. Mais il les refoula. Son intervention avait produit son effet. Il fit volte-face et se dirigea vers la sortie.

Puis il traversa la rue en direction de la chapelle et se rencogna dans l'embrasure d'une porte d'entrée : Cardec ne le verrait pas lorsqu'il quitterait la boutique.

Il jeta un bref coup d'œil à sa montre et resta le regard fixé sur la maison de la presse.

Neuf heures deux.

Hélas, il n'avait pas croisé madame Guillou. Mais Dupin savait comment il pourrait se rattraper plus tard. Cela se combinerait parfaitement avec la visite de la carrière.

Il aperçut Cardec qui passait la porte et regardait autour de lui. A droite, à gauche, à droite. Il semblait encore sous le choc. Parfait.

Il prit à gauche et marcha à grands pas.

Dupin sortit son portable et s'éloigna de la maison.

Il appuya sur le numéro d'Inès Mahé.

Il se mit aussitôt à parler :

— Ici Dupin. Nous allons sortir de l'ombre le document dans l'affaire Cardec. Tout de suite. Faites-le parvenir au commissaire.

Dupin n'avait pas l'intention de lui raconter son entrevue avec le propriétaire de la carrière. Il n'en avait plus le temps.

— Bien, répondit-elle sur ce ton étonnamment indifférent. Le Gourlaouen l'a convoqué pour dix heures. Même si Cardec traîne déjà beaucoup de casseroles, le commissaire appréciera d'avoir ce document entre les mains. Ah, au fait, on n'a trouvé aucune pierre au pied de la fenêtre de Viviane Quéméneur. Ni découvert de trace ou d'éraflure sur la fenêtre. Peut-être était-ce une fausse alerte.

— Nous verrons ça.

— Encore une chose. J'ai reçu un appel de mon contact à *Ouest-France*. Quelqu'un a fait fuiter, sous couvert d'anonymat, la liaison entre le mari de Guillou et la députée. Je lui ai demandé de garder ça sous le coude.

Qui était à l'origine de la fuite ? Et dans quel but ?

— Ils vont s'y tenir ?

— Je pense que oui.

— Bien.

Inès Mahé poursuivit son rapport :

— La pierre qui a servi à tuer le chauffeur de taxi est au labo, ainsi que des échantillons de la scène de crime. Même s'ils n'ont pas encore procédé à des analyses fouillées, ils estiment comme hautement probable que la pierre vienne des alentours. Enfin, ni Cardec, ni Quéméneur, ni Ellec ne possèdent un alibi en béton pour mardi soir. L'assistant de madame Quéméneur non plus, d'ailleurs. Je le mets sous surveillance.

Un homme arrivait de la gauche. Hugues Ellec. C'était bien lui. Dupin l'avait reconnu sur-le-champ, il avait vu des photos de lui sur Internet – un nombre impressionnant, même.

— Je dois y aller. Je…

Dupin se massa les tempes, une idée lui était venue à l'esprit :

— Une dernière chose : postez un gendarme à la mairie et vérifiez si Ellec demande à voir son dossier au cadastre.

— Pourquoi ?

— Je vous expliquerai plus tard. Mais faites-le !

Dupin raccrocha.

Au même instant, la sonnerie retentit : Nolwenn.

Ce n'était pas le moment. Elle devrait patienter quelques minutes.

Il appuya sur « Rejeter ». Puis il retourna à pas vif chez la marchande de journaux, se donna une contenance et entra.

Ellec se tenait devant les magazines politiques. Détendu, autant que Dupin pût en juger.

Une petite pile était déjà posée sur une tablette, à laquelle il ajouta *Le Point*. Il ne semblait pas remarquer les clients autour de lui. Dupin se plaça juste face à lui, de l'autre côté du porte-revues.

L'observa un moment.

De taille moyenne, bedaine naissante, vêtu d'un élégant costume bleu marine, des chaussures marron foncé bien cirées, une chemise blanche, des boutons de manchette argentés, une cravate bleue, dans une nuance légèrement plus claire que le costume, nouée négligemment, un petit défaut qui ne gâchait cependant pas l'allure de l'ensemble ; des cheveux bruns bien coupés, des favoris poivre et sel, des oreilles légèrement décollées, un front creusé de rides profondes. Dupin en avait beaucoup entendu sur lui, et tout collait à merveille : il avait devant lui le prototype de l'homme sûr de son pouvoir, bouffi d'orgueil.

Ellec avait ouvert *Le Nouvel Observateur*.

Dupin se plaça à côté de lui.

— Le permis de construire exceptionnel est un faux, monsieur Ellec. Nous le savons. Et à l'instar de toutes vos affaires, se cache derrière un cas manifeste de manipulation et de trafic d'influence.

Dupin avait parlé sur un ton presque joyeux mais d'une voix sourde.

La méthode avait fonctionné chez Cardec, pourquoi ne pas retenter sa chance de la même façon ? De toute manière, il ne pouvait pas mener un interrogatoire dans les formes.

Ellec avait poursuivi sa lecture sans rien laisser paraître, dès que Dupin avait commencé à parler. Un très léger frisson l'avait parcouru au mot « faux » et il avait tourné la tête vers Dupin. Ses yeux étaient restés inexpressifs, tout comme l'ensemble de son visage. Puis il consacra toute son attention à son magazine comme si de rien n'était. Dupin faillit être impressionné, Ellec était doté d'un immense sang-froid.

— Madame Quéméneur vous soupçonnait. Et vous vous en êtes rendu compte.

Dupin l'observait sans se cacher, épiant la plus petite trace d'émotion.

Pas la moindre réaction.

Ellec ajouta tranquillement *Le Nouvel Observateur* au-dessus de la pile. Madame Riou regardait de leur côté trop intensément ; elle avait l'air d'avoir oublié le client qui se tenait devant sa caisse, attendant de pouvoir régler ses achats.

— Je ne sais pas qui vous êtes, rétorqua soudain Ellec. Et ça ne m'intéresse pas de le savoir. Mais surtout je me fiche complètement de ce que vous dites. Je vous souhaite un bon week-end.

Il prit sa pile de magazines et se tourna vers la caisse.

Pas de doute : Ellec était un habitué des joutes oratoires. Mais il y avait autre chose que l'expérience. L'homme était glacial.

— Moi de même, répliqua Dupin qui joua son rôle jusqu'au bout.

D'un signe de tête, il passa devant Ellec et, se redressant de toute sa taille, quitta la boutique.

Les choses s'accéléraient. C'était palpable. Dupin connaissait cette phase nerveuse et fébrile qui apparaissait au cours d'une enquête.

Désormais il lui fallait agir avec planification. Embrasser l'ensemble d'un seul coup d'œil.

Claire dormait certainement encore. La réveiller serait une mauvaise idée. Qu'allait-il lui raconter ? Il fallait qu'il y réfléchisse. Il avait à tout prix besoin de temps pour lui. L'ennui était que son escapade pouvait bien durer jusqu'à midi. Si Claire dormait jusqu'à onze heures – c'était déjà arrivé –, il pourrait lui dire qu'il venait de se mettre en route pour aller acheter des journaux et quelques provisions. La situation serait tout autre si elle téléphonait bientôt. Il devrait alors improviser.

Dupin s'orienta. Il avait pris à gauche, en direction de la baie. En fait, c'était tout simple – il avait pourtant sorti son plan, placé derrière la dernière page de son calepin. Il fallait longer la baie en direction de Ploumanac'h puis, arrivé à la pointe entre Trégastel et Ploumanac'h, rester sur la route jusqu'à ce qu'elle rejoigne la mer. C'est là que sous un pont le ruisseau Kerougant se jetait dans la Manche, formant un petit étang, du côté de la terre ferme. C'est là que commençait la vallée légendaire des Traouïero.

Dupin prendrait le chemin qui longeait le versant est de la vallée. Et menait tout droit à la ferme de Maïwenn Guillou.

Il se mit en route.

Avant tout, il lui fallait parler encore une fois à Inès Mahé.

Il appuya sur la touche.

— Oui ?

— Avez-vous posté quelqu'un à la mairie ? Je viens de croiser Ellec.

— Alan y est, en toute discrétion. Que doit-il faire si Ellec arrive ?

— Vous prévenir. Et vous, vous me prévenez.

Dupin s'interrompit. Dans sa précipitation, il n'y avait pas pensé auparavant : il était en fait nécessaire de mettre Inès Mahé au courant. Cela voulait dire qu'il devait lui parler de… quel mot choisir ? de la « subtilisation » du document par Nolwenn. De son côté, la gendarme ne pourrait pas le cacher au commissaire de Lannion, ce qui mettrait Nolwenn dans un sérieux pétrin. En outre, il voudrait voir le document original, pour avoir une preuve. Qui se trouvait en ce moment dans la voiture de son assistante en route vers un expert de Concarneau à des fins d'analyse.

— Je suis entré en possession du document original – peu importe comment. Il est sur le point d'arriver chez un expert de Concarneau, qui devrait être en mesure de nous dire, espérons-le, s'il s'agit d'un faux. Mon assistante a tout organisé.

Pour la toute première fois, Inès Mahé eut un moment de flottement avant de répondre :

— OK.

— Vous devez assurer au commissaire que vous avez vous-même mis la main sur le document. Grâce à une remarquable investigation.

C'était la seule solution qui était venue à l'esprit de Dupin, mais il exigeait beaucoup de la gendarme.

— C'est grâce au gardien que votre assistante a réussi son coup, n'est-ce pas ? Et grâce à l'entremise de Bellec !

Elle avait tout deviné.

— J'aurais fait pareil. Je… Alan m'appelle. Il vaut mieux que je réponde.

Dupin avait atteint l'étroite bande de terre, à l'extrémité de la baie.

Il marcha sur le sable. C'était une enquête comme il les aimait : dehors, sur place, auprès des gens, au milieu de la nature. La mer était presque à sa hauteur maximum. Les vagues forçaient le passage : des masses énormes et puissantes, alors même que la surface de la mer était étale. Mais la quille et la coque des bateaux les ressentaient, ils tanguaient, et de ce fait n'étaient pas en harmonie avec la quiétude de ce jour de plein été. Derrière la plage, on voyait les annexes multicolores permettant d'amener les propriétaires à leur voilier.

Inès Mahé le rappela peu après.

— Ellec vient d'entrer dans la mairie. Exactement comme vous l'avez prévu, annonça-t-elle, un léger soupçon d'excitation dans la voix. Rien que ça est déjà un indice. Pourquoi voudrait-il voir le document original suite à votre conversation s'il était authentique ? Il a certainement l'intention de le détruire.

— En tout cas, une chose est sûre : Ellec va se rendre compte qu'il n'est plus là.

— Je ne pense pas qu'il va en déclarer la disparition. Il se gardera bien d'attirer l'attention dessus. Je me rends chez Fabien Tanguy, un jeune paysan, qui m'a appelée. Il a quelque chose d'urgent à me dire.

Peut-être un autre cœur solitaire.

— Bien. A plus tard, alors.

Dupin aimait que ses plans fonctionnent. Bien sûr que c'était un indice. Le document, ce permis exceptionnel, était certainement un faux. Probablement un retour d'ascenseur. Nolwenn n'allait pas lâcher le morceau jusqu'à ce qu'elle mette tout au jour. Un sourire s'épanouit sur le visage de Dupin.

C'est elle qu'il allait maintenant appeler.

— Je voulais justement vous parler, commissaire. Le document est en cours d'analyse depuis cinq minutes. J'ai déjà cherché quelles décisions politiques importantes de la région étaient tombées à l'époque où ce permis exceptionnel a soudain refait surface, je…

— Je dois vous mettre d'abord au courant des dernières évolutions, Nolwenn.

Dupin résuma les récents événements autour d'Ellec.

— Je comprends. La raison pour laquelle je voulais vous appeler repose sur une chose, hélas, désagréable. Le préfet des Côtes-d'Armor a tenté de joindre Guenneugues. A votre sujet. Il a atterri chez l'assistante de Guenneugues, qui à son tour m'a prévenue, de façon tout officieuse. Le préfet a ce matin un rendez-vous chez le médecin.

Le commissaire de Lannion avait donc mis sa menace à exécution. Dupin ne ressentait plus aucune once de compassion pour lui.

— S'est-il mis en relation avec l'inspection générale ?

— Jusqu'ici, non.

Dupin était arrivé au bout de la plage. C'est ici que commençait la pointe qui s'avançait dans la baie. Il s'engagea sur le chemin piétonnier qui longeait la route.

— Après discussion, l'assistante de Guenneugues et moi sommes convenues de ceci : à titre exceptionnel, elle ne lui téléphonera pas, mais lui enverra un bref courriel lui demandant de rappeler son homologue. Elle pense qu'il lira son courrier électronique au plus tôt entre une heure et deux heures.

Maintenant, c'était clair. Nolwenn était géniale. Cela allait lui donner du temps. Un temps précieux, espérait-il.

— D'ici là, on aura bien une idée.

C'était fabuleux que Nolwenn soit de nouveau à ses côtés.

— Très bien. Alors, à plus tard.

Dupin raccrocha.

Et sursauta lorsque le téléphone sonna juste après.

Jean.

— Qu'y a-t-il ?

— Nous connaissons l'identité de la femme qu'on a retrouvée morte.

Dupin se figea, comme frappé par la foudre.

— Son vrai nom est Marlène Mitou. Parisienne. Trente-six ans. Sa disparition a été déclarée hier. Le patron du bar où elle travaille depuis quatre ans a appelé la police, son employée ne s'étant pas présentée à son travail mercredi et jeudi. Elle n'était joignable nulle part. Je viens de lui parler, il me paraît sérieux. J'ai aussi parlé à une amie à elle dont le patron avait le numéro. Nous avons comparé la photo qu'elle avait en sa possession et celle de la victime. C'est bien elle.

Dupin pensa à la femme de chambre qui avait reconnu l'accent parisien. Elle l'avait mis sur la bonne voie.

— Que sais-tu d'autre ?

— Elle a commencé une formation de comédienne, qu'elle a interrompue prématurément. Différents petits boulots lui ont permis de garder la tête hors de l'eau. Elle a participé ici et là à quelques castings, mais en vain. Elle vivait dans un minuscule logement à Sèvres, dans les Hauts-de-Seine. Elle n'était pas très riche. L'amie a déclaré qu'elle était, à sa connaissance, la seule amie proche de Marlène Mitou. Elles se voyaient de temps en temps. Mitou était plutôt isolée. Mais elle n'a pas exclu qu'elle ait eu d'autres personnes dans sa vie. Celle-ci ne parlait jamais d'hommes, manifestement elle n'avait pas de petit ami. Un de mes collègues est en route pour le bar, Aux Folies, deux autres se rendent à son domicile. Et avant que tu me poses la question : je m'y rends aussi en personne.

Rien ne pouvait expliquer qu'elle puisse s'offrir une semaine dans une suite du Castel Beau Site. Ni des vêtements de luxe…

— As-tu demandé au patron et à l'amie si Marlène Mitou avait des contacts en Bretagne, en particulier à Trégastel ?

— Aucun des deux ne connaissait l'existence de tels contacts. Elle n'aurait jamais parlé de la Bretagne non plus. Il lui est arrivé d'aller dans le Sud, dans la région de Béziers, d'où sa famille est originaire. Ses parents sont décédés. L'amie savait qu'elle avait une sœur qui vit quelque part dans les Cévennes mais avec qui elle n'avait aucun contact.

Nom d'une pipe ! Si ces informations étaient de premier ordre, elles n'éclairaient rien ; au contraire : le mystère s'épaississait. Quel sens avait cette histoire ?

— Je vais interroger l'amie sur les personnes qui t'importent vraiment. Peut-être un nom lui dira-t-il quelque chose. Quoi qu'il en soit, aucun contact ne conduit à Bordeaux.

— Est-ce qu'elle sait que son amie est morte ?

— Pas encore.

Dupin s'était remis en route.

— Quand l'a-t-elle vue pour la dernière fois ?

— Il y a quatre semaines.

— Est-ce que Marlène Mitou a dit à son patron ou à son amie qu'elle avait l'intention de partir en voyage ?

— Non. Elle a seulement pris une semaine de congé. Elle a envoyé un SMS à son amie, lui disant qu'elle avait besoin de repos.

— Je vois.

— Je vais contacter immédiatement le commissaire de Lannion. Je ne peux pas garder ces informations pour moi. C'est son enquête.

Cette idée lui était déplaisante, mais Dupin ne pouvait l'empêcher.

— Dis-moi qui exactement est en jeu, Georges. Sur qui je dois interroger l'amie.

Dupin cita les noms qui lui semblaient pertinents.

Les éventuels liens pouvaient, bien sûr, être inextricables, comme souvent. Mais d'une façon ou d'une autre, Marlène Mitou avait été mêlée à ce jeu fatal. Par l'intermédiaire de quelqu'un.

— D'accord. C'est noté. En vitesse, les infos que tu m'as demandées sur les Durand : mariage civil il y a cinq ans. Six semaines étaient à peine passées que deux entreprises étaient au nom d'Alizée Durand. Auxquelles se sont ajoutées au fil des années six autres sociétés immobilières. Elle possède donc officiellement huit sociétés. La dernière a été enregistrée sous son nom il y a deux ans. Puis, plus rien.

— Existe-t-il un contrat de mariage ?

— Je ne sais pas. Je n'en ai pas entendu parler. Bien, Georges, je t'ai donné toutes mes infos. J'ai rempli ma part du contrat.

Dupin savait à quoi il faisait allusion.

— Je dois me mettre en rapport avec le commissaire de Lannion. Je t'appelle dès que j'ai du nouveau concernant Marlène Mitou. Tu auras la primeur, cela va de soi !

— Merci, Jean.

Dupin rempocha son portable. Il devait encore passer plusieurs coups de fil. Mais il avait d'abord besoin de souffler.

Ils avaient identifié le cadavre de la carrière. Mais quel sens cela avait-il ? Il ne voyait absolument pas quelle configuration formaient tous les protagonistes des différentes affaires et ce qui pourrait l'aiguiller pour résoudre celles-ci.

Dupin était arrivé au pont qui enjambait le Kerougant avec, à sa gauche, la baie pittoresque et la vue sur Ploumanac'h et son joli port, à droite, le petit étang qui se remplissait à marée montante.

La route qu'il devait prendre allait bientôt tourner à droite, puis longer la vallée jusqu'à la ferme de Maïwenn Guillou. Deux kilomètres, estimait Dupin.

Derrière l'étang, une forêt dense, telle une jungle, bouchait la vue. C'est là que commençait la vallée.

D'abord, quelques maisons avaient jalonné la route, puis le paysage était devenu de plus en plus reculé et sauvage. La route – avec la vallée enchantée à droite – traversait tour à tour des petits bois et des paysages âpres, parsemés de rochers de granit rose, recouverts de fougères, de hautes herbes roussies, de buissons d'épineux et de petits îlots de bruyère rose en pleine floraison, d'où émergeaient de longues digitales. Des paysages qui n'avaient plus rien de commun avec la mer si proche.

Il n'était que dix heures, mais le soleil était déjà impitoyable. Les températures s'ingéniaient à battre des records. Pas la moindre brise qui aurait pu les atténuer.

L'air aussi changeait à mesure que Dupin s'enfonçait dans la vallée. Il sentait la terre crevassée, la forêt sèche, la poussière qui enveloppait tout en ces jours de canicule. Parfois, à quelques rares moments, lorsque la route serpentait tout près de la vallée, un souffle d'air en montait, moite, sentant le moisi, étouffant. Un mélange singulier.

La sueur perlait au front de Dupin ; sa casquette n'aurait pas été superflue. Ses lunettes de soleil non plus.

Il n'accordait pas une grande attention au paysage. Il était plongé dans ses pensées, c'était aussi le but de cette promenade.

La comédienne ratée et serveuse, de son vrai nom Marlène Mitou, parisienne, était de toute évidence une figure centrale : elle avait été impliquée dans un ou plusieurs des événements. Le chauffeur de taxi également était un maillon dans l'une des affaires. Ou bien était-il une victime innocente qui s'était trouvée au mauvais endroit au mauvais moment ?

Ses pensées étaient innombrables et virevoltaient sans discontinuer, au point que Dupin en eut le vertige. Parfois, il échafaudait des idées et des liens audacieux, ressentait un moment d'euphorie, puis plus rien n'allait avec rien. Mais le pire était qu'au cours de la matinée – il était hélas incapable de retrouver le moment et le contexte – il avait eu un sentiment étrange, comme si, sans le réaliser vraiment, il avait mis le doigt sur quelque chose. L'esquisse d'une intuition, qui montrait les choses sous une autre lumière. Mais c'était fugace. A devenir fou. Il résolut de ne plus y penser, mais de se concentrer sur les aspects concrets. Cependant : et si la solution était devant ses yeux ? S'il était sur le point de l'attraper ? Qu'il lui suffisait de tirer sur un fil pour que tout s'enchaîne ?

De temps à autre, Dupin s'était retourné et avait regardé autour de lui. Etait-il suivi par l'homme mystérieux au tee-shirt blanc ? Il devrait se pencher sur cette question : qui était-il ? Quelle était l'hypothèse la plus probable ? Mais aussitôt son esprit passait à autre chose. Dupin avait l'impression de se retrouver dans le dédale de pierre de l'aquarium. Perdu. Quel que soit le chemin qu'il prenait, il se perdait.

A droite et à gauche de la route s'étendaient maintenant des prés. Il était sur le point d'arriver. La ferme allait bientôt apparaître à gauche.

Tout en marchant, il sortit son carnet. Il y avait noté quelques spécialités locales, qu'il avait toutes goûtées au moins une fois au cours des derniers jours. Il devait faire son entrée bien préparé.

Soudain, il entendit une voiture. Elle s'approchait à grande vitesse et émergea de derrière une grange qu'il venait d'apercevoir dans un tournant, à une centaine de mètres.

Une voiture de la gendarmerie, une Peugeot.

Dupin s'immobilisa sur le bas-côté.

La voiture stoppa net juste devant lui, Inès Mahé au volant. Elle sortit d'un bond du véhicule.

— Une petite balade jusqu'à la ferme de Maïwenn Guillou ?

Avant que Dupin ne réponde, elle poursuivit :

— Je viens de chez Fabien Tanguy. Sa ferme est juste là devant. Il a avoué avoir lancé la pierre. Il n'avait pas l'intention de blesser madame Quéméneur, il n'avait pas vu qu'elle était assise derrière la fenêtre. Il est mort de trouille. Il espérait que tout se calmerait et que la députée se remettrait vite de ses blessures. Lorsqu'il a appris hier soir qu'on avait arrêté Maïwenn Guillou, il a décidé de se rendre.

La nouvelle prenait Dupin au dépourvu.

— A votre avis, est-il possible qu'il couvre quelqu'un ?

— Je connais Tanguy. Selon moi, c'est improbable, répondit la gendarme qui ajouta après un moment de silence : Mais ce n'est pas exclu.

— A-t-il raconté comment cela s'était déroulé exactement ?

— Oui, tout paraît crédible et correspond aux éléments que nous connaissons. Jusqu'aux analyses de la terre restant sur la pierre. Ses champs se trouvent également dans la vallée, un peu plus haut, précisa-t-elle en désignant de la tête l'endroit d'où elle venait. Il a même pu nous signaler l'endroit exact où il a ramassé les pierres pour l'opération tracteurs.

— Pourquoi n'a-t-il pas avoué plus tôt ? demanda Dupin en se passant la main sur la nuque.

— Il savait que son aveu aurait de lourdes conséquences. Si tout est vrai, il s'est comporté comme un idiot. Mais c'est ce que font la plupart des gens, presque toujours.

— Donc, ce ne serait rien d'autre qu'un dramatique accident ?

— Et les lettres de menace ? questionna Inès Mahé. Car ce n'est certainement pas Fabien Tanguy qui les a écrites. Elles n'auraient alors rien à voir avec ce malheureux jet de pierre. Quelqu'un a profité de la situation. Pour mettre madame Quéméneur sous pression. Peut-être parce que ce quelqu'un est au courant de ses investigations. Ou bien pour semer la confusion.

La situation devenait de plus en plus complexe. Ou, selon l'angle, plus simple. Tout était possible, Inès Mahé avait un bon flair. Par ailleurs, l'agression par pierre interposée ne changeait rien aux différents scénarios. C'est-à-dire que quelqu'un avait profité de l'aubaine – le jet de pierre et le fait que personne ne s'était livré – pour menacer Viviane Quéméneur. Vraisemblablement afin d'empêcher la poursuite des enquêtes sur Ellec ou Cardec. Cette hypothèse expliquerait aussi pourquoi la lettre était arrivée bien après l'agression.

— Je dois y aller, ajouta la gendarme.

— Une dernière chose. Je viens d'apprendre par… une de mes sources qu'on avait identifié la victime. Elle a disparu de Paris et s'appelle Marlène Mitou.

Dupin fit un résumé des informations que Jean lui avait fournies.

— La police parisienne va se mettre en relation avec le commissaire de Lannion.

— Très bien.

Inès Mahé fit demi-tour et rejoignit sa voiture. Elle se retourna brièvement :

— Ah, Le Gourlaouen a fait venir Cardec au commissariat ; la police est allée en bateau le chercher à son château ; il venait de rentrer de Trégastel. Elle a également obtenu une commission rogatoire pour fouiller le château et les sièges de ses entreprises.

Elle ouvrit la portière côté conducteur d'un geste brusque tout en poursuivant :

— Le commissaire pense que l'extension illégale est un motif suffisant pour l'agression. Quoi qu'il se soit passé, remettre Cardec à sa place n'est pas une mauvaise chose.

Selon Dupin, la manière de procéder de Le Gourlaouen n'était pas des plus élégantes. Un peu prématurée pardessus le marché. Mais pas mauvaise, dans le principe.

— Le commissaire est-il au courant qu'un agriculteur a avoué ?

— Non. Mais ça ne saurait tarder.

L'information allait plonger le commissaire dans la confusion, surtout maintenant qu'il avait utilisé les grands moyens pour faire venir Cardec au commissariat.

Inès Mahé s'était installée derrière son volant, elle fit démarrer sa Peugeot qui, telle une voiture de course, fit un bond en avant et fila.

Pendant une fraction de seconde, Dupin crut voir du coin de l'œil quelqu'un se tenir sur le versant de la vallée, entre les arbres. Lorsqu'il fixa l'endroit, il ne put rien découvrir de suspect.

D'un pas décidé, il fit volte-face et se dirigea vers la grange.

A gauche, apparut une magnifique maison de pierre, entourée de champs délimités par des bois touffus, des buissons échevelés et des murets recouverts de mousse. Ce devait être celle de Maïwenn Guillou. Une simple longère de granit rose, restaurée avec goût et entretenue avec soin, au toit d'ardoises sombres.

Jouxtant la ferme, un potager imposant, presque un champ, dont la superficie faisait le double de celle de la maison, était entouré d'un mur à hauteur de taille. A son extrémité se trouvaient deux remises au toit d'ardoises. Trois palmiers hirsutes, typiquement bretons, se dressaient devant la maison.

Dupin vit une silhouette penchée en train de cueillir quelque chose. Une longue tresse de cheveux châtains balayait presque le sol.

Il s'approcha, ouvrit un petit portillon de bois, peint en gris.

La femme ne l'avait pas encore remarqué.

— Madame Guillou ?

Elle sursauta, une carotte violet foncé dans la main.

— Qu'est-ce que vous m'avez fait peur ! s'écria-t-elle avant de lui adresser un sourire doux et chaleureux.

— Veuillez m'excuser, madame.

Tout ce que Dupin avait entendu était vrai : madame Guillou était une femme d'une exceptionnelle beauté. L'exact opposé de l'image galvaudée d'une

« agricultrice » : son visage avait des traits fins, son teint d'un mat élégant faisait ressortir ses yeux vert clair. Elle portait du rouge à lèvres pour tout maquillage. Le regard de Dupin s'était arrêté sur sa main qui passa sa tresse de l'épaule droite à l'épaule gauche : menue et maculée de terre. Le jean, usé jusqu'à la corde et bien trop large, le tee-shirt orange foncé ainsi que les bottes en caoutchouc vertes étaient sales tout en donnant l'impression d'avoir été conçus par un couturier extravagant. Le contraste était ravissant : l'élégante apparition harnachée des pieds à la tête en paysanne.

Maïwenn Guillou avait intercepté le regard de Dupin.

— Je déteste porter des gants. Il faut que je sente la terre et mes plantes.

— Je comprends. Bien sûr.

Une réplique totalement stupide. Il n'y connaissait rien en terre ni en plantes. Dupin avait été désarçonné.

— Je viens de l'Ile Rose, je veux dire que je suis un client de l'hôtel. J'y passe mes vacances. Monsieur Bellec m'a dit qu'on pouvait acheter des fruits et des légumes ici, à la ferme, que tout était bio.

Cette fois-ci, il avait imaginé une histoire pour entrer en matière ; il lui suffisait de la raconter de façon crédible.

— Nous rentrons chez nous demain. Et nous voulions rapporter des produits de la région, expliqua Dupin avant de s'interrompre puis de conclure d'une voix plus basse qu'il ne le voulait : Ma femme et moi.

— Et vous venez à pied acheter des légumes ? Sans panier ni sac à dos ?

Un fâcheux maillon faible dans son récit.

— Nous reviendrons plus tard en voiture. Je me promène dans la vallée et je voulais savoir d'abord ce que vous proposiez.

— Faites attention à vous si vous descendez dans la vallée des Traouïero. Surtout si vous débouchez sur le moulin. La queue de la souris. *Lost Logoden*.

Maïwenn Guillou éclata de rire, elle semblait désormais très détendue. De toute évidence elle le prenait pour un inoffensif hurluberlu.

— Une des résidences du diable. Qui a joué de sales tours au pauvre meunier. Connaissez-vous l'histoire des pierres volantes ?

Ces derniers jours, de nombreuses personnes lui avaient raconté diverses histoires. Mais pas celle-là. Dupin secoua la tête.

— Un homme avait entendu des histoires extravagantes sur le moulin et le diable. Comme il voulait en avoir le cœur net, il s'y installa pour démasquer le fantôme. Dès la première nuit, à minuit, il fut réveillé par un tintamarre infernal. Ses cheveux se dressèrent sur sa tête. D'énormes pierres voltigeaient à travers les airs et entraient en collision comme si elles jouaient à saute-mouton. Elles frappèrent aussi le moulin qui s'effondra aussitôt. Le malheureux ainsi que son lit atterrirent au sommet d'une colline voisine. Il prit ses jambes à son cou et ne remit plus jamais un pied dans la région.

— Vendez-vous des petits artichauts violets ? Nous en avons mangé à l'Ile Rose, demanda Dupin qui n'avait pas eu de meilleure idée pour revenir au prétexte de sa visite.

— Mes champs d'artichauts sont derrière, il y a des petits violets. Ici, dans mon potager, je cultive presque exclusivement des variétés de légumes en voie de disparition. Le sol breton est parfait pour ça. Diverses courges, panais, crosnes, des variétés rares de carottes, énuméra-t-elle en tendant vers lui la carotte qu'elle tenait : on cultive celle-ci depuis cinq mille ans. Les variétés jaunes et violettes sont pleines de polyphénols, de caroténoïde, de vitamine A et d'acide folique. La carotte orange, qu'on trouve partout, est une souche industrielle et ne contient que de l'eau.

— On ne manquera pas d'en prendre.

Claire serait enthousiaste. Petit hic, pensa soudain Dupin, il aurait besoin de trouver une bonne raison pour expliquer pourquoi il s'était rendu ici seul. Il s'en préoccuperait plus tard.

Soudain, un son étrange éclata, faisant sursauter Dupin. L'espèce de grognement se répéta. L'instant d'après apparurent, à un demi-mètre de lui, deux énormes cochons. Roses. Très roses. Comme si la nature voulait s'accorder aux géants de granit. Spontanément, Dupin fit un pas de côté, ce qu'il regretta aussitôt : Maïwenn Guillou l'avait remarqué.

— N'ayez pas peur, ils ne vous feront pas de mal. Je vous présente Louis XVI et Marie-Antoinette. Mes cochons domestiques.

Dupin ne trouva rien à dire. Le mieux était de se taire. Depuis des siècles, les cochons jouissaient dans la campagne bretonne d'un statut spécial, à l'instar des chevaux. Certains étaient même traités comme des membres de la famille. Malgré tout, Dupin se sentait mal à l'aise en leur présence. C'était des colosses et ils puaient. Il les préférait clairement transformés en saucissons, côtelettes et pâtés.

Comme s'il avait deviné les pensées de Dupin, l'un d'eux trottina à petites foulées rapides vers lui et renifla le bas de son pantalon.

— Assez, Marie, retourne au pré, hop, hop ! Vous n'avez rien à faire dans mon jardin. Sortez de là !

Les deux cochons firent demi-tour sans se presser et, le groin au ras du sol, trottèrent en poussant de forts grognements en direction du portail d'entrée, que Dupin avait laissé ouvert.

— J'ai aussi un petit élevage de porcs. Je produis des rillettes délicieusement fondantes, de l'épaule, de la poitrine et du jambon, cuit dans la meilleure des graisses pendant des heures. Mon pâté aux algues a un léger goût iodé, une fraîcheur maritime.

Maïwenn Guillou se mit de nouveau à rire en rejetant sa tresse sur l'autre épaule.

— On en prendra aussi. Du pâté et des rillettes.

L'eau lui était montée à la bouche.

— Qu'est-ce qui vous intéresse, sinon ?

Dupin eut un moment d'hésitation.

— Je veux dire, quels légumes, quels fruits ?

— Ah ! Mettez-nous un peu de tout, un petit assortiment. Vous avez une très belle ferme, admira Dupin en regardant autour de lui.

— Merci.

— Et très bien située, à l'orée de cette fabuleuse vallée, juste à côté de la célèbre carrière de granit, ajouta-t-il en observant sa réaction à ces derniers mots.

Rien. Pas le plus petit frémissement, pas de clignement d'œil, elle lui rendit son regard droit dans les yeux.

— C’est bien là qu’une femme a été retrouvée morte avant-hier ? dit Dupin précipitamment – il ne pourrait pas soutenir son regard longtemps.

Les traits paisibles restèrent immobiles.

— A la carrière rose, oui. Terrible. Et on ne peut plus mystérieux.

— Mystérieux ?

— On ne sait encore rien. La police est dans le noir complet.

Le sourire avait disparu.

— Que s’est-il passé, d’après vous ?

— Je ne sais pas.

Son expression était grave et résignée. Elle était bouleversée, c’était évident.

— Ces derniers temps, il se passe des choses étranges ici. Il y a eu aussi une agression contre la députée.

Dupin ne lâchait pas du regard le visage de Maïwenn Guillou.

— Un acte effroyable.

Elle semblait sincère. Mais peut-être était-elle bonne comédienne.

— Vous la connaissez personnellement ?

Une nouvelle tentative. Un cran au-dessus.

— Oui, bien sûr.

Pour la première fois, sa voix recelait de la défiance. Son regard, aussi, avait changé.

— Bien, monsieur. Je vais donc vous préparer un cageot. Quand voulez-vous venir le prendre ?

— En tant que vacancier, on est un peu perturbé par tous ces événements.

Dupin s'était efforcé de parler d'un ton candide, il tentait de faire disparaître la méfiance.

Cela fonctionna un peu.

— Je comprends. Les plus beaux jours de l'année, répondit-elle dans un sourire. Et il arrive ça.

Dupin n'avait entendu qu'une partie de la phrase. De nouveau, cette impression : quelque chose qui venait d'être dit avait effleuré la vague pensée de tout à l'heure. Ce sentiment qui, zut alors, ne voulait pas parvenir à sa conscience. Dupin connaissait ces pensées obscures qui siégeaient à l'arrière de son cerveau. Plutôt une prescience étrange. L'ennui était qu'il n'arrivait pas à mettre le doigt sur cette intuition.

— Je vais retourner à mes carottes.

— Je vous en prie.

— Au revoir, monsieur…

Une sirène l'interrompit. Une sirène très bruyante.

L'instant d'après, deux voitures de police arrivèrent à toute vitesse et freinèrent juste devant le portail, en faisant crisser les pneus.

Pas de doute, elles étaient là pour Maïwenn Guillou. Et pas pour acheter des légumes…

Pour Dupin, la chose était entendue : il devait prendre la poudre d'escampette.

— Je… commença madame Guillou d'une voix navrée, si vous voulez bien m'excuser. Il vaut mieux que vous m'appeliez demain avant de venir chercher le cageot.

Elle s'avança lentement vers la voiture de police.

Dupin mit aussitôt le cap vers un chemin qui menait à une des remises et traversait ensuite un pré.

— Je vous remercie et vous rappelle, cria-t-il par-dessus son épaule.

Il se dirigea à grandes enjambées vers la remise. Maïwenn Guillou ne parut pas remarquer son étrange comportement, tant elle était occupée par la police.

Quelle était leur intention ? Voulaient-ils mettre maintenant madame Guillou en état d'arrestation ? Et cela alors qu'ils venaient d'apprendre qu'un autre avait avoué avoir lancé la pierre contre Viviane Quéméneur ? Le commissaire de Lannion n'était-il pas au courant de la déclaration de l'agriculteur ou la tenait-il pour peu crédible ? Le croyait-il acheté ? Par Maïwenn Guillou ? Ou bien avait-il des indices, voire des preuves, que celle-ci était impliquée dans un des meurtres, ou même les deux ? Des éléments dont même Inès Mahé ne savait rien ? Une chose cependant était indéniable : mesdames Guillou et Quéméneur étaient au cœur d'un terrible conflit, saturé de blessures et d'émotions profondes. Qui, dans le fond, pouvaient tout déclencher.

Dupin se cacha derrière la remise afin d'observer sans être vu. Plusieurs policiers, quatre en tout, descendirent en hâte de leur véhicule. Ainsi que l'échalas, affublé d'une cicatrice sur la joue gauche que Dupin avait vu la veille à Ploumanac'h : le commissaire de Lannion.

D'un pas décidé, celui-ci se dirigea vers l'agricultrice. Les autres policiers s'étaient regroupés derrière lui. La scène était ridicule.

Le commissaire stoppa devant madame Guillou et s'adressa à elle. Hélas, Dupin ne pouvait entendre ce qu'il disait. Puis le commissaire et les quatre policiers firent demi-tour et attendirent qu'elle rejoigne l'une des deux voitures.

Elle s'arrêta. Une joute oratoire brève s'ensuivit, puis le commissaire hocha la tête. L'agricultrice s'élança d'un pas rapide vers sa maison, suivie du commissaire et de deux agents à qui il avait fait signe. Elle allait chercher quelque chose chez elle. Son portable peut-être, quelques affaires. Cela ressemblait tout à fait à une arrestation. Cardec tantôt et maintenant madame Guillou.

Dupin sortit son téléphone.

— Madame Mahé ?

— Oui.

— On est en train d'arrêter Maïwenn Guillou. Avez-vous eu vent d'éléments récents en possession du commissaire ?

— Non. Seulement qu'il ne croit pas à la déposition du jeune paysan. Pour lui c'est du bluff. Etes-vous à la ferme de Guillou ?

— Oui. Vous n'avez pas entendu parler de l'action en cours ?

— Non.

— Tenez-moi au courant.

Sur le point de raccrocher, Dupin ajouta vite :

— C'est-à-dire que nous nous tenons l'un l'autre au courant !

Mais Inès Mahé avait déjà mis fin à la conversation.

Dupin avait à peine eu le temps de décoller le portable de son oreille que Nolwenn appelait.

— Nous allons le coincer ! s'exclama-t-elle, euphorique.

Nolwenn ne se tenait plus de joie.

— Il est coincé ! C'est sans conteste un faux, nous allons pouvoir le mettre au pilori. Le papier date certes d'une vingtaine d'années, mais le document a été rempli à la machine à écrire il y a un ou deux ans. L'expert souhaite confirmer son hypothèse en soumettant le document à un autre procédé, mais sur le fond, il est sûr de lui.

— Sûr de lui sur le fond ?

— Vous connaissez les experts. Il va de soi qu'il s'agit d'abord d'une déclaration provisoire. Nous ne saurons jamais si le préfet était au courant ou non, mais cela n'a pas d'importance. Le permis de construire exceptionnel est un faux. Terminé. Je ne serai pas tranquille jusqu'à ce que nous ayons prouvé qu'Ellec a aussi bénéficié de faveurs dans l'affaire de la destruction de la dune de sable.

Ellec avait sur le dos le pire adversaire qu'on puisse imaginer. Il n'en réchapperait pas.

— Nolwenn, pouvez-vous s'il vous plaît l'annoncer à Inès Mahé ? L'expert peut certainement résumer la conclusion provisoire de son expertise sous forme écrite. Que vous enverrez ensuite à la gendarme. Qui la transmettra à son tour au commissaire. Si vous pouviez faire en sorte qu'aucune adresse de Concarneau n'y figure… Comme en-tête seulement le nom et le titre de l'expert.

— Je m'y attelle. A un moment ou un autre, on apprendra où l'expert est domicilié. Au plus tard quand l'expertise complète sera connue. Mais d'ici là, exulta Nolwenn, nous aurons bouclé l'affaire !

Dupin espérait la même issue. Il ne se faisait aucune illusion : tout, c'est-à-dire son implication, ses investigations, éclaterait à la lumière à un moment donné – trop de personnes étaient dans la confidence.

— Quoi qu'il en soit, vous pouvez tout dire à Inès Mahé. Elle a mon entière confiance. Elle m'a beaucoup aidé. Ne vous laissez pas induire en erreur par son humeur laconique.

— Je suis moi aussi à vos côtés, de nouveau.

C'était dit gentiment, mais Dupin avait bien entendu le message implicite.

— Bien, Nolwenn, je dois…

Il sentit quelque chose à sa jambe gauche.

Louis XVI. A côté de lui. Et à sa droite : Marie-Antoinette.

— Fichez le camp ! Retournez dans votre champ, allez, oups !

Dupin ne pouvait pas parler trop fort, de son bras gauche il indiquait le pré.

— Pardon ? s'agaça Nolwenn.

— Deux cochons. Qui reniflent mes bas de pantalon.

Ils se moquaient comme d'une guigne de son ordre. Ils continuaient de fureter, pleins de curiosité.

— Je vois… Deux…

— A plus tard, Nolwenn.

Il raccrocha.

Entre-temps, Maïwenn Guillou, le commissaire et les deux policiers étaient retournés à leur voiture. L'agricultrice portait un sac en bandoulière.

Ils montèrent et les voitures démarrèrent immédiatement. Ils ne tournèrent pas à droite en direction de Ploumanac'h et Trégastel mais à gauche, vers Lannion.

Dupin attendit qu'ils se soient éloignés puis il se risqua à sortir de derrière la remise.

Suivi par Louis XVI et Marie-Antoinette.

— Fichez le camp ! Allez hop, dans le pré !

Cette fois-ci il avait parlé fort. Pourtant, les cochons ne furent aucunement impressionnés. Ils avaient l'intention de le suivre.

Dupin était sur le point de se diriger vers la route lorsqu'il s'arrêta net. S'il ne se trompait pas, le chemin de terre sur lequel il se tenait devait mener à la carrière rose, sans doute éloignée d'une centaine de mètres. Le chemin qui longeait le mur de pierre débouchait sur un petit bois. De là, on devait arriver à l'endroit où le chauffeur de taxi avait été retrouvé.

Dupin avait imaginé la carrière mieux organisée.

S'aidant de la carte, il était sorti du petit bois, les deux mains égratignées par des mûriers rétifs. Il avait juré à haute voix. Louis XVI et Marie-Antoinette l'avaient suivi sur quelques mètres, placides et débonnaires. A un moment donné, ils l'avaient quitté d'eux-mêmes.

Soudain, la carrière était apparue devant lui ; elle n'était ni barrée ni délimitée. Dupin s'attendait à ce qu'elle soit circonscrite d'une quelconque manière. Une grande superficie, vide, poussiéreuse, sur laquelle se dressait une cahute en tôle ondulée totalement rouillée. Tout autour de la cahute, on trouvait, disséminés en un large cercle, des morceaux d'acier rouillé, ruines d'une machine qui semblait avoir explosé des années plus tôt. Aucun être humain ne paraissait avoir mis le pied sur ce sol depuis lors. Le soleil dardait ses rayons avec une force impitoyable. Un étrange silence régnait. La chaleur torride faisait trembloter l'atmosphère. Pas le moindre souffle d'air. Pas un arbre, seulement de la poussière et des pierres. Il épongea son front en sueur. L'atmosphère était digne d'un western. Dans le lointain, on entendait des coups réguliers et assourdissants ; l'exploitation de la carrière continuait malgré la découverte macabre. Seul était barré l'endroit isolé où la victime avait été retrouvée.

Dupin s'avança vers un grand bassin recouvert d'une bâche d'un turquoise criard. Soudain apparurent à sa droite d'imposants blocs de granit, longs de quelque deux mètres et demi, et d'un mètre cinquante de hauteur. Des dizaines. Rangés les uns à côté des autres, à un mètre d'intervalle. C'était impressionnant.

Dupin les longea. Il savait dorénavant où il se trouvait. La zone d'extraction était indiquée sur sa carte. Il devait tourner deux fois puis aller tout droit et il parviendrait à l'endroit où on avait jeté le corps de Marlène Mitou. Par pur hasard, il avait pris le bon chemin, arrivant sur l'arrière de la carrière. Il avait de bonnes chances de passer inaperçu.

Le sol était, là aussi, poussiéreux et sec. Ici ou là apparaissait une grue. Le vacarme avait cessé. Dupin se dirigea vers une longue haie haute. La partie où cela s'était passé devait se situer derrière.

Il suivit du regard la haie, et découvrit un peu plus loin l'endroit entouré du cordon de sécurité de la police. Il s'y dirigea d'un pas vif.

Il passa sous la rubalise. Juste devant lui s'ouvrait un précipice au rebord acéré. Le sol s'arrêtait net, sans protection. Marlène Mitou avait, paraît-il, fait une chute de cinquante mètres. Le précipice semblait encore plus profond.

Spectaculaire, angoissant, l'abîme sans fond scintillait de rose.

D'un pas prudent, Dupin s'approcha du bord. Moins d'un mètre le séparait du vide.

Il s'immobilisa et regarda autour de lui.

La rampe d'accès qu'empruntaient les ouvriers et les camions se trouvait sur le côté gauche de la carrière. On y voyait plusieurs plateaux et un chemin qui serpentait en méandres serrés jusqu'en bas. Le sol était inégal, certains endroits étaient encore plus profonds que celui où Marlène Mitou avait chuté. Juste en contrebas de l'endroit où se tenait Dupin on voyait le ruban de la police. La scène de crime n'était plus surveillée.

En examinant la carte, il découvrit deux autres sentiers par lesquels on pouvait arriver en voiture jusqu'à cette partie de la carrière. L'assassin avait donc pu atteindre le secteur facilement – et sans laisser la moindre trace de son passage, étant donné la sécheresse du sol.

Brisant le silence sinistre, la sonnerie de son portable fit l'effet d'une bombe. Dupin sursauta.

L'appel venait de Jean.

— Oui ?

— Je viens de parler à l'amie de Marlène Mitou. Elle habite près de la gare du Nord. La circulation pour y arriver était infernale. Les informations sur ses vacances l'ont énormément surprise. D'après elle, Mitou n'avait pas les moyens de partir. Et si elle avait eu un peu d'argent, elle l'aurait utilisé pour déménager.

Car lors de leur dernier rendez-vous, Mitou lui aurait raconté qu'elle avait trouvé un nouvel appartement, plus central, et qu'elle voulait déménager en septembre.

— Et qu'en est-il des liens avec la Bretagne ?

— Les noms ne lui disaient rien. Aucun.

— L'amie ne sait peut-être pas tout.

— C'est possible. Elles ne se parlaient pas tous les jours.

— Et Marlène Mitou n'a vraiment jamais mentionné l'existence d'un homme ?

— Non. Son amie a certes remarqué qu'elle avait de temps à autre une relation, dirons-nous, passagère, mais elle ne connaît aucun nom ni aucun détail.

La pêche était bien maigre et ne faisait pas avancer Dupin.

— En bref, résuma Jean, l'amie ne comprend rien à rien. Le déplacement ne valait pas le coup.

— Je te remercie quand même.

— Au fait, j'ai parlé avec Le Gourlaouen. Un individu bien désagréable.

— Pas tant que ça quand on connaît un peu sa vie.

Ces mots lui avaient échappé. Dupin s'en agaça. Même si la situation personnelle du commissaire était difficile, il était sur le point de le mettre dans le pétrin.

— T'a-t-il fait part d'une quelconque information sur son enquête ? A-t-il une idée concrète du rôle que Marlène Mitou a joué ?

— Rien. Il m'a écouté sans broncher, comme si j'étais son subordonné. Mes deux collègues ont inspecté l'appartement de Mitou une première fois. Ils n'y ont rien trouvé qui pourrait nous intéresser. Ni agenda ni journal intime, ni rien de ce genre. Pas même un ordinateur. Rien qui pourrait donner une information sur le voyage ou un contact en Bretagne. L'appartement est dans un état déplorable. Minuscule et délabré.

— Est-ce exclu que quelqu'un vous ait précédés et ait effacé des traces et des indices ?

— Autant que puissent en juger mes collègues, oui. Si c'était le cas, l'individu aurait procédé avec mille précautions.

— Peut-être quelqu'un est-il en possession d'une clé ?

— Possible.

— Et au bar où elle travaillait ? Est-ce que Mitou a raconté quelque chose d'intéressant ?

— J'y ai envoyé mon meilleur homme. Il s'est entretenu avec le patron et les quatre serveuses, des femmes entre dix-neuf ans et cinquante-six ans. De temps en temps, Mitou échangeait quelques paroles avec l'une d'entre elles, fumait une cigarette, buvait un verre de whisky. Rien de pertinent. Cette collègue non plus n'avait pas entendu parler d'un voyage.

Jean creusait les sujets, Dupin le reconnaissait bien.

Il poursuivit :

— Jusqu'à maintenant, nous n'avons aucun élément qui nous permette de savoir comment elle s'est rendue en Bretagne. Seule, accompagnée, en train ou avec une voiture de location. Le Gourlaouen part du principe qu'elle est venue en train et qu'elle a pris le car à Guingamp. Mais pour le mardi, aucune réservation de TGV n'a été effectuée à son nom, ni les jours précédents. Ni non plus au nom de Virginie Inard.

— Elle peut avoir donné n'importe quel nom.

— Tout à fait. Bon, on verra si on peut trouver autre chose. Je t'appelle.

— Y compris si tu as des détails.

— Je sais, je sais. Même si j'obtiens le détail le plus insignifiant.

Jean avait mis fin à la conversation.

Qui n'avait rien apporté d'utilisable. Que venait faire Marlène Mitou en Bretagne ? Cela demeurait incompréhensible. Peut-être étaient-ils tous, Dupin compris, sur la mauvaise piste.

A maints égards, le commissaire avait de plus en plus l'impression de se perdre dans un immense dédale de pierre. Un chemin s'ouvrait, on avançait de quelques mètres, puis il se révélait être une impasse et on ne savait pas comment poursuivre.

Dupin se surprit à regarder dans l'abîme, fasciné et comme hypnotisé.

Il se rapprocha encore un peu du bord. Un centimètre après l'autre. Puis il s'immobilisa de nouveau. Un vertige le submergea. Il dut se ressaisir.

Il lui fallait quitter la carrière séance tenante et se rendre sur le lieu du deuxième crime – qui était peut-être le premier. Admettons que Marlène Mitou s'y soit rendue en taxi, alors elle avait été étranglée entre là-bas et ici. Si cela s'était passé là-bas, l'assassin aurait eu besoin d'un véhicule pour emporter le cadavre jusqu'ici.

Dupin s'éloigna enfin du précipice.

Et c'est juste à ce moment-là qu'il entendit un craquement.

Quelqu'un avait marché sur une branche. C'était ce bruit-là qu'il avait entendu. Exactement ce bruit de branche cassée.

Aussitôt, Dupin se mit en position d'attaque. Comme la veille sur la presqu'île Renote, sa main s'était automatiquement portée sur la hanche droite où se trouvait, quand il était en service, son SIG Sauer.

A la vitesse de l'éclair il s'était retourné et avait scruté les alentours.

Quelqu'un était là. Derrière la haie.

Dupin se trouvait en très mauvaise posture, à un petit pas d'un précipice de cinquante mètres de profondeur. Il devait agir.

Il pivota comme s'il voulait encore observer la carrière et sortit son portable. Il se mit à parler sans tarder, d'une voix forte.

— Nolwenn ! s'écria-t-il tout en prenant garde que son ton soit naturel.

Bref silence.

— Je suis dans la carrière. Tout va bien pour l'instant. Je veux seulement jeter un œil sur quelque chose. Je voulais savoir si vous aviez reçu le rapport du docteur Pelliet ?

Tout devait être crédible. Encore un silence.

— Très bien. C'est très important. Pouvez-vous me le lire ? Chaque mot a un poids. Très bien, je vous écoute.

Pendant qu'il parlait, il s'était lentement tourné vers la gauche. Une seconde plus tard, il piquait un sprint, en faisant le moins de bruit possible.

C'était une question de secondes.

Longer la haie. La trouée la plus proche n'était qu'à quelques mètres.

Il s'immobilisa. Jeta un regard prudent tout autour de lui. En face, des blocs de granit ; derrière, des buissons et quelques arbres.

Personne en vue.

Il se faufila le long de la haie en direction du ruban de la police.

Enfin, il le vit. L'homme qui l'avait filé la veille.

Tout se passa très vite. Dupin se précipita sur lui.

Paniqué, l'homme tourna puis prit la fuite.

Il courut vers le précipice et bifurqua à gauche.

Dupin était plus rapide. D'un bond puissant, il se jeta sur lui.

L'homme tomba à terre, un épais nuage de poussière blanche les enveloppa. Ils roulèrent sur des pierres acérées vers le vide. Des bruits sourds. Dupin ressentit une atroce douleur au cou et sur la joue droite.

La lutte fut de courte durée.

Dupin avait retourné l'homme sur le ventre et lui fit une clé de bras.

— Arrêtez, arrêtez ! haleta l'homme. Je suis de la police.

— Qui êtes-vous ?

— Thomas Lemercier. Je vous file sur l'ordre du commissaire Le Gourlaouen. Je fais partie de son équipe.

— Le Gourlaouen ? s'écria Dupin sans buter sur le nom. Le commissaire me fait suivre ?

— Je ne fais qu'obéir à ses ordres, répliqua le policier d'une voix chevrotante.

Quelle infamie ! Le commissaire de Lannion avait poussé le bouchon si loin ?

— Depuis quand ?

— Hier midi.

Dupin desserra légèrement sa clé de bras.

— Montrez-moi votre carte professionnelle.

Dupin libéra son bras droit.

L'homme glissa sa main dans la poche arrière de son pantalon.

— Posez-la par terre devant vous.

L'homme fit ce qu'on lui demandait.

Une carte de police plastifiée, reconnaissable entre toutes, munie d'une photo.

Dupin libéra l'autre bras et se releva, les yeux fixés sur le jeune homme.

— Doucement.

Ils se trouvaient encore au bord du précipice. Un faux mouvement pouvait avoir des conséquences gravissimes.

— Les mains derrière la tête.

Dupin se plaça dos à la haie.

L'homme était à présent debout et interrogeait Dupin du regard. Celui-ci laissa passer un long silence. L'homme ne bougea pas d'un cil.

— C'est bon !

Le policier remua, se secoua, épousseta son tee-shirt, lequel était déchiré à l'épaule.

Dupin sentit quelque chose de chaud couler sur sa joue. Il tâta. C'était du sang. Rien de grave, mais il lui faudrait trouver une bonne histoire à servir à Claire.

— Vous allez maintenant faire comme suit, déclara-t-il sur un ton ferme et maîtrisé. Vous allez voir votre patron et lui délivrer mon message : j'attends qu'il retire sur-le-champ les plaintes qu'il a déposées contre moi auprès des deux préfectures. Et qu'il oublie instantanément le rapport qu'il a l'intention de livrer à l'inspection générale. Vous avez bien entendu ?

— Oui, répondit l'homme d'une toute petite voix.

— Bien. Sinon, je ferai tout un foin de ce qui s'est passé ici. Je dirai que vous me harceliez au point que j'ai failli tomber dans le précipice alors que je me promenais dans la carrière. Tout cela est d'une extrême gravité : la filature, l'intrusion dans ma vie privée !

C'était vrai. Mais c'était surtout... fantastique ! Le commissaire de Lannion avait commis une erreur. Ses émotions lui avaient joué un tour, il avait été trop loin. Et Dupin était débarrassé de ses soucis une bonne fois pour toutes !

— Je... Mais vous avez...

— Vous allez vous rendre immédiatement auprès de votre patron. S'il ne fait pas ce que j'ai dit, je lance la machine. Et je ne ferai pas de quartier.

— Je vais le lui dire.

— Alors, allez-y. Disparaissez de ma vue.

Le jeune policier partit, tête baissée. Dupin avait presque pitié de lui.

Il prit une profonde inspiration, avança de quelques mètres, s'éloigna du précipice.

De nouveau, son téléphone sonna.

A cet instant, chaque appel pouvait être décisif. Dupin le sortit de la poche de son pantalon. Le solide modèle tout-terrain en voyait de toutes les couleurs.

C'était Claire.

Le moment ne pouvait pas être plus mal choisi. Mais il était obligé de prendre l'appel.

— Chérie ?

— Où es-tu ?

Autant que Dupin pût en juger, la question avait été posée sur un ton neutre.

— Chez la marchande de journaux. J'ai bu un café au bar. Je me suis réveillé tôt, j'ai pris mon petit déjeuner et j'ai lu dans le jardin. Je viens de partir. Je prends encore quelques magazines et quelques provisions.

Tout cela paraissait plus ou moins plausible. Ainsi, il aurait une petite marge supplémentaire.

— Je…

— Ne te presse pas, Georges. On est en vacances ! Prends ton temps. J'ai fait la grasse matinée. J'en suis seulement au petit déjeuner. Après, j'irai à la plage, rejoins-moi dès que tu auras terminé.

La plage… comme ce mot semblait irréel en ce moment ! Comme tout lui semblait loin… La plage, la serviette de bain, le farniente obligatoire…

Claire réagissait sans états d'âme, c'était bizarre. Elle avait probablement prévu une opération à distance.

— Emporte quelque chose à boire, un croissant ou une pomme, par précaution.

— Bonne idée.

— A plus tard, Claire.

— A tout à l'heure, Georges.

La situation était grotesque. Mais formidable.

Dupin lança un dernier regard à la carrière et reprit sa route.

Il en avait vu assez, ici.

— Le résultat ne laisse aucun doute, d'après le légiste. Le chauffeur de taxi est mort également mardi soir, aux alentours de vingt-deux heures trente, au même moment donc que Marlène Mitou. Le légiste souhaite le vérifier encore une fois, mais il s'attend à une confirmation.

L'information était importante mais sans surprise. C'était ce qu'ils avaient supposé. Que le scénario soit confirmé était une bonne chose, en tout cas. Les deux meurtres avaient donc eu lieu mardi soir, vers vingt-deux heures trente. Et très probablement non loin de là où se trouvait à présent Dupin.

— Très bien.

— A part ça, rien de neuf. Ils n'ont toujours pas trouvé un seul indice sur l'assassin présumé.

Celui-ci avait opéré avec une extrême prudence et une grande habileté, il n'y avait pas de doute.

— Votre Nolwenn a appelé, déclara Inès Mahé sur un ton qui laissait clairement entendre que cela lui avait déplu. J'ai reçu l'expertise provisoire du spécialiste de Concarneau. Sans mention de son adresse. Je l'ai déjà transmise au commissaire. Il n'a posé aucune question.

— Et qu'a-t-il dit sur l'affaire proprement dite ?

— Il a dit que c'était « une bombe » en soi, que cela soit en marge ou non de l'enquête en cours. Que nous devrions être très prudents. Et demander une contre-expertise.

— Une contre-expertise !

— Nolwenn trouve ça normal.

— Quoi ?

— Ainsi, l'expertise de Concarneau ne sera pas mise sur le devant de la scène. J'ai fait appel à un expert de Paimpol. Le document est déjà en chemin, Nolwenn a envoyé un coursier.

— Et pour le commissaire, il n'y a aucun lien entre cette « bombe » et l'enquête ? demanda Dupin qui avait du mal à le croire. Ce ne serait pas là un mobile suffisant ?

— Il n'a fait aucun commentaire à ce sujet.

— Qu'y a-t-il d'autre ?

— Une fois au commissariat, Cardec a fini par raconter sa nuit avec madame Durand.

Il n'avait pas eu le choix. La charge qui pesait sur lui était trop lourde.

— Et ?

— D'après lui, il ne se serait rien passé. Absolument rien. Bien qu'il eût eu quelque espérance, a-t-il convenu. Il aurait proposé à Alizée Durand de l'emmener au château. Dans un premier temps, lorsqu'ils étaient au bar, elle aurait accepté mais ensuite elle n'a plus rien voulu entendre. Et elle serait repartie avec sa voiture. Fin de l'histoire.

— Le commissaire le croit-il ?

— Je pense que oui.

— A-t-il autre chose contre Cardec ?

— En dehors de l'extension illégale de la carrière et de toutes ses manigances pour que ça ne sorte pas au grand jour ?

— Exactement.

— Je ne crois pas.

On ne pouvait pas dire que l'enquête ait fait un grand bond en avant. Mais peut-être Le Gourlaouen n'avait-il pas partagé toutes ses informations avec Inès Mahé. Dupin, lui, ne mettait généralement personne dans la confidence lorsqu'il était en train de dénouer les fils d'une affaire. Sauf, à la rigueur, Nolwenn ou Le Ber.

— Et contre Maïwenn Guillou ?

— Vous voulez savoir s'il a un élément dont nous n'aurions pas connaissance, c'est ça ?

Comme à son habitude, la gendarme comprenait sur-le-champ.

— Tout à fait.

— Je suppose que non.

— Du neuf du côté du jeune paysan ?

— Non. Qu'y aurait-il ?

Dupin ne le savait pas non plus. S'il avait réellement lancé la pierre, il ne reviendrait pas sur sa déposition alors qu'il avait eu tant de mal à avouer. Et encore moins si c'était une déclaration achetée.

— Entre-temps, nous nous sommes entretenus avec tous les amis et connaissances du chauffeur de taxi. Mais là non plus, aucun indice qui nous permettrait de faire un lien entre lui et les personnes impliquées.

— D'accord.

— Mon collègue essaie de remonter à la source du mail anonyme qui a été envoyé à *Ouest-France*. Au sujet de la liaison entre monsieur Guillou et madame Quéméneur.

— Il peut faire ça ?

— A titre privé, c'est un hacker. Un loisir qu'il a depuis longtemps.

— Alan, le gendarme ?

— Oui, lui-même.

Curieux.

— Et qu'en est-il de madame Quéméneur ?

— Rien de nouveau. Elle est encore à l'hôpital, qui est aussi bien surveillé que le palais de l'Elysée. Jusqu'aux coûts exorbitants, je suppose !

— Et aucune information nouvelle sur…

Dupin s'interrompit soudain. Quelque chose venait de lui traverser l'esprit. Au mot « coûts ». Ce n'était pas ce qui l'avait préoccupé ces derniers temps, cette pensée floue qui flottait dans son esprit – qui, peut-être, n'était qu'une ombre spectrale. Non, c'était autre chose, quelque chose de concret. Qui venait de sa conversation avec Jean.

— Je vous rappelle plus tard.

Dupin avait raccroché, le dernier mot à peine prononcé.

Il se trouvait sur une des allées bordées de marronniers. Devant, à l'embranchement avec la route, il y avait un barrage : on apercevait la rubalise. Une centaine de mètres le séparaient du taxi, le chemin passait devant puis, tournant à droite, entrait dans un petit bois de chênes touffu. Deux policiers étaient en faction devant le taxi ; en aucun cas ils ne devaient le repérer.

Dupin fit défiler sa liste de contacts et appela un numéro.

— Jean ?

— Oui ?

— Une chose encore. Ce déménagement dont l'amie de Mitou a parlé. Elle a dit autre chose à ce propos ?

— Non, seulement que Marlène Mitou avait l'intention de déménager sous peu.

— N'est-ce pas bizarre ? La suite, les vêtements de prix, et un tel déménagement n'est pas donné non plus. De plus, si l'appartement est mieux situé, le loyer doit être plus élevé. Comment a-t-elle pu soudain avoir tant d'argent ? D'où venait-il ?

— Tu veux dire qu'elle a été payée en contrepartie de quelque chose ? Une chose en relation avec les événements qui se déroulent dans cette station balnéaire si excitante où tu passes tes vacances ?

— Exactement.

— Je rappelle tout de suite son amie. A tout à l'heure.

Dupin rempocha son portable.

En évitant de trop se rapprocher des policiers, il tenta de reconstituer la soirée du mardi le plus précisément possible. Les scénarios probables étaient nombreux. Il voulait fureter dans l'espoir de découvrir un indice particulier.

Dupin quitta le chemin et s'avança sur un pré en friche le long de la petite chênaie. Il pouvait passer inaperçu dans le petit bois. Il décrirait un large cercle autour de la scène de crime.

Dix minutes plus tard, il avait parcouru la moitié du cercle, sans résultat. Il n'aurait pas pu dire quelle sorte de traces il espérait trouver, d'autant que l'équipe technique avait fouillé systématiquement les environs. Sans doute entreprenait-il cette recherche dans l'espoir de se sentir mieux. Mais en vain. Pour une raison ou une autre, et depuis qu'il avait quitté la carrière, l'état de son enquête lui semblait de plus en plus nul. A aucun moment il n'avait approché la vérité. Ce qu'il essayait de compenser de cette façon absurde. Son humeur s'assombrissait, son euphorie matinale était comme envolée. Il se sentait idiot. De surcroît, il avait l'impression d'avoir épuisé toutes les possibilités, sans avancer d'un pouce dans la résolution de l'affaire.

Le téléphone vibra, le tirant de sa déprime. Dupin avait mis son téléphone sur vibreur au moment où il s'était mis à rechercher des traces.

— Oui ?

— Un miracle a eu lieu, annonça Nolwenn sur un ton détendu, joyeux même. L'assistante du commissaire Le Gourlaouen a appelé ; Le Gourlaouen ne souhaite plus parler à Guenneugues. Elle vient d'envoyer un mail à notre préfet : le sujet est clos. Et elle m'a instamment demandé de vous le dire séance tenante. (Pause théâtrale.) Je me demande bien ce qui s'est passé.

C'était en effet une bonne nouvelle. Cette histoire aurait pu déboucher sur une terrible débâcle. La stratégie de Dupin avait fonctionné à merveille. Cependant, cette nouvelle ne réussit pas à lui remonter le moral.

— Un petit incident, appelons-le ainsi. Je vous raconterai plus tard.

— Vous m'avez l'air particulièrement bougon.

— Je me suis perdu dans le labyrinthe.

— Vous avez seulement besoin de prendre du recul, commissaire ! Buvez un café ! Allez nager. Mangez un morceau. Riez en compagnie de Claire ! Ou bien faites une longue promenade. Puis reprenez tout à zéro, tranquillement.

Il avait déjà tout repris à zéro plusieurs fois. Il avait aussi fait plusieurs promenades.

— D'accord, Nolwenn, soupira-t-il.

— Vous savez ce qu'on dit en Bretagne : *Gant pasianted hag amzer e veura ar mesper*. « Avec de la patience et du temps mûrissent les nèfles. » Et puis *A van da van e vez graet e vragoù da Yann*. « Petit à petit l'on fait son pantalon à Yann. »

L'humeur de Dupin avait dû sembler à Nolwenn si grave qu'elle avait eu recours à un deuxième proverbe.

— Merci pour votre soutien. Je l'apprécie à sa juste valeur.

Nolwenn aimait les proverbes. Elle aimait surtout les citer pour se donner du courage dans des situations de détresse psychologique. Des proverbes qui restaient toujours quelque peu sibyllins.

— Et n'oubliez pas votre calepin ! Peut-être la solution se trouve-t-elle entre ses pages depuis belle lurette.

Il ne l'avait pas oublié, au contraire : il l'avait compulsé avec frénésie.

— Je dois continuer, Nolwenn.

— Tête haute, commissaire. Vous êtes un Breton, ou non ? L'opiniâtreté est la plus noble des vertus bretonnes.

C'est sur cette phrase qu'elle mit fin à la conversation, comme si elle avait voulu s'assurer que son écho continuerait à résonner.

Dupin fourragea dans ses cheveux. Il se tenait à côté d'un gros rocher ovale en granit qui sortait quasi à la verticale du sol et ressemblait à un menhir. Recouvert de lichen jaune, vert et violet. C'était comme si Nolwenn l'avait fait apparaître d'un coup de baguette magique pour exhorter Dupin à rester debout. A être tenace. A continuer avec obstination.

Hélas, cela ne reflétait en rien son for intérieur.

Peut-être devait-il simplement aller à la plage. S'allonger sur la serviette auprès de Claire. Nager. Profiter des vacances. Boire un café dont il avait en effet le plus grand besoin. Il avait bu le dernier des heures plus tôt. Pas étonnant que son cerveau tourne au ralenti. Il avait l'impression que toute sa personne ne fonctionnait plus. Son combat avec son poursuivant lui avait aussi coûté beaucoup d'énergie.

Il allait cesser ici et maintenant cette absurde recherche d'indices.

Dupin avait jeté un œil sur la carte : le chemin le plus court et le plus rapide le faisait passer par la vallée. Il devait aller tout droit, puis prendre le sentier longeant la baie, qu'il avait emprunté pour se rendre chez Maïwenn Guillou.

Dupin avait traversé un pré en biais jusqu'à un petit bois qui jouxtait la vallée.

Jean avait rappelé l'amie de Marlène Mitou. Hélas, elle n'avait pas pu fournir de plus amples informations au sujet du déménagement, à part qu'il lui avait semblé que l'appartement était mieux. Plus central, c'était certain. Pour Dupin, cela rendait la question financière encore plus aiguë.

Sur la carte, on voyait qu'un chemin partant du petit bois, où il se trouvait à présent, allait jusqu'à la vallée, un peu plus au nord. Il y avait sept accès en tout, se souvint Dupin. De la gauche partait un chemin de terre ; il ne devait pas être difficile à dénicher.

En effet, quelques minutes plus tard, Dupin avait atteint un sombre chemin de terre qui disparaissait littéralement dans la vallée. Subitement, il faisait presque nuit ; le chemin tombait quasi à pic. On trébuchait dans les profondeurs, comme si on passait par un porche magique.

A mesure que Dupin descendait, le monde devenait merveilleux. Si, à l'extérieur, l'atmosphère était infiniment sèche, ici, à l'intérieur, il régnait une chaleur étouffante et humide. Le sol, les arbres, les pierres, tout semblait l'envelopper. Cet autre monde, en bas, était silencieux. Un silence moelleux comme la ouate, comme si tous les sons étaient avalés. De la terre forestière, des océans de fougères – y compris les grandes osmondes royales, ainsi que Dupin l'avait appris –, des mousses, des hêtres semblables à des créatures mythiques, des châtaigniers, des chênes, des aulnes, des frênes, qui s'entremêlaient, des branches tombées à terre et des sous-bois, des plantes vert clair telles des lianes, du lierre, du gui tout là-haut, d'innombrables petites fleurs de toutes les couleurs qui tapissaient le sol. Tout proliférait, se superposait, indéfiniment.

Au cœur de la vallée, un ruisseau d'eau claire – lumineuse même – comme dans un conte de fées serpentait avec hardiesse entre les pierres et les fougères, bondissait par-dessus des arbres tombés et leurs racines exposées au regard. Parfois, on pouvait craindre qu'il n'ait disparu sous la pierre pour toujours. Puis il réapparaissait soudain.

Le sentier suivait plus ou moins le ruisseau ; il fallait de temps en temps sauter par-dessus les troncs d'arbres et les branches.

Dupin avait tourné à droite, en direction de la mer.

Ici, tout était extraordinaire, jusqu'aux immenses blocs de granit qui formaient d'étranges liens avec le monde du dehors. Ici, ils portaient encore mieux leur nom de chaos et créaient des grottes mystérieuses. C'était pourtant les mêmes rochers. Or, ils paraissaient encore plus étranges. En un mot : féeriques. Aussi vivants que des êtres au repos, que de puissants géants, qui, d'un moment à l'autre, s'éveilleraient et se redresseraient.

On ne voyait rien du ciel ; seule une lueur indirecte, en pointillé, éclairait la vallée. Ici et là, le sentier passait sous un des géants de granit.

L'air embaumait d'une odeur particulière mêlant les arômes verts et bruns les plus divers : la terre humide et lourde, les mousses sur les rochers, le ruisseau.

Difficile de dire quelle était la température, il faisait lourd. C'est comme ça que Dupin imaginait la forêt amazonienne.

La vallée était plus ou moins large ; à certains endroits, elle formait un goulot d'étranglement ; à d'autres, elle s'étendait, et multipliait sa largeur par dix.

Dupin voulait rappeler Inès Mahé. Nolwenn avait raison : ils ne devaient rien lâcher ni se laisser perturber, aussi pénible que fût la situation.

Pas de réseau : pas une seule barre sur l'écran du portable.

Une passerelle en bois vermoulu enjambait le ruisseau ; le chemin de terre changeait de côté pour la troisième fois. Il devenait très étroit, un immense rocher rose en forme de poisson était couché par terre. Une dorade, peut-être ; la tête, le gros ventre, la nageoire caudale : on aurait pu jurer que c'était l'œuvre d'un artiste. Dupin était certain que Claire l'aurait vue la première, engrangeant ainsi un point à leur jeu. Par deux fois, un autre sentier bifurquait, l'un vers la droite et l'autre vers la gauche, sans doute était-ce deux des autres chemins menant à la vallée.

A gauche, maintenant, s'ouvrait une grotte. Le regard pouvait y pénétrer sur quelques mètres, avant que tout disparaisse dans les ténèbres. Peut-être était-ce la grotte des contrebandiers dont Bellec avait parlé à voix basse. Ou bien celle du lépreux. Celle des pirates. Ou encore celle des sirènes. Il existait des dizaines de grottes et des dizaines de légendes sur chacune d'entre elles.

Un peu plus loin, Dupin arriva à un étang tout en longueur et méandres. Il l'avait repéré tardivement. En fait, il ne le découvrit que lorsqu'il fut juste devant. Car on ne voyait pas l'eau, mais seulement le reflet de la forêt : des morceaux de troncs, des branches, des feuilles, des fougères – tout l'univers singulier d'en bas. Pour une raison inconnue, la surface réfléchissait une lumière vive brouillant les sens. Un vertige saisit Dupin, comme celui qui l'avait submergé au bord du précipice, dans la carrière.

C'est seulement une fois qu'on arrivait au bout de l'étang qu'on remarquait la digue. Des pierres recouvertes depuis longtemps. C'était là qu'avait dû se dresser l'ancien moulin dont Maïwenn Guillou avait parlé.

La vallée était un monde enchanté. Depuis qu'il connaissait la Bretagne, Dupin s'était trouvé à maintes reprises dans des lieux fantastiques où on n'aurait pas été étonné de croiser des fées, des gnomes et des elfes. Mais là, dans cette vallée, c'était différent : les créatures féeriques manquaient tellement on s'attendait à les y voir ; n'importe quel élément surnaturel aurait paru ici, en bas, tout à fait normal.

La promenade fit du bien à Dupin. Comme si sa manière de réfléchir s'était métamorphosée ; les pensées prenaient le même tour naturel que dans un rêve.

Même le temps semblait avancer autrement. Dupin n'aurait su dire depuis combien de temps il était en chemin. Il n'avait pas regardé l'heure quand il avait commencé à descendre. Mais il allait sans doute bientôt arriver à la mer.

Il s'arrêta et sortit sa carte. Il chercha les signes qui lui permettraient de s'orienter. Par exemple, l'étang, les ruines du moulin, les grottes. Mais à part les mots *Vallée des Traouïero*, rien n'était indiqué.

En fait, c'était très simple. Dupin ne pouvait pas se perdre. La vallée prenait fin au pont devant la mer, là où il était passé à l'aller.

Peut-être aurait-il dû prendre un des chemins de l'embranchement qu'il venait de franchir. Bien sûr, il n'y avait vu aucun panneau. Parallèlement à la vallée des Traouïero, un peu plus à l'ouest, existait une autre vallée – peut-être le sentier qu'il suivait y menait-il ? Traversait-il la mauvaise vallée ? Impossible. Entre les deux, serpentait la route qu'il avait empruntée pour se rendre à la ferme de Maïwenn Guillou. Ou bien s'était-il trompé de direction ? C'était absurde.

Il rempocha sa carte et continua son chemin, d'un pas décidé.

Dix minutes plus tard, il s'arrêta de nouveau, alors qu'un sentier bifurquait à droite. D'après la carte, le chemin qui traversait la vallée continuait toujours tout droit. Il ne pouvait pas s'être perdu.

Cependant, cela faisait longtemps qu'il marchait. Quelque chose clochait. Il frissonna.

L'ennui était que tout se ressemblait dans cette vallée. Dupin avait même l'impression que la ressemblance se renforçait au fur et à mesure qu'il restait là. Il se serait cru dans un film d'horreur : on entrait dans une vallée dont on ne sortirait jamais parce qu'elle était infinie.

— Ce n'est pas possible !

La vallée avala ses mots. Mais cela lui avait fait du bien de parler à haute voix. Cela lui avait remis les pieds sur terre.

— Je vais tout simplement continuer tout droit…

Dupin sursauta. Comme si la foudre lui était tombée dessus.

Voilà ! Il avait compris. *Semblable. Se ressembler.*

La clé de l'énigme. La clé qui expliquait le sentiment flou qui l'avait traversé à plusieurs reprises mais qui n'était pas arrivé jusqu'à sa conscience. Soudain, tout s'éclairait d'une lumière crue.

Il savait comment résoudre l'affaire.

Il en était sûr et certain. Même les autres mots associés à sa sombre intuition lui vinrent à l'esprit. Ils s'imbriquaient comme les pièces d'un puzzle.

S'il avait raison, ce qui se passait était d'une cruauté sans nom. La mise en scène impudente et malsaine suivait un plan machiavélique. Il s'agissait tout bonnement d'une exécution.

Dupin n'avait pas beaucoup de temps. Il devait se dépêcher. Peut-être même était-il déjà trop tard.

Fébrile, il sortit son portable. Toujours pas de réseau.

Sans réfléchir, il se mit à courir.

Il ne voyait plus rien, ne remarquait plus rien tant il était occupé à repasser la dernière semaine, à examiner les événements à la lumière de ses dernières découvertes, et il arrivait toujours au même résultat : tout s'emboîtait. Il ne fut même pas étonné que la forêt s'ouvrît, laissant apparaître le pont quasi au même instant. La forêt magique s'arrêtait brutalement.

Une fois sur le pont, il fit une pause, sans prêter aucune attention aux voitures.

Il s'empressa de sortir son portable.

Vite, appuya sur le numéro. Prononça quelques phrases.

Une minute plus tard, un sourire éclairait son visage.

Dupin regarda autour de lui, s'orienta et se mit à gesticuler, planté au milieu de la route. La première voiture venant de droite, une Peugeot 105, freina sec et s'immobilisa quelques centimètres devant lui. Une vieille dame aux cheveux blancs le fixait d'un regard rempli d'effroi.

Il se dirigea du côté droit, ouvrit la portière à la volée et monta avant que la dame ne puisse dire un mot.

— Police. Une urgence. Vous devez m'emmener.

Dupin arriva avant Le Gourlaouen. « Je ne vois aucune raison de vous rencontrer », avait déclaré le commissaire de Lannion lorsque, sur le pont, Dupin l'avait appelé.

Dupin avait passé un deuxième appel. Il arriverait à temps ; ce serait juste mais pas trop tard. La vieille dame, bouleversée au moment où Dupin était monté dans la voiture, s'était calmée avec une rapidité étonnante, laissant place à une excitation de bon aloi. Elle avait roulé à tombeau ouvert jusqu'à l'entrée de l'hôtel, où elle l'avait quitté sur un « Bon courage ». Dupin avait foncé sur le chemin qui serpentait au milieu des blocs de granit. Puis il s'était posté entre les hortensias et le buisson de sauge que Bellec entretenait avec tant de soin. Il avait l'entrée de l'hôtel et la route d'accès en ligne de mire.

Il ne dut pas attendre longtemps avant qu'une voiture de police n'emprunte la petite route à vive allure. La grosse Renault.

Le commissaire de Lannion en descendit sans attendre et s'avança vers Dupin, le crâne rouge écrevisse, son visage maigre déformé par la colère.

Aussitôt, il entama une tirade en s'époumonant.

— Si vous pensez que vous pouvez me convoquer de la sorte…

— Taisez-vous et suivez-moi.

Dupin n'avait aucune envie de discutailler. Il y avait plus important à faire.

Il s'était déjà mis en mouvement ; le visage du commissaire colérique était passé du rouge au violet.

— Par ici.

Dupin ouvrit la porte de l'hôtel. Il faillit entrer en collision avec monsieur et madame Bellec qui sortaient de la réception d'un pas pressé.

— Aussi rapide que les pompiers, déclara monsieur Bellec sur un ton reconnaissant en hochant la tête, cela doit vraiment…

Il s'interrompit lorsqu'il aperçut Le Gourlaouen.

Sans un mot, Dupin passa devant les Bellec, alla tout droit vers l'escalier.

— Qu'avez-vous l'intention de faire, commissaire ?

Le Gourlaouen lançait autour de lui des regards courroucés.

— Pas maintenant, Bellec, plus tard, intervint Dupin en posant le pied sur la première marche.

— Deuxième étage, annonça-t-il à Le Gourlaouen en grimpant deux marches à la fois.

Sans se retourner il s'écria :

— Bellec, gardez l'œil sur l'escalier de secours ! Appelez-nous si quelqu'un surgit.

De nouveau, Le Gourlaouen grinça :

— Je veux savoir sur-le-champ ce qui se passe ici…

— Venez !

Quelques instants après, Dupin se tenait devant la chambre. Il attendit que Le Gourlaouen se tînt derrière lui, tout essoufflé.

— Nous allons entrer ici, je parle et vous écoutez.

Dupin tambourina sur la porte.

On entendait du bruit à l'intérieur.

— Ouvrez !

L'instant d'après, la porte s'ouvrit. Dupin s'y faufila.

Monsieur Durand s'était écarté. Le regard encore plus perçant que d'habitude, impérieux. Il était en train d'attacher le bouton du haut d'un blazer bleu marine.

— Qu'est-ce qui se passe ? Que voulez-vous ? demanda-t-il d'un ton coupant.

— Nous allons avoir une petite conversation, monsieur Durand.

Durand avança son menton.

— Je n'en ferai rien. Je…

— Je vous présente le commissaire Le Gourlaouen, de Lannion. Il travaille en collaboration avec le commissaire divisionnaire Odinot, de Paris.

Dupin avait mis l'accent sur « Paris ».

La chambre était remplie de bagages. Une belle cargaison de cartons de chaussures. Vestes, sacs, valises, matériel de pêche. Durand avait demandé à Bellec de faire porter les affaires à la voiture dans les plus brefs délais. Cela avait eu lieu sept minutes plus tôt, juste avant que Dupin ne téléphone à Bellec. La situation était bizarre, tendue à l'extrême. Ils se tenaient encore à moitié dans l'embrasure de la porte.

— Venez sur le balcon, commanda Dupin. Nous allons nous y asseoir.

A cette heure, les autres balcons étaient vides, les clients déjeunaient ou bien étaient à la plage.

Le Gourlaouen était d'humeur grincheuse, mais il était évident qu'il faisait des efforts pour se ressaisir.

Dupin s'avança. Sur le balcon – qui était deux fois plus grand que le leur, à Claire et lui – il y avait une table de bistrot bleu Atlantique, deux chaises assorties, et deux transats dans le coin de droite.

Dupin s'adossa à la balustrade. C'était un lieu bien étrange pour une conversation d'une telle gravité, mais il avait déjà mené d'importants entretiens dans des lieux encore plus improbables.

— En aucune façon je ne suis obligé, commença Durand, d'obéir à je ne sais quels ordres.

— Non, en effet. Mais si vous ne le faites pas, le commissaire Le Gourlaouen vous embarque immédiatement au commissariat.

Durand s'assit.

— Auriez-vous l'amabilité de me dire à quel sujet vous voulez que nous nous entretenions ? J'ai un rendez-vous à dix-sept heures à Paris, j'étais sur le point de partir.

Sa voix avait changé, Durand semblait vouloir modifier sa stratégie.

Le Gourlaouen prit lui aussi un siège. Le commissaire et Durand étaient assis de telle façon que leurs regards étaient dirigés vers Dupin.

— Bien. Commençons donc par le début de l'histoire.

Dupin se détacha de la balustrade et arpenta le balcon.

— Je vais essayer d'être bref. Monsieur Durand, il y a quelques années, vous avez fait la connaissance d'une jeune femme séduisante, exubérante, un peu vulgaire mais dans le fond très sympathique ; ce faisant, vous évinciez un concurrent. Peut-être avez-vous eu pour elle de véritables sentiments, qui sait ? Mais qu'importe. Peu de temps après, vous vous êtes mariés. Vous vous êtes mis à déclarer des entreprises sous son nom. De simples magouilles fiscales. Jusque-là, tout va bien. A un moment donné, alors que votre engouement s'était envolé, la jeune femme a commencé à vous agacer et vous avez perdu tout intérêt pour elle. Vous auriez pu vous séparer mais une femme comme elle ne se serait pas laissé faire sans rien dire. Elle en aurait fait un drame, cela vous aurait coûté cher et aurait pu vous mener à la ruine : elle possédait une partie de votre fortune.

Un sourire méprisant était apparu sur le visage de Durand. Il gardait tout son sang-froid.

— Je ne vois pas du tout où vous voulez en venir. Votre histoire est déjà ridicule.

— Quoi qu'il en soit, divorcer était hors de question. Donc, il vous fallait un autre plan. Vous êtes un homme pragmatique. Un jour, dans un bar, peut-être Aux Folies, vous avez fait la connaissance d'une jeune femme, d'une serveuse, qui… Attendez, un instant s'il vous plaît, s'interrompit Dupin qui sortit son calepin de sa poche et le feuilleta : J'y suis bientôt.

Cela dura quelques secondes.

— Voilà, je l'ai : le gendarme qui le premier a vu Marlène Mitou dans la carrière… (Dupin ralentit son débit, il voulait jouir de l'effet, même si c'était déplacé)… a pensé d'abord qu'il s'agissait d'Alizée Durand, et ce malgré les blessures et les cheveux bruns. Pourquoi ? Parce qu'il avait vu la photo sur l'avis de recherche.

Dupin s'arrêta devant Durand et le regarda droit dans les yeux.

— C'est exactement ce que j'ai noté lorsque j'ai appris qu'on avait trouvé un corps dans la carrière : « Gendarme pense avoir reconnu madame Durand. »

C'était incroyable : Dupin avait noté dans son calepin la solution de l'affaire depuis mercredi soir, donc dès qu'on avait trouvé le corps. Exactement ce que Nolwenn avait dit : la clé de l'énigme était depuis tout ce temps-là dans son carnet !

— Je continue : vous rencontrez donc cette jeune femme dans un bar qui, bien qu'elle ait une coupe et une couleur de cheveux différentes et une autre allure, ressemble de façon étonnante à votre épouse. Même taille, silhouette similaire. Une comédienne ratée. Le plan était tout trouvé.

« Comédienne » était un autre mot-clé qui avait déclenché quelque chose dans la tête de Dupin. Il avait joué un rôle à plusieurs reprises ces derniers jours.

Le sourire de Durand avait viré en une grimace hideuse :

— Le commissaire, un raconteur d'histoires, qui l'eût cru ? Vous êtes un conteur hors pair ! Mais aussi amusant que cela soit de vous écouter, je dois hélas quitter ce spectacle impromptu.

Il se leva.

Le Gourlaouen bondit et barra la route à Durand. L'espace entre les visages des deux hommes aussi grands l'un que l'autre n'était pas plus large que la main. Ils se toisèrent du regard.

Le Gourlaouen ne pipait mot. Durand sembla se demander ce qu'il devait faire.

— Je voudrais appeler mon avocat.

— Vous en aurez l'occasion plus tard, répliqua Dupin sur un ton calme. Mais d'abord, vous m'écoutez.

De nouveau, Durand sembla réfléchir. Puis il se rassit. Après un moment d'hésitation, Le Gourlaouen fit de même.

— Revenons à nos moutons, reprit Dupin en arpentant le balcon. Vous avez appris que la jeune femme du bar n'avait pas eu beaucoup de chance dans la vie. Elle vous a parlé de ses rêves déçus et de ses ennuis d'argent. Le hasard vous a tout apporté sur un plateau. Tout paraissait aller à merveille. Devant vos yeux naissait la possibilité d'un crime parfait. Qui vous promettait de résoudre tous vos soucis. Ainsi, vous pourriez garder vos sociétés et l'argent pour vous seul. (Dupin s'épongea le front, le balcon était baigné de soleil.) L'amie de votre femme nous a raconté que les semaines précédant votre départ en vacances, les disputes entre vous avaient été moins fréquentes. Mon hypothèse est celle-ci : vous gardiez le cap sur l'objectif.

Durand était sans expression, il fixait, sans bouger, un point à l'horizon.

— Cette serveuse, que le ciel vous avait envoyée, jouerait le rôle de votre femme.

Dupin s'interrompit, se tourna alors sur le côté, vers la mer, comme s'il avait voulu admirer le panorama.

— Et cela une fois que vous auriez assassiné votre femme.

Durand restait assis, immobile.

— Il n'y a pas de meilleur endroit que la mer pour faire disparaître un corps sans laisser de traces. Et c'était justement votre projet.

Arrivé là, Dupin abordait la partie la plus spéculative de son récit, mais il s'exprima comme s'il était sûr de lui :

— J'imagine le déroulé des événements ainsi : vous et votre femme êtes arrivés mercredi de la semaine passée. Sous prétexte de pêcher, vous aviez prévu de louer un bateau. Hélas, les deux premiers jours, la météo était mauvaise. Vendredi après-midi, cependant, le temps a changé : enfin, il était au beau fixe ; vous avez donc loué un bateau et êtes sortis une première fois en mer, pour tout bien repérer. Samedi après-midi, tout était prêt. Vous annoncez un pique-nique romantique en mer, avec champagne et homard.

C'était les informations dont disposait Inès Mahé ; tout bien considéré, la reconstitution ne relevait pas de la sorcellerie ; il fallait seulement emboîter toutes les pièces entre elles.

— Vous avez navigué loin, je suppose. Et vous l'avez passée par-dessus bord, peut-être après l'avoir étranglée. Pas de témoins. Ensuite, Marlène Mitou a endossé le rôle de votre femme. Elle devait seulement s'arranger un peu. Il est facile de faire fabriquer une perruque (la perruque que Nolwenn avait portée lors de son intrépide opération à la mairie avait turlupiné Dupin). Vous avez été rusé, très rusé. Vous avez pris toutes les mesures possibles, donné toutes les informations utiles à Marlène Mitou. Vous lui avez dit de flirter ici et là, afin qu'elle laisse l'image d'une femme volage. Il est possible qu'elle en ait fait un peu trop.

Dupin se souvenait qu'il s'était à plusieurs reprises creusé les méninges pour comprendre le comportement qu'Alizée Durand avait eu dimanche et lundi, lequel lui avait semblé étrange. L'explication était claire : une autre jouait son personnage.

— Depuis votre arrivée à l'hôtel, vous avez accentué volontairement vos disputes en public. Pour que tout le monde en soit témoin.

Encore une fois, Dupin s'immobilisa devant Durand :

— Venons-en au fait : lundi soir, vous avez joué une scène parfaite avec la fausse madame Durand. Une dispute qui atteint son apogée pendant le dîner, au vu et au su de tous. Peut-être, penseraient les gens après coup, avait-elle été provoquée par les minauderies avec Cardec, au bar. La pièce s'est terminée sur la sortie théâtrale de Marlène Mitou jouant Alizée Durand. Avec une scénographie bien huilée, permettant que chacun voie que vous n'avez pas suivi votre femme mais que vous êtes resté tout ce temps-là sur la terrasse. Un époux éconduit qui attend le retour de sa femme. Chevaleresque. Ou presque.

— Ridicule ! Totalement ridicule.

— Ah oui, j'allais oublier, reprit Dupin qui rejoignit la balustrade. La motivation de Marlène Mitou. La raison pour laquelle elle a marché dans votre combine. Je suppose que vous l'avez récompensée en lui offrant un appartement, un bel appartement, confortable. Le jeu en valait la chandelle. Elle a mentionné un déménagement devant son amie. C'était le contrat. Elle emménagerait une fois le boulot terminé. A Paris, être propriétaire de son appartement, c'est comme gagner au Loto.

En tout cas, c'est ainsi que Dupin s'était expliqué la situation pendant sa balade dans la vallée.

— Il y a une chose que je ne sais pas : aviez-vous projeté, dès le début, de supprimer Marlène Mitou ? Ou un événement ces derniers jours lui a-t-il été fatal ? Peut-être que l'appartement ne lui a soudain pas suffi ou bien elle vous faisait chanter. Je ne sais pas non plus si elle était au courant du meurtre de votre femme ? Je pense que oui. Quoi qu'il en soit, vous l'avez assassinée.

Dupin s'interrompit. Il avait de nouveau atteint l'autre extrémité du balcon. Pour la première fois depuis sa promenade dans la vallée, il prit conscience de ce qui l'entourait. De là, on pouvait voir la plage, là où Claire se trouvait. Il ne put réprimer un sourire.

Dupin se tourna vers Durand :

— Mais un grain de sable a enrayé la belle mécanique. Une catastrophe qui cependant ne vous a pas arrêté. Marlène Mitou a appelé un taxi pour rejoindre le lieu du rendez-vous. Ce n'était certainement pas prévu. Ou bien le chauffeur de taxi vous a aperçu, vous ou votre voiture, ajouta Dupin en fixant Durand. En tout cas, la situation ne vous a pas laissé le choix, il fallait le supprimer lui aussi, à l'aide du premier moyen trouvé sur place.

Rien. Pas même un clignement d'œil, pas un tressaillement, aucune émotion ne trahissait Durand. Et plus aucune réplique. Dupin attendit un moment, qui s'éternisa de façon insupportable.

Ce fut Le Gourlaouen qui rompit l'atroce silence :

— Et la carrière ? Pourquoi a-t-il jeté Marlène Mitou dans la carrière ?

Le commissaire parlait comme si Durand n'était pas là. Son ton était désormais dénué de rancune à l'égard de Dupin ; seule la curiosité de l'enquêteur était palpable.

— Là aussi, le hasard a servi Durand, répondit Dupin qui se tourna vers Le Gourlaouen comme s'ils étaient seuls sur le balcon. Le lendemain matin de la disparition de sa femme, il était à la gendarmerie de Trégastel. Je me suis tenu à la même place, assis en face d'Inès Mahé, de l'autre côté de son bureau. Là, tout comme le mien, son regard est tombé sur le panneau d'affichage où se trouve le rapport sur le corps retrouvé dans la carrière sept ans plus tôt. Quand il s'est vu contraint de tuer Marlène Mitou, que ce soit prévu ou non, il a eu un trait de génie. Un coup perfide. Il jetterait le corps dans cette même carrière où on avait trouvé « la morte rose ».

Le Gourlaouen enchaîna :

— Durand savait qu'on serait obligé de rechercher un lien. Cela ne devait rien au hasard. Un embrouillamini parfait.

— Même chose avec les lettres de menace envoyées à la députée, je dirais.

Les deux commissaires poursuivaient leur conversation animée.

— Ici aussi, il a su saisir la balle au bond : personne ne s'étant dénoncé, il a écrit une lettre de menace dont les termes très vagues pouvaient s'adapter à n'importe quelle figure politique. Il a provoqué une terrible confusion. Bien sûr, on soupçonnerait immédiatement certaines personnes en conflit avec madame Quéméneur. Et c'est ce qui s'est passé. Nous sommes tous tombés dans le panneau ! Cardec, Maïwenn Guillou et Ellec étaient dans notre ligne de mire ; on a échafaudé des liens de cause à effet, imaginé de sombres machinations. Il pouvait tabler sur le fait que tout un chacun cachait une zone peu reluisante. Il a mené tout le monde en bateau.

Tout ne formait qu'une seule et même affaire. L'affaire de monsieur Durand. Que les manigances de Cardec et Ellec aient été mises au jour n'était dû qu'au hasard. Un effet collatéral. La cerise sur le gâteau.

— Vous délirez, tous les deux ! explosa Durand qui avait repris vie. Vous ne pourrez jamais le prouver, ajouta-t-il dans un sourire moqueur et hautain.

Durand avait raison. Ils n'avaient que des indices – dont était tirée une hypothèse. Mais celle-ci était sans faille, parfaite en quelque sorte.

— Ne vous faites pas de souci, monsieur Durand, souriait Dupin. Nous connaissons désormais l'histoire et nous savons exactement où nous devons enquêter. Nous allons trouver un élément sur l'appartement que vous aviez promis à Marlène Mitou, même si vous n'aviez pas du tout l'intention de le lui céder réellement.

— Nous allons désosser votre voiture, poursuivit Le Gourlaouen d'une voix détendue, la banquette arrière, le coffre. Morte ou vivante, Marlène Mitou était dans votre voiture lorsque vous vous êtes rendu à la carrière. Nous allons étudier au microscope chaque millimètre carré des sièges et du coffre et trouver quelque chose, vous pouvez nous faire confiance. Vous n'imaginez pas tout ce qu'on peut faire de nos jours. En attendant, la chaîne d'indices nous suffit amplement pour vous mettre en garde à vue.

— Tout à fait, approuva Dupin. Le commissaire Le Gourlaouen va vous conduire sur-le-champ au commissariat et vous placer sous mandat d'arrêt.

Dupin tourna le dos à Durand et, debout face au commissaire de Lannion, lui fit un grand sourire :

— Vous avez fourni un travail remarquable. Grâce à votre opiniâtreté d'une exigence sans pareille, vous avez dévoilé cette histoire ignoble.

Oui, l'affaire était vraiment ignoble. Dupin connaissait ce type d'hommes qui prennent tous les autres pour des imbéciles et pensent qu'ils s'en sortiront toujours. Qui trouvent naturel de servir leurs propres intérêts quel qu'en soit le prix.

— Et en plus, vous allez pouvoir, en passant, faire boire la tasse à Jérôme Cardec et Hugues Ellec, ajouta Dupin, toujours souriant. Et ce sans avoir à remuer ciel et terre. Une grande efficacité en un temps record. Cela devrait vous valoir une promotion ou au moins une distinction.

Le mieux serait pour tous, avait pensé Dupin, qu'il s'en aille à ce moment-là, qu'il s'évapore en quelque sorte, comme par un coup de baguette magique. Pour lui aussi, ce serait la meilleure sortie, il aurait le beau rôle.

— Je vous tire mon chapeau, commissaire ! ajouta-t-il, la mine réjouie.

Le Gourlaouen était bouche bée. Son visage montrait la plus grande stupéfaction. Durand regardait devant lui, l'air absent.

— Mais… je… voulut démentir Le Gourlaouen.

— Ne soyez pas modeste. J'ai été témoin de tout. Et croyez-moi, je suis un excellent observateur. C'était un travail d'enquête remarquable.

Dupin ne souriait plus, il rayonnait.

— Je dois aller à la plage. Les vacances m'appellent. Ma femme m'attend. De bons sandwichs. Un rosé bien frais. Si vous voulez bien m'excuser, commissaire. Monsieur Durand.

Sur ces mots, il s'était dirigé vers la porte de la chambre. Les deux autres restaient assis, comme cloués sur leur chaise. Le Gourlaouen n'était toujours pas revenu de sa perplexité.

Dupin fit volte-face une dernière fois :

— C'était un plaisir, messieurs !

— Alors ? Que s'est-il passé ? Durand est-il impliqué dans les meurtres ? De quoi avez-vous parlé ?

Dupin avait à peine atteint la dernière marche de l'escalier que monsieur et madame Bellec s'étaient précipités sur lui ; un miracle qu'ils n'aient pas écouté à la porte.

Il ne pourrait pas partir avant de leur faire un résumé de la situation.

— Le commissaire Le Gourlaouen a résolu l'affaire. Il arrête monsieur Durand.

Le résumé ne pouvait pas être plus court.

— Monsieur Durand ? s'indigna madame Bellec. Notre client ? Monsieur Durand, un criminel ? Un meurtrier ? Le mal, juste sous notre toit ?

— C'est cela même, madame Bellec.

— C'est vrai, réfléchit madame Bellec, il vient de Paris.

Cette précision sembla la soulager. Dupin eut l'impression qu'elle disait en même temps que ce serait le dernier client parisien qu'elle accepterait d'héberger.

— De quel crime monsieur Durand s'est-il rendu coupable ? demanda monsieur Bellec qui considérait l'affaire d'un œil plus pratique. A-t-il tué la Parisienne ? Le pauvre chauffeur de taxi ? C'est lui qui a agressé la députée ?

Il regardait Dupin, plein d'espoir.

— Et même sa femme ? Est-ce qu'elle n'a pas seulement disparu ?

— Vous allez bientôt tout savoir, monsieur Bellec.

Sa bonne humeur laissa Dupin ajouter :

— Je pense en effet que c'est exactement ce qui s'est passé, répondit-il en faisant un clin d'œil : Mais ça reste entre nous.

Les Bellec avaient mérité d'être dans la confidence. Ils l'avaient aidé. A leur manière, parfois entêtée, c'est vrai, mais ils l'avaient aidé. L'avaient soutenu. Et surtout : l'avaient couvert.

— Comment Durand a-t-il…

On entendit des pas descendre l'escalier. Des pas lourds.

Bellec s'était interrompu par réflexe.

— Nous aurons encore le temps de bavarder, dit Dupin d'une voix basse. Je dois rejoindre ma femme de toute urgence.

Du regard, les Bellec exprimèrent leur compréhension. Aussitôt, ils tournèrent les talons ; ils semblaient encore troublés, mais contents.

Dupin prit la direction de la terrasse ; il passerait par le jardin. Ainsi ne courrait-il pas le risque de rencontrer quelqu'un.

Une fois sur le merveilleux chemin qui longeait la mer, il se surprit à musarder. Il ne manquait plus qu'il se mette à siffloter. Quelques minutes plus tard, il était chez Rachid devant un éventail de plats succulents. Dupin choisit de prendre quatre pans-bagnats. Il était affamé, il en serait de même pour Claire. Une bouteille d'eau glacée, un rosé.

En chemin vers la plage, l'humeur de Dupin était au beau fixe.

C'était une belle journée. Et ce petit coin de paradis était extraordinaire. Dupin laissa son regard glisser sur l'horizon. Dans la baie où, la veille, il avait pris en chasse son poursuivant, une école de voile pour enfants était de sortie. Dupin aimait ce spectacle qu'on pouvait admirer sur tout le littoral : en tête un petit bateau à moteur avec un moniteur à son bord, à sa suite une dizaine de voiliers miniatures, semblables à des jouets, amarrés les uns aux autres. Telles des perles à un cordon. Plus loin, au large, les grands voiliers, d'un blanc majestueux et élégant, volant au-dessus des vagues. Les Sept-Iles aux contours si nets. Ce jour-là, elles semblaient si proches que, de la terre ferme, on pouvait s'imaginer observer les petits pingouins à travers des jumelles. Cela lui arrivait rarement, mais, dans de tels instants, Dupin regrettait beaucoup son aversion pour les traversées en bateau. Il était tout proche des petits pingouins. Mais, hélas, il ne pouvait pas leur rendre visite.

Claire l'avait aperçu de loin. Et, c'était bon signe, avait agité la main. Dupin n'en était pas certain, mais il lui sembla avoir vu brièvement qu'elle tenait son portable contre son oreille. Elle le fit disparaître d'un geste rapide.

— Enfin ! J'ai une faim de loup.

Il restait encore à Dupin quelques mètres à franchir, mais elle avait déjà roulé sur le côté, libérant la moitié de la serviette.

— Tout est là.

Dupin posa les deux sacs en papier et le rafraîchisseur de bouteille au bord de la serviette.

Claire n'avait pas l'air de vouloir savoir ce qu'il avait fait pendant les dernières heures. Mais il ne s'attendait pas à autre chose.

— Allez, assieds-toi.

Claire était impatiente.

— Un instant.

Dupin sortit son maillot de bain de son sac de plage. Ils étaient en vacances, quoi !

Claire avait déjà déballé les sandwichs.

Elle prit un des pans-bagnats et mordit dedans à pleines dents. Mâcha, d'un air songeur. Encore une bouchée. Dupin s'y mit également.

Sans un mot, ils regardaient le célèbre panorama.

— N'est-ce pas une journée splendide ?

Claire affichait son sourire irrésistible, détendu, serein.

— Tu t'es blessé à la joue.

Dupin l'avait complètement oublié. Son pouls s'accéléra un peu.

— Ce sont des choses qui arrivent, ajouta-t-elle sans réussir à dissimuler un sourire. Cet après-midi, Pierre réintègre la clinique, au fait. Je viens de l'apprendre.

— Ces prochains jours, je ne veux qu'une seule chose : me reposer ! Rester allongé sur la plage, lire, nager, manger, dormir, annonça Dupin, à sa propre stupéfaction.

Cela venait du fond du cœur.

L'affaire dans son ensemble, les événements violents avaient été relégués très loin, une fois la conversation sur le balcon passée. Bien sûr, l'histoire le poursuivrait encore longtemps ; il allait collaborer avec Le Gourlaouen jusqu'à ce qu'ils rassemblent assez d'indices concordants pour expédier Durand derrière les barreaux. Ils devraient faire de même concernant les affaires Ellec et Cardec. Cependant, dans son for intérieur, c'était terminé. Sa rage s'était dissipée. Il pouvait enfin s'adonner pleinement à ses vacances.

— Mais nous avons encore quelques escapades à faire. Il y a tant de choses que nous n'avons pas vues ! Sans oublier, s'écria Claire dans un rire, la brochure de Bellec ! Tu t'en souviens ? Ramasser les œufs de requin, le tatouage, la distillerie…

— Je suis prêt à tout, répondit Dupin, la mine réjouie.

— Et nous devons découvrir d'autres formations granitiques. Je crois que je suis en tête du classement.

Les géants roses, étranges, mystérieux, silencieux, qui les entouraient. Eternels et invincibles tant que la Terre existerait.

De retour à Concarneau

Vingt heures sonnaient quand Dupin coupa le moteur de sa vieille, très vieille, Citroën qui, depuis quelques années, hoquetait de façon inquiétante au moment de l'arrêt. Il s'était garé sur le quai du vieux port, dans la première rangée face à la mer, entre l'Amiral et la Ville close, le cœur médiéval de l'île de Moros.

Tous les quais étaient pavoisés, des centaines de bannières bleu et blanc flottaient au vent, jusqu'en haut des mâts. A gauche du long quai, de grandes tentes étaient installées, serrées les unes contre les autres. Le coup d'envoi de la Transat aurait lieu le lendemain. La régate à la voile la plus folle, la plus rude, qui traversait l'Atlantique. Un mythe. Avec deux skippers à bord de chaque voilier – dix mètres, Classe Figaro Beneteau II –, la course commençait à Concarneau et cinglait jusqu'à Saint-Barthélemy. Quatre semaines d'une lutte acharnée sur une mer démontée. Contrairement aux autres régates, l'enjeu n'était pas la suprématie du matériel – ni de savoir qui pouvait investir le plus d'argent – mais la compétence maritime de chacun. « A armes égales » en était le slogan.

La veille de la Transat, pendant les dernières heures avant le départ, il régnait toujours une atmosphère particulière, décontractée, joyeuse et vivante. Les quinze bateaux concurrents attendaient côte à côte le long du quai, les skippers mettaient la dernière main à la pâte. Autochtones et touristes admiraient les voiliers, bavardaient et buvaient un verre à l'une des buvettes.

Claire et Dupin avaient quitté Trégastel à dix-huit heures quinze. Ils avaient bien roulé. Debout à l'entrée de l'hôtel, madame et monsieur Bellec leur avaient dit au revoir en agitant la main.

Après son arrestation, Durand, plein de morgue, avait continué à nier les faits. Mais la perruque lui asséna le premier coup. Pendant les sept derniers jours, Le Gourlaouen et Jean n'avaient pas ménagé leur peine pour rassembler tous les indices irréfutables. Pour sa mise en scène meurtrière, Durand avait eu besoin d'une perruque professionnelle qui devait imiter à la perfection la chevelure de sa femme. Les fabricants capables de cela n'étaient pas si nombreux. Cependant, Durand, rusé, avait trouvé une adresse à l'étranger : un maître perruquier traditionnel espagnol. Si on n'avait pas entrepris une telle recherche – une liste des meilleurs perruquiers européens avait été établie –, rien n'aurait été découvert. Dans le bureau de Durand ainsi qu'à son domicile, on n'avait trouvé aucun indice. Il avait tout effacé avec le même soin qu'il avait planifié et peaufiné ses meurtres.

Le deuxième coup qui le mena à sa perte – et qui allait amplement suffire à le mettre en accusation – fut l'appartement destiné à Marlène Mitou. Le 2 juin, en compagnie d'une « femme aux cheveux bruns », il avait visité un bel appartement du VIIIe arrondissement, boulevard Haussmann. Avec l'aide de deux collaborateurs, Jean et son équipe avaient vérifié tous les biens encore disponibles de ses agences, puis inspecté tous ceux qui pouvaient faire l'affaire. Bien sûr, dans aucun dossier on ne trouva un bail ou un contrat de vente au nom de Marlène Mitou. Mais Jean et son équipe avaient tout contrôlé en se rendant sur place. En tout, il y avait six appartements. Ils s'étaient entretenus avec les concierges, tous les habitants et même – quand il y en avait – avec les propriétaires des commerces voisins. Un couple d'âge mûr avait vu Durand en compagnie de Marlène Mitou alors qu'ils sortaient ensemble de l'appartement. Les policiers avaient montré au couple la photo de la jeune femme, et ils l'avaient reconnue sans hésiter. Au bureau de Durand, personne n'avait entendu parler de cette visite ; de toute façon, c'était généralement lui qui se chargeait des meilleurs biens situés dans les plus beaux quartiers.

L'avant-veille, le procureur de la République avait mentionné les faits à l'avocat de Durand. Après un jour de réflexion – et sur le conseil insistant de son avocat –, Durand était passé aux aveux. Jean avait raconté à Dupin ce que le procureur avait noté en marge de ses aveux : « sens pratique, sans émotion, froid, préparé et exécuté comme un projet immobilier ambitieux ». Et plus loin : « Dans sa déposition, l'accusé s'est exprimé comme suit : “Un jour, je n'ai voulu qu'une seule chose, être débarrassé d'Alizée. Mais les sociétés lui appartenaient." » C'était bien ce que Dupin avait imaginé. Mais il en avait eu le souffle coupé. Voilà comment étaient ces assassins ordinaires, de fins stratèges froids. Ce n'étaient pas des psychopathes, mais des monstres, oui. Hélas, ils étaient nombreux.

Par la suite, Durand avait tout raconté par le menu sans l'ombre d'un remords, de façon presque tatillonne. Dans les grandes lignes, le récit correspondait à l'hypothèse de Dupin, aux explications qu'il avait exposées à Durand et Le Gourlaouen sur le balcon – avec le recul il dut s'avouer avoir agi avec témérité. Comme cela avait été ensuite prouvé, rien n'était dû à une intuition géniale tombée du ciel. Les minuscules observations s'étaient emboîtées comme les pièces d'un puzzle, l'une après l'autre, et avaient permis de tirer des conclusions. Avec en supplément une dose d'intuition.

Durand était bien l'expéditeur des lettres de menace.

Les meurtres, également, s'étaient déroulés comme Dupin les avait imaginés. La sortie en bateau avait eu lieu le samedi, Durand et sa femme avaient pique-niqué en mer, au large, à l'ouest des Sept-Iles. Il l'avait étranglée à l'aide d'un foulard et, une fois qu'elle avait perdu connaissance, l'avait laissée glisser par-dessus bord. Ainsi, techniquement parlant, elle s'était noyée. Les courants aidant, on ne la retrouverait pas. Il avait également étranglé Marlène Mitou à l'aide d'un foulard, au fond de la vallée. Dupin n'avait pas prévu une chose : Durand n'avait pas mis Marlène Mitou dans la confidence. Elle aurait pu – et dû – y songer mais ils n'en avaient jamais parlé. Durand avait en outre avoué qu'il avait projeté de se débarrasser de Mitou dès le début.

Avant le meurtre de la serveuse, il y avait en effet eu une « complication », pour reprendre le mot de Durand : après l'avoir laissée à la nuit tombée dans ce lieu isolé, il était revenu. Le chauffeur de taxi ayant vu Durand et l'ayant menacé d'appeler la police, Durand s'était senti « obligé de l'éliminer ».

Somme toute, il avait pris peu de risques, il avait failli réussir un meurtre parfait. Il avait seulement eu de la malchance.

En revanche, Durand n'avait rien à voir avec le vol de la statue de sainte Anne. Cet incident avait néanmoins trouvé son épilogue, dans le plus pur style breton. Tout à coup, la veille au matin, elle avait regagné sa place. Sans une seule égratignure, et même encore plus belle qu'auparavant. Quelques mois plus tôt, en effet, la statue était tombée, la chute avait causé une profonde entaille dans le bois sur l'épaule gauche de la sainte qui avait dû être réparée. Un restaurateur de Paimpol, en charge depuis des décennies de l'église et de la chapelle de Trégastel, avait été mandaté ; il avait alors annoncé qu'il s'occuperait de la statue début août. Il avait agi de façon tout à fait correcte en envoyant un courriel à la secrétaire de mairie. Mais celle-ci était partie peu après en vacances sans avoir rédigé de contrat et sans être remplacée, si bien que personne ne prit connaissance du message dans lequel le restaurateur annonçait qu'il viendrait prendre la statue plus tôt que prévu, dès le vendredi après-midi. Il arriva donc dans sa fourgonnette blanche qu'il gara juste devant la chapelle – comme l'avait déclaré le témoin. La veille, le restaurateur avait replacé la statue ; ce genre d'histoire était monnaie courante en Bretagne. « Tu vois, avait commenté Claire, mi-figue mi-raisin, tu inventes des affaires ! Tout n'était que le fruit de ton imagination sans bornes ! »

Dupin aurait aimé répliquer... mais il avait préféré rester coi.

L'affaire du faux permis de construire du député Ellec avait fait grand bruit ; les médias avaient sauté dessus et passé au crible – parallèlement à la police – toutes les grandes décisions qu'Ellec avait prises les années suivant ce marché juteux. Toutefois, on n'avait encore trouvé aucun lien direct avec la décision de détruire la dune sous-marine dans la baie de Lannion. Mais Dupin était convaincu que le rêve de Nolwenn allait se réaliser.

Cardec s'en tirait à bon compte, uniquement parce que les projecteurs étaient braqués sur Durand et Ellec. Néanmoins, le juge qui devrait statuer sur l'extension illégale de la carrière n'allait pas considérer cette affaire comme une broutille.

Tous les soupçons à l'encontre de Maïwenn Guillou s'étaient volatilisés. Elle avait été ramenée chez elle immédiatement après l'arrestation de Durand. Claire et Dupin étaient allés chercher le cageot de légumes bio chez elle. Ellec avait perfidement informé la presse de la liaison entre le mari de Maïwenn Guillou et Viviane Quéméneur. Il avait voulu « lui rendre la monnaie de sa pièce » ; Inès Mahé avait fait en sorte qu'aucun article ne paraisse.

L'agression contre la députée n'intéressait plus personne. Dès que l'affaire avait été résolue, il avait été clair que la pierre avait été réellement lancée par le paysan en colère, sans avoir voulu atteindre ni blesser madame Quéméneur. C'était un accident. Elle était sortie de l'hôpital l'avant-veille.

Deux jours après l'arrestation de Durand, une carte postale – représentant en gros plan le rocher rose nommé *chapeau de Napoléon* – attendait Dupin à l'hôtel. Un seul mot y figurait : « Merci », signé Pierrick Le Gourlaouen.

A son tour, Dupin avait remercié Inès Mahé avant son départ. « Pourquoi donc ? » avait-elle répliqué – une vraie réponse à la Mahé.

Somme toute, l'affaire avait été affreusement banale. Une affaire manigancée avec ruse, aux ramifications complexes. Une affaire d'une atrocité sans nom, certes, mais banale.

Claire fit quelques pas vers le bord du quai, s'arrêta. Dupin se posta à côté d'elle et la serra dans ses bras. Le vent apportait les basses de la musique qui se jouait sous les barnums. Le commissaire aimait la soirée qui précédait le départ de la régate. Les années précédentes, il avait toujours fait partie des promeneurs.

Claire se tourna vers lui.

— Allons-y. Nos entrecôtes nous attendent.

Dupin ne put s'empêcher de rire.

Ils avaient prévenu Lily Basset de leur arrivée pendant qu'ils roulaient.

Bras dessus, bras dessous, ils firent demi-tour.

Une minute plus tard, ils pénétraient à l'Amiral. Le regard de Dupin se dirigea machinalement vers sa table réservée où deux hommes étaient attablés. Ses lieutenants, Le Ber et Labat. Tous deux rayonnaient lorsque Claire et Dupin les découvrirent.

— Patron ! Ici !

— Ne vous en faites pas, je vous ai reconnus.

Dupin était sur le point d'atteindre leur table.

— Nous avons pensé, fit Labat, que nous pouvions venir et vous saluer. Vous avez quand même été absent pendant deux semaines.

Cela avait sonné comme « deux années », au moins.

— Vous avez les cheveux bien courts, s'étonna-t-il en fixant le crâne de Dupin – ce à quoi ce dernier ne réagirait pas. Et une écorchure sur la joue (Dupin ne ferait pas plus de commentaires). Et vous êtes bien bronzé !

Le Ber interrompit Labat et sa litanie d'observations.

— Nolwenn ne va pas tarder, elle avait encore deux coups de fil à passer, concernant l'affaire Ellec.

Il s'était levé pour embrasser Claire. Labat s'était lui aussi levé et les avait salués d'un « Bonsoir » très aimable – il était, ce soir-là, vraiment en grande forme.

Claire s'assit.

En vérité, Dupin avait imaginé un petit dîner en amoureux. Mais on ne pouvait plus rien y changer. Heureusement qu'ils avaient dîné en tête à tête quinze jours d'affilée. Par ailleurs, il était content de retrouver son équipe.

— Il s'en est passé des choses chez vous, patron, déclara Le Ber avec précaution.

Nolwenn avait bien sûr mis les lieutenants dans la confidence. Mais Le Ber ne pouvait pas savoir à quel point Claire était au courant de la part prise par Dupin dans la résolution de l'affaire. Dupin lui-même ne savait pas ce que Claire savait exactement. Au cours de la dernière semaine, elle n'avait fait aucune remarque qui aurait pu révéler dans quelle mesure elle savait ce que Dupin avait fabriqué. Même quand ils discutaient, comme tout le monde à Trégastel, des nouvelles spectaculaires : l'arrestation de Durand, les cas Ellec et Cardec, ainsi que la résolution du jet de pierre. Dupin avait pourtant essayé de toutes ses forces de percer le mystère, mais Claire restait impénétrable… De son côté, Dupin n'avait laissé échapper aucune remarque au sujet de la clinique et des opérations à distance, même pas la plus légère des allusions. L'arrangement tacite lui convenait parfaitement – si cela en était un.

— On peut le dire, répondit Dupin en prenant un siège.

— Mais heureusement, un brillant commissaire était là, dit Claire dans un rire éclatant et joyeux.

— Vous vous êtes bien reposé, nous a dit Nolwenn.

Dupin se demandait ce que Labat voulait dire par là. Peu importe, car c'était la vérité. La deuxième semaine avait été une vraie semaine de vacances. Dupin avait frôlé le farniente le plus absolu. Il lui était même arrivé de dormir une heure, allongé sur la serviette de plage. Mais pas question de l'avouer à quiconque.

— Eh bien, c'est le docteur Pelliet qui va être content ! Sa thérapie est une vraie réussite !

— Nous sommes gonflés à bloc, commenta Claire qui souriait soudain d'une façon singulière. Nous allons en avoir besoin pour déménager.

Elle avait prononcé la dernière phrase sur un ton anodin. Comme si elle avait parlé du temps qu'il fait. De toute la semaine, elle n'avait pas laissé échapper un mot au sujet de la maison. Ni posé une seule question à Dupin.

— Un déménagement ? s'alarma Le Ber, le regard interrogateur.

— Nous emménageons boulevard Katherine-Wylie, Georges et moi. Ensemble.

Elle s'était alors tournée vers Dupin. Qui eut besoin de quelques instants pour reprendre ses esprits.

— Georges ne vous en avait pas parlé ? demanda-t-elle sur un ton réprobateur. J'ai déjà réservé un camion de déménagement.

— C'est formidable ! s'exclama Le Ber.

Même Labat se mit à l'unisson :

— Une occasion de trinquer !

Dupin et Claire n'avaient rien entendu. Dupin s'était penché vers Claire. Et l'avait embrassée. En murmurant quelque chose. Ce à quoi, elle murmura à son tour.

Lily Basset, la patronne de l'Amiral, surgit tout à coup à leur table.

— Je vous ai mis quatre entrecôtes de côté, de trois cent cinquante grammes chacune. Elles sont bientôt prêtes.

Elle avait à la main un magnum de champagne.

— Pour fêter tout ça !

C'était génial. Surtout que Lily ne pouvait savoir ce que ce « tout » recouvrait.

— Comment se sont passées ces vacances ?

— Merveilleusement bien, soupira Dupin du fond du cœur, tout simplement magnifiques. La vie en rose !

Composition et mise en pages
Nord Compo à Villeneuve-d'Ascq

Imprimé en Espagne par
Liberdúplex
à Sant Llorenç d'Hortons (Barcelone)
en novembre 2020

POCKET – 92, avenue de France – 75013 Paris

S30598/04